Carlo Sartori

LA QUALITÀ
TELEVISIVA

Bompiani

PO 6096

ISBN 88-452-2150-4
© 1993 Gruppo Editoriale Fabbri, Bompiani, Sonzogno, Etas S.p.A.
Via Mecenate 91 - 20138 Milano
I edizione Bompiani ottobre 1993

a Giulia,
ora più che mai

NOTA DELL'AUTORE

Questo volume è il frutto di una ricerca, da me svolta nel corso degli ultimi tre anni, sulla qualità televisiva nei principali paesi del mondo. La ricerca è nata e si è sviluppata presso l'Istituto di Scienze dello spettacolo e Sociologia della comunicazione della Facoltà di Sociologia dell'Università di Urbino: Enrico Mascilli Migliorini (preside della Facoltà) mi ha seguito e incoraggiato con numerosi consigli, per cui a lui va il primo, affettuoso ringraziamento. Tra i colleghi di Urbino, particolarmente preziosa è stata la collaborazione di Aurelia Marcarino, il cui fondamentale contributo alla ricerca sarà pubblicato nel rapporto finale.

I primi risultati di questo lungo lavoro sono confluiti in una trasmissione realizzata per il Dipartimento Scuola Educazione della Rai, dal titolo Super-television - Caccia alla tv di qualità nel mondo, andata in onda su RaiDue e RaiUno nella primavera del 1992 e all'inizio del 1993. Mi fa piacere perciò ringraziare il direttore del Dse, Pietro Vecchione, nonché il capo-struttura Angelo Sferrazza (che tanta parte ha avuto anche nel concepimento del progetto). Inoltre, non posso dimenticare Luca Verdone, regista del programma, e Leda Abballe, paziente raccoglitrice dei programmi di qualità di tutto il mondo.

Numerosi collaboratori mi hanno aiutato nella ricerca, e i loro nomi figurano nei capitoli cui hanno contribuito. Voglio però qui ricordare Fausto Colombo e Augusto Preta (autori di due saggi pubblicati nella terza parte del volume), nonché Edoardo Novelli, che ha seguito con me tutto l'iter del lavoro.

Infine, un grazie ai colleghi e agli amici che hanno avuto la bontà di leggere questo manoscritto prima che fosse dato alle stampe: in particolare Alberto Abruzzese, Francesco Pinto e Gianni Statera. Le responsabilità, ovviamente, restano tutte mie.

SOMMARIO

PARTE SECONDA
TELEVISIONE E QUALITÀ: LA COSTRUZIONE DEL RAPPORTO

INTRODUZIONE
LA RIVOLUZIONE DELLA QUALITÀ
E LA SUA IMPORTANZA PER LA TV

1. Alcuni elementi per un concetto di qualità

1.1. Tutto il mondo industriale avanzato (e in particolar modo la cosiddetta[1] area della Triade, composta da Nord America, Europa e Giappone[1]) ha assistito in questi anni a una vera e propria rivoluzione nella cultura sociale, politica ed economica, che ha portato in primo piano il concetto della qualità. La qualità dei bisogni e dei consumi; la qualità della produzione e della distribuzione, dei beni e dei servizi; la qualità del lavoro e del management; la qualità dell'amministrazione pubblica e della gestione politica; la qualità dell'ambiente e della convivenza civile: si potrebbe quasi tracciare una storia recente dei nostri paesi seguendo l'evoluzione di queste pratiche che, non senza intralci, hanno profondamente trasformato e reso migliore la nostra vita privata e collettiva.

I mezzi di comunicazione della civiltà contemporanea sono stati e sono, certamente, attivi protagonisti di questi sviluppi socioeconomici e culturali: si pensi al ruolo della stampa nella formazione e nella maturazione di un'opinione pubblica attenta e consapevole; allo sviluppo del cinema come forma estetica primaria per l'immaginario collettivo delle società industriali avanzate; alla distribuzione capillare della radio in tutto il mondo, che ha permesso il superamento della sua funzione propagandistica politico-commerciale a favore di un sempre più spiccato localismo partecipativo[2].

Per quanto riguarda la televisione, nella sua ancor breve storia essa ha senza dubbio mostrato e continua a mostrare una straordinaria forza di penetrazione nelle diverse aree del pianeta, contribuendo alla diffusione di massa di tutto ciò che la sua "agenda" tocca e include; ma tale forza, in non pochi casi, è apparsa eccessiva

11

rispetto agli equilibri desiderati, riversando sulla televisione (sui suoi apparati, strategie, messaggi) il peso di inappellabili condanne e di sinistre profezie. Più di qualsiasi altro mezzo di comunicazione, la tv è stata ed è vista come l'ultimo gradino di un processo di massificazione negativo, quando non addirittura terrorizzante o farsesco, vera e propria incarnazione dell'oppressivo Grande Fratello di Orwell o del paradossale Mondo Nuovo di Huxley. Per nessun altro mezzo, come per la tv, qualsiasi attributo di qualità è apparso così lontano, così estraneo, così improponibile.

1.2. Comprendiamo subito che la nostra impresa – scoprire la possibile combinazione tra qualità e televisione – non sarà dunque né breve né facile. Ma prima di intraprenderla, è necessario fare chiarezza su alcuni concetti fondamentali che potranno guidarci, illuminarci. E in primo luogo dobbiamo chiederci che cosa sia la qualità, quali siano le sue componenti strutturali, le sue dimensioni operative, le sue combinazioni contenutistiche.

Non è questa certamente la sede per tracciare un quadro generale del concetto di qualità, né per affrontare nella sua complessità la dicotomia tradizionale che, nella storia della filosofia e della scienza, ha da sempre contrapposto il termine qualità a quello di quantità[3]. Ci basterà qui ricordare che, nel suo fondamento storico-filosofico, il concetto di qualità "designa qualsiasi aspetto formale, e concretamente determinato, di una data realtà, riflettente più la natura di una cosa che non la sua materia"; in questa sua funzione, esso si pone anzi come "suprema classe di tutti i concetti designanti comunque un'inerenza a una sostanza o soggetto (attributi, proprietà, facoltà ecc.)"[4].

L'uso comune ha da sempre applicato questo concetto di qualità in modo divaricante: in relazione, ad esempio, alla "capacità o possibilità di raggiungere o no un determinato scopo", si può parlare indifferentemente di qualità buone e cattive, di qualità positive e negative. Nel mondo del commercio, il termine è stato invece, fin dall'inizio, più univocamente pregnante: la qualità di una merce è sì, genericamente, "l'insieme delle sue proprietà intrinseche ed estrinseche"; ma, "quando manchi ogni specificazione, s'intende sempre in senso buono, come sinonimo di 'pregio, merito, dote'"; per cui "l'espressione *di qualità,* con valore appositivo, può significare 'di buona qualità' [...] o 'd'alta condizione, di valore', e simili"[5]. Di qui, si intuisce facilmente come si sia originata una complessiva progressione semantica del concetto di qualità, fino a poter identificare tout-court il "grado di eccellenza"[6], o il "grado di capacità, di utilità, di perfezione"[7] di una persona o di una cosa.

Ma come, operativamente, si può procedere a determinare queste caratteristiche? Anche restringendo il nostro obiettivo al campo dell'analisi sociale, il compito si presenta estremamente vasto e difficile. Non esiste infatti – come ci ricorda l'inglese John Mepham – una "matematica della qualità": la qualità è, da un punto di vista logico, "non risolvibile", perché essa è "decisa, in via provvisoria, dagli individui che portano il peso delle loro interpretazioni e dei loro valori"[8]. La qualità è dunque sempre un concetto relazionale, il frutto di una negoziazione, la quale in via esplicita o implicita esprime "non semplicemente una caratteristica, ma una relazione tra una caratteristica e una serie di standard istituzionalmente ancorati a una serie di norme, queste ultime a loro volta ancorate a una serie di valori fondamentali caratterizzanti una certa società o un certo gruppo (strato, classe, segmento ecc.) nella società stessa"[9]. In altri termini, sono queste norme e questi valori a definire socialmente la qualità e, di conseguenza, a misurare la coerenza dei comportamenti individuali e collettivi con il progetto (implicito o esplicito) che ogni società o gruppo si è dato per la sua sopravvivenza e per il suo sviluppo[10].

Solo dall'interno di questa impostazione volutamente riduttiva, e al tempo stesso non rinunciataria, noi possiamo affrontare il tema della qualità, confidando così di sfuggire sia alle tentazioni assolutiste e manichee (la qualità come "dogma di fede", come parametro fisso, come strumento di assoluzioni e di condanne), sia alle correnti disfattiste che amano coagulare detriti, rottami, "spazzatura" in una sorta di "pasta soffice" in cui non sarebbe più possibile, né augurabile, distinguere e valutare.

2. Segnali di qualità nella televisione di fine secolo

2.1. Se il concetto di qualità ha dunque un valore sociale "relativo" e "negoziale", trasferendoci nel nostro specifico campo televisivo noi dobbiamo impegnarci ad affrontare la sua analisi con procedure che siano in qualche modo sintoniche a quel valore: così, in queste pagine preliminari, anziché formulare definizioni ed esprimere valutazioni generali, ci limiteremo a elencare una serie di "segnali" soggettivi, che si sono manifestati recentemente a vari livelli del sistema televisivo (cioè da parte di organi di legislazione e controllo, apparati e professionisti del settore, studiosi della materia, opinion leader e intellettuali, pubblico generico). Si tratta di fermenti assai diversi tra loro, ma tutti collegati "sotterraneamente" dal fatto che portano in primo piano il tema di uno sviluppo più maturo e consapevole della civiltà della televisione; che ci invitano a riflettere su modalità e procedure finora scontate; che ci indicano la percezione di disequilibri, nonché la volontà di risolverli e colmarli.

A livello di legislazione/regolamentazione, ad esempio, il contesto europeo – dopo aver assorbito non senza problemi l'avvento delle televisioni commerciali – fornisce nel recente passato almeno due esempi in cui la qualità (o un concetto a essa assimilabile) acquisisce uno status piuttosto importante. In Gran Bretagna, le società che concorrono al rinnovo delle licenze della tv commerciale devono ora superare una "soglia di qualità" stabilita da una nuova autorità di controllo, la Independent Television Commission, prima che le loro offerte monetarie possano essere presentate per la gara a buste chiuse[11]. In Germania, la Corte Costituzionale Federale ha stabilito che la diversificazione dell'offerta (la quale, come più avanti vedremo, è per certo un elemento fondamentale della qualità, in quanto contrapposta all'omogeneizzazione a favore dei generi quantitativamente più forti) deve costituire un obiettivo-chiave della regolamentazione televisiva nel nuovo sistema bipolare (pubblico/privato) interdipendente: per cui, non solo la capacità del servizio di pubblico di favorire questa varietà deve essere assicurata il più possibile, ma anche le emittenti private sono chiamate a risponderne se e quando il servizio pubblico non è in grado di raggiungere l'obiettivo[12].

Un altro segnale giunge dal mondo professionale dei paesi più avanzati, il quale – al di là del contributo di onestà e di eccellenza che ognuno può aver dato e continua a dare, nel proprio lavoro creativo o manageriale – appare nel suo complesso sempre meno indifferente al problema della qualità. In Olanda, ad esempio, l'emittente Vara, nata e sviluppatasi come una delle cosiddette "colonne" ideologiche (socialista) di quel peculiarissimo sistema televisivo, ha recentemente modificato in profondità la propria posizione attraverso l'obiettivo di costruire una sua nuova identità istituzionale sulla base della "provata qualità dei programmi che essa trasmette, piuttosto che su una serie di precostituiti principi ideologici"[13].

Anche in Italia, dove pure per anni abbiamo assistito impotenti all'evidente decadimento di ogni criterio di qualità, quella che può essere definita la "svolta del 1993" (con la nuova riforma della Rai) sembra aver riportato in primo piano questo concetto, sia nelle strategie produttive e di offerta (con un dichiarato intento di maggiore attenzione rivolta alla qualità dei prodotti) sia nella considerazione del responso del pubblico (con la proposta rielaborazione di un "indice di soddisfazione e qualità" che vada al di là del puro e semplice riscontro quantitativo)[14]. E lo stesso gruppo Fininvest (che indubbiamente ha sempre guardato con maggiore attenzione alla quantità) proprio nel 1993 ha avviato "un'attività di studio e di intervento in merito ai problemi della qualità nell'area televisiva", sottoponendo una trentina di funzionari a un corso pratico di Total Quality applicata a varie fasi del processo produttivo in tv (figura del *producer*, caratteristiche dei testi, gestione degli special ecc.)[15].

Una certa osmosi comincia a delinearsi tra lo stesso mondo professionale e quello accademico, proprio sul punto di confluenza della qualità. Ne è testimonianza principale un grande progetto di studio internazionale, lanciato dall'organismo pubblico giapponese Nhk con lo scopo di esplorare ed elaborare i possibili significati e metodi della qualità televisiva: alcuni risultati sono già stati pubblicati[16], ma quel che più conta è che, grazie a questa iniziativa di un organismo professionale, la comunità internazionale degli studiosi (di cui, nella ricerca giapponese, sono presenti alcuni illustri rappresentanti, da Blumler a Greenberg) sia stata finalmente chiamata a confrontarsi su questo problema con le componenti operative del sistema televisivo.

2.2. Appelli e proteste in favore della qualità giungono poi, con sempre maggiore forza, dall'opinione pubblica dei maggiori paesi avanzati: quella qualificata (dai circoli accademici, specialisti e non, al mondo intellettuale in genere) e quella generica costituita dal pubblico televisivo. In questi segnali, sono indubbiamente mescolati nobili intenti e ottuse incomprensioni del mezzo tv, chiarezza di analisi e pervicaci pregiudizi anti-televisivi. Ma per il momento accontentiamoci di registrarne la presenza, che è indubbiamente in crescita e che non può, non deve più essere ignorata o sottovalutata. Tra i tanti esempi disponibili, ne scegliamo tre che ci sembrano particolarmente significativi di altrettante tendenze di questo "movimento di opinione" in favore della qualità.

Il primo filone ci riconduce all'interno del campo accademico, dove è nato (nel dicembre del 1990) il Cultural Environmental Movement, un'iniziativa mirata a coinvolgere ampi settori dell'opinione pubblica americana e internazionale ai fini di "una più democratica politica culturale", che rompa l'accerchiamento di "un ambiente dei media sempre più centralizzato, globalizzato e di massa" e che conduca verso una ben più equilibrata "ecologia della comunicazione". Il movimento – che ha tra i suoi principali promotori George Gerbner, ex direttore e docente della prestigiosa Annenberg School of Communication della University of Pennsylvania – si occupa e preoccupa di tutto il sistema dei media, ma ha certamente tra i suoi obiettivi primari proprio la televisione: alla televisione, infatti, pensa Gerbner quando afferma che "oggi, per la prima volta nella storia dell'uomo, i nostri figli nascono in un ambiente di immagini e messaggi indipendenti dalla casa, dalla scuola, dalla chiesa, dal vicinato e spesso anche dalla propria nazione [...]: chi racconta loro più di frequente le favole [...] è un gruppo di lontani giganti economici, che hanno qualcosa da vendere". Per cui diventa primaria "la promozione di una alfabetizzazione televisiva, di una nuova consapevolezza, di una più compiuta visione critica a tutti i livelli, e non soltanto tra gli specialisti"[17].

Le preoccupazioni degli intellettuali per la qualità televisiva (secondo filone, secondo esempio) sono ben illustrate dall'iniziativa che vide protagonista, nel 1988 in Italia, Alberto Moravia[18]. Sulla rivista letteraria *Nuovi Argomenti*, il grande scrittore pose "quattro domande" sulla televisione ai suoi colleghi italiani, tutte incentrate, esplicitamente o implicitamente, sul concetto di qualità. Citando e rovesciando, con un pizzico di disinvoltura, la celeberrima sentenza mcluhaniana ("Il medium è il messaggio"), Moravia chiedeva: "Non pensate piuttosto che il messaggio stia nella qualità delle trasmissioni e non nell'apparecchio televisivo?" E ancora: "Non credete che la relativa impreparazione di coloro che fanno televisione sia all'origine della volgarità e superficialità dei programmi televisivi?

[...] Non credete insomma che nella televisione è la massa che educa, diverte e informa la massa, cioè se stessa? Col risultato di abbassare sempre più il livello dei programmi televisivi?" Non ci soffermiamo a commentare le domande, né tantomeno le risposte (queste ultime in genere improntate a un lamentoso catastrofismo cui molti intellettuali italiani ci hanno abituato), ma ci limitiamo a registrare l'evento, che è stato tra l'altro il primo, e il più autorevole, di tutta una serie di dibattiti e interventi sul tema della qualità/spazzatura, che hanno in questi anni occupato in Italia tante pagine dei giornali e tante trasmissioni televisive.

La crescente consapevolezza del pubblico generico in tema di qualità della televisione (terzo filone, terzo esempio) è certamente un dato di fatto riscontrabile anche superficialmente in tutti paesi a sviluppo televisivo avanzato. In alcune nazioni europee le diverse legislazioni cominciano o continuano a recepire la "voce" dei cittadini anche attraverso la formazione di veri e propri organi istituzionali, peraltro di ancora non provata efficacia (come ad esempio il Consiglio degli utenti italiano, istituito presso l'ufficio del Garante per l'editoria e la radiotelevisione); oppure si assiste allo sviluppo di associazioni volontarie che tentano di far sentire la loro voce tra le maglie delle istituzioni politiche e televisive (come la Voice of Listener and Viewer britannica).

Ma è soprattutto negli Stati Uniti che un movimento "dal basso" (*grass-roots*, nella terminologia corrente americana) è riuscito effettivamente a incidere, con la sua forza, sulla politica di programmazione dei tre grandi network, i quali non a caso lo hanno spesso accusato di essere abilmente e oscuramente manovrato. Si tratta del movimento noto come Viewers for Quality Television (Vqt), che è stato fondato nel 1985 da due donne, Dorothy Swanson e Donna Deen, sull'onda del disappunto provocato dalla cancellazione della serie *Cagney & Lacey*, simbolo americano di una produzione di qualità. Con l'aiuto (spesso non disinteressato) di *professionals* interni al mondo televisivo, le due promotrici hanno costituito una struttura di *lobby* che oggi conta circa cinquemila membri attivi e ha una sua newsletter regolare con la quale si allertano i telespettatori sui rischi di indebite cancellazioni e su altri problemi attinenti alla qualità dei programmi. Vqt è certamente, dunque, un interlocutore di cui si deve tener conto: anche se occorre rilevare che il suo concetto di qualità non va molto al di là del buonsenso comune di una *mid-*

dle-class illuminata e *liberal* (con una preponderanza, come è stato notato, femminile e vagamente femminista)[19].

3. Verso una qualità televisiva finalmente "globale"

3.1. Se tutti i segnali evidenziati non sono mendaci, si può ragionevolmente pensare che *ci stiamo avviando verso un'"era della qualità" in televisione*? È molto probabile, e l'intero contenuto di questo volume vorrebbe esserne una testimonianza. La televisione ha attraversato – come vedremo – l'epoca del tumultuoso sviluppo "orizzontale" (caratterizzato dall'estensione della sua presenza alle diverse aree del pianeta e, in ciascuna di esse, alle diverse zone sociopolitiche e culturali) e quindi l'epoca dell'altrettanto tumultuoso, e forse ancor più devastante, sviluppo "verticale" (contrassegnato dall'eplosione quantitativa dei suoi messaggi destinati a un pubblico il più vasto e il più indifferenziato possibile). Ora sembra giunto il tempo di un nuovo sviluppo "trasversale", in cui emerge come fondamentale non più un legame qualsiasi tra lo strumento tecnologico e il suo utilizzatore (come nello sviluppo orizzontale), non più una relazione di dominio tra gli apparati emittenti e la massa ricevente (come nello sviluppo verticale), ma un *rapporto di fiducia* tra le istituzioni professionali che producono comunicazione e i cittadini-utenti che la consumano e la utilizzano.

In questo passaggio, ricoprirà certamente un ruolo importante il *progresso tecnologico* del mezzo televisivo, che da rudimentale strumento passivo si trasformerà sempre più – ne parleremo in dettaglio – in un sofisticato motore attivo di comunicazione a "una via" (per la fruizione tradizionale di svago, informazione, cultura) e a "due vie" (per la gestione di flussi interattivi negli stessi campi e anche nell'attività di lavoro). Ma importante sarà pure, in questo quadro, la *progressiva maturazione del pubblico televisivo*: la quale – come ci avverte W. Russell Neuman[20] – non avverrà senza difficoltà e traumi, dal momento che si tratterà di sgretolare nientemeno che la psicologia di massa sedimentatasi in quasi mezzo secolo di televisione monodirezionale e impositiva. Ma avverrà, come ci conferma Olson guardando alla "posizione di potere" che la televisione, sviluppandosi, ha già riconosciuto al suo pubblico; e da questa reciproca maturazione (del mezzo e del pubblico) non potrà che scaturire qualità, perché essa "è una proprietà che emerge in modo sempre più naturale via via che il giovane mezzo e il suo pubblico raggiungono la maturità"[21].

Lo aveva già intuito Furio Colombo alla metà degli anni Settanta, quando individuava nella volontà dei telespettatori "di mantenere il contatto con il televisore acceso, che apprezzino oppure no, che accettino o che rifiutino" (atteggiamento tipico di una non raggiunta consapevolezza), la ragione che poteva spiegare "il livello relativamente modesto di tutte le televisioni del mondo, rispetto alle punte alte del gusto e della capacità creativa di ogni paese"[22]. I nuovi scenari degli anni Novanta contribuiscono proprio, in primo luogo, a rovesciare questa indifferenza alla qualità, facendo sì scadere l'universalità e l'autorità delle fonti emittenti della mega-televisione tradizionale, ma facendo finalmente esplodere la considerazione approfondita e preventiva (non, cioè, semplicemente "a prodotto finito") della domanda dell'utente: una domanda, certo, strutturalmente diversa per ogni genere di offerta[23], ma unificata dalla ricerca di quella "qualità relativa" che i propri bisogni e interessi, le proprie esperienze pregresse e la propria disponibilità di tempo libero (nonché, nel caso di tv a pagamento, la disponibilità di denaro) renderanno appetibile e praticabile.

3.2. Possiamo dunque ritenere che questa strada di progresso e di qualità si potrà percorrere. Ma, prima di procedere oltre e vedere in che modo ciò si potrà realizzare, è a questo punto importante cominciare a comprendere *quali caratteristiche e dimensioni noi stiamo attribuendo al concetto di qualità, nel momento in cui lo applichiamo al mezzo televisivo.* E ci accorgiamo subito che la nozione stessa di qualità non gode – sia nello studio teorico sia nella prassi quotidiana di tale campo – di contorni precisi e convincenti. In Europa, un'idea di "televisione di qualità" è da sempre ideologicamente contrapposta alla "televisione di consumo" praticata dalle emittenti commerciali americane o di ispirazione americana; e questa dicotomia sembra aver permeato ineluttabilmente tutto il dibattito mondiale sulla qualità televisiva, ottenendo come unico risultato la sua progressiva ghettizzazione e obsolescenza, via via che la realtà televisiva si sviluppava mostrando la possibile (e augurabile) convivenza tra arte e industria, tra creatività e razionalità produttiva.

Dal loro punto di vista, gli studiosi si sono costantemente occupati del tema della qualità, specie all'interno della tradizione di ricerca angloamericana (come vedremo in dettaglio nella seconda parte del volume). Ma certamente il filone risulta piuttosto esangue, se si confronta con altri più fortunati oggetti di studio della massmediologia internazionale. È vero – e va ricordato – che molti dei temi più praticati dai ricercatori (contenuti di violenza e di sesso, strategie del *prime-time*, effetti dei programmi sul pubblico e in particolare sui minori ecc.) contengono comunque riferimenti impliciti o espliciti al tema della qualità. Non può però essere ritenuto insignificante il fatto che, ad esempio, la voce *qualità* non esiste in quella monumentale e davvero esaustiva opera che è la *International Encyclopedia of Communications*, la quale raccoglie ben 569 saggi su altrettanti temi[24].

Il fatto è che – in tutti i contesti televisivi, e in particolare in Europa, che era il terreno più "fertile" – la ricerca (pura o applicata) sulla qualità è stata in gran parte intrapresa nell'ambito e allo scopo di una critica negativa delle dilaganti rilevazioni quantitative sull'audience, quasi in una sorta di contrapposizione tattica a esse. Ciò ha provocato due obiettive, grandi limitazioni: da un lato, non si sono fatti significativi passi in avanti rispetto alle vecchie (troppo vecchie) indagini sul "gradimento", che erano state tipiche degli enti pubblici europei nella loro fase monopolistica; dall'altro lato, non ci si è mossi quasi mai al di fuori del ristretto campo di valutazione critica dei singoli programmi o tutt'al più dei generi.

È così che ci si è ritrovati in un vero e proprio campo "minato", dove qualsiasi categoria tradizionale ha dovuto soccombere di fronte all'incalzare di uno "specifico televisivo" che rimescolava a suo piacimento cultura "alta" e "bassa", sofisticata e popolare, di qualità e di "spazzatura". Un campo dove è diventato sempre meno significativo e sempre più impossibile – come nota Richeri[25] – usare i vecchi criteri assoluti di valutazione della qualità: siano essi quello del "risultato" (la qualità come libertà di programmare del *broadcaster*), quello della "forma" (prodotto di qualità vs. prodotto industriale) o della "funzione" (qualità come generica offerta di informazioni utili).

Occorre, dunque e innanzitutto, ampliare il concetto di qualità televisiva, se vogliamo che esso trovi la forza per riemergere e per imporsi, così come ci hanno indicato i segnali presi in esame. Occorre comprendere che non ci si può muovere soltanto all'interno della produzione e della diffusione dei programmi, perché rimarremmo intrappolati in meccanismi perversi dai quali sarebbe inpossibile evadere (non c'è niente di più ingannevole, oggi, della contrapposizione frontale tra prodotto "di qualità" e prodotto "di consumo"). Occorre allora identificare tutti i livelli, profondamente interconnessi, di quello che è ormai – dobbiamo rendercene conto – un *ecosistema complesso*: livelli "oggettivi" (le emittenti, i palinsesti, i programmi) e livelli "soggettivi" (gli operatori professionali, i critici, i telespettatori). Solo in tal modo l'astratta e asfittica formulazione del vecchio concetto di qualità (così poco feconda e produttiva nella vicenda storica fin qui vissuta dalla televisione) potrà lasciare il posto alla pratica applicazione di un nuovo concetto di qualità, finalmente e definitivamente "globale".

NOTE BIBLIOGRAFICHE

[1] Per un approfondimento del tema: K. Ohmae, *Triad Power*, New York, The Free Press, 1985; trad. it.: *La Triade del potere*, Milano, Sperling & Kupfer, 1986.

[2] Un'ampia trattazione in: C. Sartori, *Evoluzione delle comunicazioni di massa nella società industriale*, Milano, Cooperativa Libraria, Istituto Universitario di Lingue Moderne, 1984. Per la radio in particolare: E. Mascilli Migliorini, *La comunicazione istantanea*, Napoli, Guida, 1987.

[3] Si veda: R. Thom, voce "Qualità/Quantità", in *Enciclopedia Einaudi*, Torino, Einaudi, 1980, pp. 467-468.

[4] Istituto dell' Enciclopedia Italiana, *Dizionario Enciclopedico*, Roma, 1959, vol. X, pp. 17-18.

[5] ibidem.

[6] La definizione è dell'*Oxford English Dictionary*, vol. XII, 1989.

[7] La definizione è tratta da Aldo Gabrielli, *Grande Dizionario Illustrato della lingua italiana*, Milano, Mondadori, 1989.

[8] J. Mepham, "The Ethics of Quality in Television", in G. Mulgan (a cura di), *The Question of Quality*, London, British Film Institute, 1989, pp. 56-72.

[9] K.E. Rosengren, M. Carlsson e Y. Tagerud, "Quality in Programming: Views from the North", *Studies of Broadcasting*, n. 27, marzo 1991, p. 22.

[10] F. Crespi, "La competizione sprecata", in P. Dorfles (a cura di), *Atlante della radio e della televisione1992*, Torino, Nuova Eri, 1992, pp. 79-80.

[11] La citazione così espressa in: J.G. Blumler, "In Pursuit of Programme Range and Quality", *Studies of Broadcasting*, n. 27, marzo 1991, p. 191.

[12] C. Holtz-Bacha, "On the Road to Commercialization: From Public Monopoly to a Dual Broadcasting System in Germany", *European Journal of Communication*, vol. 6, 1991, pp. 223-233.

[13] Per approfondimenti: M.I. Ang, *Desperately Seeking the Audience*, London e New York, Routledge 1991, p. 136.

[14] Si fa qui riferimento a una serie di interviste e dichiarazioni del presidente della Rai C. Demattè; si veda in particolare *La Repubblica*, 8-9 agosto 1993.

[15] Si tratta di informazioni acquisite direttamente dall'autore presso la Divisione Televisiva del gruppo Fininvest, Milano, 1993.

[16] I risultati delle ricerche sono stati suddivisi in due volumi della rivista pubblicata dal Theoretical Research Center del Nhk Broadcasting Culture Research Institute di Tokyo: *Studies of Broadcasting*, n. 27, 1991; e *Studies of Broadcasting*, n. 28, 1992.

[17] G. Gerbner, conversazione con l'autore, Philadelphia, Pennsylvania, 1993.

[18] A. Moravia, "Quattro domande agli scrittori italiani sulla televisione", *Nuovi Argomenti*, n. 27, luglio-settembre 1988, pp. 34-62.

[19] Del Vqt parla diffusamente L.A. Brower, *The Adoring Audience - Fan Culture and Popular Media*, London e New York, Routledge, 1992, pp. 171-182.

[20] Si veda W. Russell Neuman, *The Future of the Mass Audience*, Cambridge, Massachusetts, Cambridge University Press, 1991.

[21] S.R. Olson, "Meta-Television: Popular Postmodernism", *Critical Studies in Mass Communication*, n. 4, pp. 284-300.

[22] F. Colombo, *Tv: la realtà come spettacolo*, Milano, Bompiani, 1974, pp. 64 e segg.

[23] Una trattazione della domanda secondo il modello del consumatore razionale in: M. Gambaro e F. Silva, *Economia della televisione*, Bologna, Il Mulino, 1992, pp. 32-35.

[24] *International Encyclopedia of Communication*, New York e Oxford, Oxford University Press, 1989.

[25] G. Richeri, "Qualità a pagamento", in P. Dorfles (a cura di), *Atlante della radio e della televisione 1992*, Torino, Nuova Eri, 1992, pp. 96-97.

PARTE PRIMA

TELEVISIONE E QUALITA':
UNA COMBINAZIONE POSSIBILE?

Abbiamo finora affrontato soltanto le premesse del problema della qualità televisiva: il modo, cioè, in cui esso "potrebbe" essere posto, alla luce di una sua visione finalmente globale, estesa alle molteplici dimensioni oggettive e soggettive che lo compongono (e che analizzeremo meglio in seguito). Ma noi non sappiamo ancora con certezza *se questo rapporto tra televisione e qualità sia comunque possibile, nell'attuale e futuro stato di evoluzione del mezzo televisivo*: lo abbiamo solo ipotizzato alla luce di alcuni segnali e di alcune diagnosi.

L'accertamento della possibilità di tale combinazione è il compito che ci aspetta, in questa prima parte del volume. Dobbiamo, in altri termini, cercare di sapere se non vi siano impedimenti preliminari che rendano in qualche modo vana anche la più semplice operazione di "aggancio" tra televisione e qualità: se, nella natura stessa di questo mezzo, o nella sua struttura, nelle sue funzioni, nei suoi prodotti, o nei rapporti che esso attiva con i suoi destinatari, non si nascondano fattori del tutto contrari a qualsiasi sviluppo della qualità o comunque dei suoi elementi fondamentali.

Affronteremo questo compito seguendo uno schema classico, che prende in considerazione prima il *medium* nel suo insieme (e quindi le sue caratteristiche generali, nonché la struttura di base dei suoi apparati emittenti); successivamente il *messaggio* (e perciò l'"estetica" della televisione, attraverso le forme e i generi che danno vita alle trasmissioni); sarà poi la volta del *canale* (visto come "agglomerato" di tutto lo sviluppo della tecnologia televisiva); e infine ci dedicheremo al *pubblico* (del quale analizzeremo il rapporto tradizionale che lo lega al mezzo televisivo, nonché i principali processi di modificazione che tale rapporto sta subendo nelle nostre società avanzate).

Questi quattro temi corrispondono ai quattro capitoli della prima parte. Ognuno di essi inizia con l'esposizione di una tesi molto negativa sulla televisione (in genere legata a una figura retorica usata da chi l'ha proposta: il medium come "landa desolata", il messaggio come "chewing gum per gli occhi" ecc.) e cerca poi di sviluppare idee e argomenti che possano in qualche modo confutare quella tesi, o comunque attenuarne la pesante negatività, o se non altro mettere in discussione l'unilateralità anti-televisiva di quel giudizio. Il tutto, si è detto, con l'obiettivo di scoprire se televisione e qualità non siano termini così antitetici come generalmente si considerano.

I.

IL MEDIUM: DAVVERO UNA "LANDA DESOLATA"?

1. Apocalittici e integrati della Neotelevisione

1.1. *A vast wasteland*, una grande landa desolata. Questa è la celebre definizione della tv coniata nel 1961 da Newton Minow, nel corso della sua prima apparizione pubblica alla conferenza annuale della National Association of Broadcasters, dopo essere stato nominato da John Kennedy presidente della Federal Communications Commission (l'organismo di controllo del sistema dei media in America). Per onor del vero, va detto che in altri passi del suo discorso Minow aveva dichiarato di apprezzare gli sforzi di certa parte della televisione e aveva citato alcune trasmissioni importanti dell'epoca (dai dibattiti Nixon-Kennedy al *See It Now* di Edward Murrow, dal *Kraft Television Theatre* al *Peter Pan* televisivo di Mary Martin). Ma ciò che si ricorda ormai è soltanto quella sferzante definizione negativa, che è diventata negli anni una sorta di *refrain* utile per ogni intervento catastrofista sulla televisione.

Meno noto, ma altrettanto significativo, è il discorso che Minow ha tenuto nel 1991 (proprio per celebrare il trentesimo anniversario di quel suo "storico" intervento), nel quale ammette che dal "grande vuoto" della landa desolata si è passati in trent'anni al "grande pieno", ma con molti rischi in più, dovuti soprattutto alla escalation della violenza in televisione: "Nel 1961 io mi preoccupavo perché i miei figli non avrebbero tratto gran beneficio dalla tv, ma nel 1991 io mi preoccupo perché i miei nipoti saranno danneggiati da essa"[1]: da questo impasto di violenza – intende appunto dire Minow – che la televisione trasmette ora per ora nella mente dei telespettatori.

Le considerazioni di Minow sono certamente dettate da onestà di

29

pensiero e ispirate a un "buon senso" condiviso da molti, in America come in Europa e in altre parti del mondo. A dire il vero, il tema della violenza in televisione – pur essendo stato al centro di un dibattito continuo, specie nella ricerca accademica americana, sin dai primi anni cinquanta[2] – per lungo tempo non ha goduto di risultati molto chiari e definitivi, tra l'ipotesi ottimistica della "catarsi" (secondo cui l'esposizione alla violenza della tv ammortizza la violenza reale) e quella pessimistica, che vede invece un qualche rapporto di causa/effetto tra la rappresentazione televisiva e il comportamento aggressivo e antisociale. Oggi, peraltro, la maggior parte degli studi sembra indicare una prevalenza di quest'ultima interpretazione[3], fornendo perciò un appiglio scientifico sempre più cospicuo alle preoccupazioni del buon senso; e ciò diventa ancor più allarmante nel caso dei minori, come ha sottolineato tra le altre una documentata sintesi delle ricerche in materia presentata dalla Associazione americana degli psicologi, secondo la quale la correlazione tra violenza in tv e comportamenti aggressivi esiste, ed è "per dimensioni più forte di qualunque altra variabile comportamentale che sia stata misurata"[4].

Non a caso, in diverse nazioni del mondo, si sono moltiplicate "crociate" anti-televisione di singole persone o gruppi (con raccolte di firme, petizioni ecc.) cui hanno fatto eco severe prese di posizione di organismi e istituzioni ufficiali, nonché inappellabili condanne pronunciate dai "pulpiti" più autorevoli dell'opinione pubblica mondiale. Innanzitutto dal pulpito cattolico: contro la televisione si sono levate ad esempio le voci di alcuni teologi (lo svizzero von Balthasar l'ha definita "uno strumento del demonio") e dello stesso Papa Woytila, che in più di una occasione è intervenuto per stigmatizzare l'invadenza rumorosa, spesso frivola e volgare, di questo mezzo di comunicazione di massa, pur non disconoscendone le grandi potenzialità ecumeniche. L'indignazione è cresciuta a tal punto, che anche uno degli "alfieri" del pensiero liberale, il filosofo Karl Popper, in un libro-intervista ha addossato alla tv la pesantissima responsabilità di "educare i nostri bambini alla violenza", ed è arrivato a invocare persino lo strumento della censura, correggendosi solo successivamente in favore di un meno drastico "giuramento morale" che dovrebbe essere prestato da chiunque lavori, a qualunque livello, in televisione[5].

1.2. Se il tema ricorrente dell'incitamento alla violenza ha avuto – come abbiamo accennato – il suo battesimo in America e di lì è trasmigrato nel resto del mondo, in Europa si è originato un altro dibattito negativo nei confronti della televisione: non ci riferiamo qui a quello ormai "preistorico" degli anni cinquanta, che vide gran parte dell'intellighentsia europea schierata aprioristicamente contro la sicura rovina che sarebbe stata prodotta dalla televisione, ma intendiamo cogliere le numerose espressioni di pessimismo e di "disperazione" che sono state avanzate da quando, negli anni Ottanta, l'avvento di una televisione commerciale "all'americana" ha sconvolto l'equilibrio dei vari servizi pubblici nazionali, che avevano dominato la scena televisiva del Vecchio Continente in condizione di monopolio (o tutt'al più, come in Gran Bretagna, di "duopolio protetto").

Uno dei primi e più tumultuosi epicentri di questo dibattito è stato localizzato proprio in Italia, perché nel nostro paese lo sconvolgimento della tv commerciale è stato più precoce (i francesi parlavano di "morbo italiano", prima di esserne essi stessi conquistati), più repentino, più frastornante, più spettacolare. Valga per tutte la ben nota requisitoria di Federico Fellini (che proprio allo *show-business* televisivo manipolato dalla pubblicità ha dedicato il sarcasmo raffinato del suo *Ginger e Fred*), nella quale si ritrova addirittura un'eco – sicuramente casuale – della *vast wasteland* di Minow, anche se le metafore usate sono diverse: "La televisione – scrive Fellini – non si presenta a me come episodi e immagini isolati. La televisione è un'enorme galassia in movimento, come una via lattea dove non distingui più nulla. È un gran minestrone. Una mescolanza di tutto che restituisce un magma grigiastro e ribollente. Alla fine di una giornata di televisione, che cosa, che cosa puoi dire di avere visto?" E ancora: "Lo stravolgimento di qualsiasi sintassi articolata ha come unico risultato quello di creare una sterminata platea di analfabeti pronti a ridere, a esaltarsi, ad applaudire tutto quello che è veloce, privo di senso e ripetitivo"[6].

La collocazione sistematica di questo pensiero "neo-apocalittico" è stata tentata da Umberto Eco (che già aveva provveduto alla stessa operazione molti anni fa, con gli apocalittici della prima ora[7]): a suo parere, esso si riferisce a quella che egli chiama Neotelevisione, e "che è un fenomeno complesso, fatto di tanti e tanti canali, tutti intessuti di spot pubblicitari, e di trasmissioni che si imitano l'una con l'altra, e si rinviano a vicenda agli occhi dello spettatore che muove compulsivamente il telecomando, ciascun programma parlando di se stesso e con un pubblico che fa parte del programma". Il tutto, all'interno di un sistema di "specchi riflettenti" che provoca alla fine la sua implosione: "L'effetto NeoTv – nota infatti Eco – è dato dalla proliferazione cancerosa dello stesso schema ripetuto all'infinito. Quello che fa la NeoTv è la sua ripetitività, e l'impossibilità finale di distinguere e di discernere, e di scegliere"[8].

Una descrizione più dettagliata, caratterizzata da un accento etico volutamente marcato, ce la fornisce Aldo Grasso, quando con acutezza parla di una "vomizione di immagini tagliate sul minimo comun denominatore dei gusti dei telespettatori" e rileva che la ripetizione ossessiva con cui i vari programmi vengono proposti riproduce un'altra ossessione ripetitiva, che è quella della pubblicità: a partire da un certo momento (che corrisponde al successo popolare della tv commerciale e delle sue formule), "allo spettatore ci si rivolge con la sintassi e le mitologie della pubblicità; il modello dello spot diventa linguisticamente e ideologicamente il modello dominante: la PaleoTv era una televisione dai tempi lunghi, rallentati, sospesi, la NeoTv è ischemica, strillante, incurante di collegamenti". Ma non basta: l'ossessione dell'audience e, di conseguenza, la ricerca del consenso generalizzato portano verso "una televisione a misura del sempre più basso", per cui "l'estetica della televisione sta diventando inevitabilmente un'estetica triviale: per essere di gradimento, bisogna confermare quello che tutti vogliono vedere, porsi al servizio dei luoghi comuni". Questi – e non l'ignoranza – sarebbero ormai la quintessenza della "stupidità moderna"[9].

In quasi tutti i paesi europei, nel corso degli anni Ottanta, si sono lette e ascoltate parole simili, per descrivere questa "NeoTv cancerosa" che è nata dalle ceneri del monolitismo pubblico. Ma il problema non è solo circoscritto alla realtà televisiva di ciascun paese: esso è anche strutturalmente internazionale e si sta diffondendo nel mondo con la stessa capacità espansiva e la stessa velocità che contraddistinguono i processi di globalizzazione delle economie avanzate[10]. L'interminabile flusso di materiale audiovisivo circolante sempre più liberamente nel mondo suggerisce a taluni le stesse preoccupazioni e le stesse ipotesi di sventura. Se ne è fatto spesso portavoce il più volte ministro francese della Cultura Jack

Lang, ferreo (troppo ferreo?) custode ideologico delle diverse identità culturali dei popoli, il quale vede proliferare in tutto il mondo "una mediocrità priva di qualsiasi identificabile spirito creativo, al punto che non sappiamo più nemmeno da dove provengano le trasmissioni"; e anch'egli, come Fellini, usa una metafora culinaria parlando di "un pappone tiepido, senza colore e senza sapore, che si può cucinare e consumare a Rio come a Roma, a Los Angeles come a Parigi: una zuppa con cui i popoli si assopiscono, si disabituano alla cultura, si disalfabetizzano"[11].

1.3. Non manca però chi destituisce di ogni fondamento qualsiasi discorso etico sulla tv, sulla sua tramontata qualità, sulla frivolezza e la volgarità che tracimano dal teleschermo. Il "principio di autorità" lo si può ritrovare proprio nel pensiero di Eco quando, con l'ironia descrittiva e la sorridente rassegnazione dell'intellettuale comprensivo, afferma che "sulla NeoTv non si pronunciano più giudizi etici, essa è al di là della morale; essa esiste, come le termiti, il simùn del deserto, la filossera delle viti, la dorifora della patata"[12]. Proprio nel "laboratorio" televisivo italiano, vi è da anni un programma che si propone di dimostrarlo: *Blob*, trasmissione metatelevisiva per eccellenza (e originale anche nel panorama internazionale) che ripropone ogni giorno un'orripilante e affascinante triturazione decontestualizzata del palinsesto di tutte le reti, in una "dionisiaca e onnivora rivisitazione dei territori simultanei del video" che produce senso attraverso il non-senso di questo debordante "corpo espanso" del televisore[13]. Non è un caso che uno dei creatori di *Blob*, Enrico Ghezzi, neghi che possa avere un senso il recriminare contro la televisione: "La tv (anche quella povera, arretrata, inetta, volgare, che circola in tutte le reti del mondo) è un gioco virtuale planetario (da troppi anni lo giochiamo senza saperlo), una bomba già esplosa per tutti, come Hiroshima. Come se da un'astronave cinquant'anni fa [...] fosse atterrato il virus della riproduzione automatica, il gene di un puro linguaggio e catalogo del mondo"[14].

Un altro *professional*-pensatore italiano, questa volta della tv commerciale, va ancora più in là e tenta una uscita "funambolica" dal problema, rovesciandolo come in una sorta di "buco nero". È Carlo Freccero – anch'egli un protagonista del "laboratorio Italia" in quanto uno dei principali artefici del primo successo popolare di

Canale 5 all'inizio degli anni ottanta – per il quale, alla volgarità della tv, non si contrappone praticamente nulla, o solo un "fantasma": il fantasma della tv per bene, che si definisce non per i suoi attributi positivi, ma per ciò che non è, che non potrà mai essere. L'unica realtà possibile, infatti, è quella della tv volgare: "volgare perché non è letteratura, perché non è scuola, perché non è cinema"; perché, proprio a differenza del cinema (in cui le forbici del montatore confezionano, da una massa di "girato", un prodotto di due ore levigato, studiato, elegante), la televisione deve andare in onda 24 ore al giorno, non si spegne mai, e perciò "manca di un'opera di disciplina preventiva che separi gli scarti dal resto: la tv spazzatura è una tv che conserva e mette in onda i suoi scarti". Per fortuna, secondo Freccero: perché "la forbice che taglia lo scarto è anche quella che sterilizza, che castra i possibili sviluppi del programma: la volgarità, la spazzatura sono il brodo di coltura della sperimentazione"[15], la garanzia di vita della televisione.

In questa provocatoria posizione "professionale" di Freccero si ascolta l'eco delle prime teorizzazioni mediologiche del filosofo tedesco Hans Magnus Enzensberger, quando affermava: "I media elettronici fanno a meno della pulizia; essi sono per natura 'sporchi'. Ciò è parte del loro potere produttivo. [...] Il desiderio di una linea 'pulitamente' definita e di una 'soppressione' delle deviazioni è anacronistico e ormai serve solo al proprio bisogno di sicurezza"[16]. Si può andare ancora più in là e dire, con Edmund Leach, che la dicotomia pulito/sporco corrisponde a quella impotenza/potenza; che la "pulizia" totale garantisce sì la propria libertà dal dominio altrui, ma al tempo stesso si autoconserva solo impedendosi di interfacciarsi con il mondo esterno e quindi di dominare, per cui "il potere è collocato nello sporco"[17]. Di qui, con John Hartley, si potrebbe arrivare a una definizione della tv non come linguaggio (e quindi priva della purezza astratta della *langue* dei semiologi) ma come una "relazione *sociale*" adibita all'attribuzione di significati, dalla quale il potere, e quindi lo "sporco", non può essere escluso[18].

Sono dunque bastate poche citazioni – prese, sia pur non a caso, nel vasto campo della saggistica e della pubblicistica sulla televisione, di qua e di là dall'Oceano – per compiere praticamente un'escursione a 180 gradi (da Minow al primo Enzensberger e ai suoi epigoni) sulla natura del mezzo televisivo e sul suo rapporto con la dicotomia qualità/spazzatura. In tali condizioni, e alla luce di tali contraddizioni, sarebbe persino inutile proseguire nell'impresa che ci siamo prefissati. Occorre allora, probabilmente, fare un passo indietro: dai pur leciti e talora acuti giudizi generali, sul mezzo in sé – come è, o piuttosto come ci appare – trasferirci su un terreno più analitico e più storiografico, alla ricerca di fondamentali caratteri costitutivi e "comportamentali" del mezzo, che possano aiutarci a ricostruire un quadro attendibile cui agganciare la nostra ricerca sulla qualità televisiva.

2. Quei processi di ibridazione che hanno "sporcato" la tv

2.1. Volendo comunque raccogliere la provocazione della dicotomia pulito/sporco applicata alla tv, si può cominciare con il chiedersi se la televisione non si sia davvero sviluppata come un medium effettivamente "sporco" in senso strutturale, nelle dimensioni invarianti delle "relazioni parentali" da cui è scaturita (relazioni, cioè, con i media che l'hanno preceduta) e nelle variabili profonde di "attitudini" e "comportamenti" (cioè di funzioni e usi) che si sono via via stratificati nella sua storia. Cerchiamo dunque di capire.

Come è avvenuto per altri media (si pensi ai primissimi usi del telefono e della radio, completamente diversi dagli attuali), la televisione all'inizio non è stata compresa nelle sue funzioni e non è stata correttamente valutata nelle sue potenzialità. Quando essa certificava la sua nascita in Inghilterra, nel 1936, non molti avrebbero scommesso sul suo sviluppo futuro: "La televisione non conterà, nel corso della mia e della vostra vita", scriveva sicuro ai suoi lettori il cronista di *The Listener*. E tre anni dopo, approdando in America, il nuovo mezzo non suscitava maggiori entusiasmi. Annotava il reporter del *New York Times* all'indomani dell'inaugurazione della Fiera Mondiale di New York (19 marzo 1939), in cui la televisione era stata ufficialmente presentata: "Il problema è che, con la televisione, la gente deve stare seduta, tenere i propri occhi fissi sullo schermo: la famiglia americana media non ha tempo per questo. Di conseguenza, i professionisti dello spettacolo sono convinti che la televisione non sarà mai una seria concorrente della radio"[19].

Tanto scetticismo scaturiva – oltreché dalla sempre ricorrente in-

35

capacità/impossibilità di prevedere tutte le potenzialità di uno strumento al suo nascere – anche dal fatto che la televisione non induceva effettivamente a pensare a nulla di veramente rivoluzionario, non mostrava l'intento di percorrere strade vergini di espressione estetica e di organizzazione culturale, ma muoveva i suoi primi passi attraverso un ben più riduttivo processo continuo di imitazione e di "contaminazione". Perché? Perché per tutti i pionieristici anni Trenta, sia in Europa sia negli Stati Uniti, l'identità della televisione era stata modellata e sviluppata dai poteri che già controllavano la tecnologia della radio; e, per essi, la televisione non rappresentava altro che la possibilità di immettere la tradizionale forma di intrattenimento "visivo" del teatro all'interno della consolidata struttura "fonica" della radiotrasmissione.

Per questi motivi, il punto di partenza e di primo sviluppo della televisione è un ibrido di radio e teatro. Un ibrido che risponde, tra l'altro, a precise esigenze di "rispetto" anche nei confronti di quella che è, al tempo, la forma più stabile e redditizia di industria del tempo libero, e cioè il cinema: mentre questo si configura necessariamente come uno spettacolo preconfezionato, e quindi riproducibile, da fruire una o più volte in un luogo pubblico esterno alla casa, la televisione (come la radio) arriva direttamente tra le mura domestiche, ed è sì viva e immediata, ma anche (come il teatro) irripetibile. Un ibrido – possiamo aggiungere – che al tempo appare strutturalmente e inesorabilmente modesto, perché questo "medium dell'istante" non restituisce comunque la vivezza del teatro, né riproduce la comodità logistica di fruizione della radio[20].

2.2. Questo "marchio d'origine" della televisione ci aiuta a comprendere perché il primo sviluppo tecnologico del mezzo mette al margine tutti quei progressi (come i sistemi di Baird in Gran Bretagna e di Jenkins in America, concepiti per la trasmissione a distanza di pellicole) che potrebbero apparentarla troppo da vicino al cinema. E ci aiuta pure a comprendere perché gli esperimenti per la videoregistrazione su nastro procedano, per alcuni anni, in maniera piuttosto stanca: la svolta avviene solo negli anni Cinquanta, e non a caso con partenza dagli Stati Uniti (grazie ai tecnici della società Ampex, nome che da quel momento diviene sinonimo della videoregistrazione professionale), cioè da quel contesto in cui cinema e tv, dopo essere stati in forte collisione, hanno cominciato a collaborare per la produzione (che fino a quel momento ha dovuto essere realizzata in diretta, o filmata su pellicola) di programmi di svago in serie[21].

Proprio grazie alla videoregistrazione, il panorama, a questo punto, comincia d'improvviso a mutare con grande rapidità, trasformando in breve tempo la natura stessa del mezzo televisivo. Già all'inizio degli anni Sessanta si può dire che l'originaria caratteristica della televisione, di essere l'irripetibile "medium dell'istante", è fortemente ridimensionata nella prassi produttiva, specie della televisione americana. Ciò che era un ibrido tra radio e teatro si è trasformato in un altro tipo di ibrido, in cui si combinano due variabili complementari, entrambe negatrici dell'immediatezza televisiva, della televisione "in diretta" dei primordi: da un lato la ripetitività industriale della fiction tele-cinematografica, che porta con sé la "fantasia dell'altrove"; dall'altro, la ripetitività più artigianale dei programmi domestico-salottieri (dai telequiz al varietà) che diventano sempre più tipici della produzione da studio e che si incaricano di tenere il telespettatore ancorato alla "realtà del vicino"[22].

Per lungo tempo, la forza di questa tipologia di offerta televisiva sarà tale che ne risulterà occupato in larga misura l'immaginario collettivo di molti "popoli televisivi" mondiali, sull'onda vincente dei prodotti americani da esportazione e delle loro più o meno riuscite "copie" nazionali. Ma la televisione, al tempo stesso, non poteva certamente dimenticare la sua origine di strumento per la presa immediata della realtà: e così la "diretta" ha continuato a imprimere il suo marchio forte a molta parte della storia della televisione, quella parte che privilegia nella tv il "senso dell'evento", la possibilità tecnologica, umana e sociale di "un sentimento di esperienza immediatamente condivisa"[23]. Quel marchio ha certificato l'importanza di avvenimenti storici (dalla conquista della Luna ai tragici attentati a capi di stato), ha accresciuto la rilevanza di momenti rituali (incoronazioni di re, funerali di papi), ha trasformato altre manifestazioni in eventi di universale portata (come accade sempre di più con lo sport, dalle Olimpiadi ai Campionati mondiali di calcio): e tutto ciò ha a sua volta enfatizzato il ruolo della diretta nel "corpo" televisivo, proprio quale antitesi simbolica alla sempre più ossessiva ripetitività della televisione preconfezionata.

3. Una nuova forma culturale, in un nuovo rapporto con la realtà?

3.1. Questo sviluppo fisiologico della televisione, tra le due anime contrapposte dell'"istante irripetibile" e della "ripetitività industriale", è avvenuto, a sua volta, al culmine di un processo storico relativamente breve ma di portata eccezionale, che ha profondamente mutato le stesse strutture organizzative della conoscenza umana, così come si erano sedimentate nel corso dei secoli precedenti.

A partire infatti dalla seconda metà dell'Ottocento (il "secolo della grande innovazione"[24]) e poi per tutto il Novecento, si è progressivamente sfaldata quella "cultura umanistica" sviluppatasi nel Rinascimento e corroboratasi nell'Illuminismo, che è stata l'elemento ordinatore attorno al quale si è costruito l'"uomo moderno": una cultura che – come ci ricorda Abraham Moles[25] – "affermava essenzialmente l'esistenza di soggetti principali, di temi del pensiero dominanti di fronte ai soggetti meno importanti e agli elementi minuti della vita di tutti i giorni"; che proponeva dunque una gerarchia, una composizione armonica del nostro pensiero, la quale implicava l'esistenza di "concetti generali" integratori (il sillogismo, gli elementi della geometria, il teorema di Pitagora, tanto per citarne alcuni) mirati a una tessitura complessiva della conoscenza simile a una "ragnatela", perfettamente ordinata rispetto a nuclei definiti.

Alla rottura di questo equilibrio hanno contribuito via via la trasformazione dei giornali da "fogli elitari" per pubblici specialistici (quali erano nel Sei-Settecento) a "mezzi di massa" strillati sui marciapiedi, la nascita del cinema, lo sviluppo della pubblicità nelle strade, la rapida, travolgente diffusione della radio: nuovi strumenti di conoscenza, di percezione dei fatti e delle cose, che hanno cominciato a prevalere sull'educazione tradizionale, imponendosi all'individuo – come afferma ancora Moles – per una *via statistica*, per un apporto permanente dell'ambiente esterno, anziché per uno sforzo personale verso conoscenze articolate.

Il fenomeno – abbiamo detto – è giunto al suo definitivo compimento proprio con l'era della televisione, che ne ha evidenziata la massima estensione e lo ha imposto sempre di più come necessario e inevitabile. La televisione infatti, mentre riduce al minimo (la telecamera accesa) il diaframma tra "mondo esterno" e "mondo interno" a noi, accresce al massimo la sua presenza nelle società avanzate del tardo ventesimo secolo, facilitata in ciò da una serie di concomitanti fattori di vario genere: la sua struttura produttiva (consistente in una visualizzazione che, come si è detto, può essere istantanea, ed è comunque rapida), le sue caratteristiche distributive (che le permettono di essere a disposizione dell'utente senza un suo atto volontario di spostamento fisico), le sue modalità di fruizione (le quali impongono, per la natura stessa del "reticolo" del teleschermo, non solo di guardare ma anche di "partecipare"). Sono proprio tali spinte a far compiere alla televisione il passo che era rimasto precluso agli altri media precedenti: quello di rendere la sua funzione (di filtro pur minimale) non più accessoria e secondaria, ma centrale e necessaria, al punto che finisce per stabilirsi una correlazione sempre più stretta e ineliminabile tra la realtà e la sua "conoscibilità mediologica" per mezzo della tv[26].

Così, in misura crescente, la *realtà che conta* è "materiale audiovisivo"; e questo, rispetto a *tutta la realtà*, è per sua natura *statisticamente casuale*: non più gerarchizzato secondo preordinate linee di importanza (come nella "ragnatela") ma frammentato lungo le crepe di un imprevedibile mosaico. È come se si fosse realizzata su scala globale quella "poetica del *cut-up*" così cara a William Burroughs, dove il testo è un montaggio "a casaccio" di pezzi di pagine di altri testi[27]. Ed è lo stesso Burroughs a sintetizzare, con la consueta forza del suo linguaggio, questa corrispondenza tra televisione e caso: "Mi hanno regalato un televisore, gioco con i tasti per vedere pochi secondi di film, scorci di notizie, pubblicità. Certe frasi del dialogo di un western di serie B corrispondono parola per parola a certi versi di Tennyson che sto leggendo. Il petroliere texano assomiglia al personaggio di un mio vecchio sogno. La televisione è il vettore del caso che regge le linee di comunicazione cui siamo incatenati"[28].

3.2. In queste condizioni – e a differenza degli altri media, che godevano di linguaggi settoriali ed erano perciò in grado di darsi una loro disciplina estetica nuova o comunque radicata in forme mediali precedenti – la televisione non poteva che maturare il suo primo sviluppo nel modo brutale e frastornante in cui l'ha fatto, continuando a presentarsi come una sorta di incrocio di tutte le strade, adatto a tutte le avventure conoscitive e operative perché non ha canoni su cui giudicarlo, se non le regole etico-contenutistiche dettate dal sistema sociale che lo governa. Ma proprio queste ultime si sono mostrate sempre più deboli, sempre più labili, logorate dalla trasformazione o dalla obsolescenza delle vecchie agenzie di socializzazione (la famiglia, la scuola, la chiesa, l'associazionismo) e incapaci perciò di opporsi al "ruolo vicario" che la televisione intanto si conquistava, lavorando con i suoi procedimenti statistico-casuali: ristrutturando a suo modo – come ci ricorda Alberto Abruzzese – "ciò che altrove andava destrutturandosi, rielaborando qualitativamente e quantitativamente ciò che altrove era marginale o alternativo, caricando emotivamente ciò che altrove si manifestava a freddo, scaricando nella 'leggerezza' quotidiana ciò che altrove era troppo violento e coinvolgente"[29].

Quella creatura ibrida, nata senza troppi entusiasmi negli anni Trenta, ha sprigionato in questo processo una tale forza, che ha reso alla fine quasi inconsistenti le differenziazioni tra le sue funzioni (informazione, svago, cultura), tutte incanalate alla rinfusa nel suo enorme tubo catodico; e non permette più nemmeno di riconoscere se sia all'opera l'apparato industriale confezionatore di programmi ripetitivi (la tv come "animale replicante") o l'istituzione sociale che restituisce al suo pubblico l'immediatezza della realtà viva (la tv come "medium dell'istante"). E la stessa realtà non esce indenne dal suo rapporto di potere con la televisione: di essa infatti la tv è diventata non solo un "veicolo comunicativo" dotato di grande semplificazione e accelerazione, ma anche uno "strumento certificatore" in grado di confermare o falsificare la semplice percezione diretta; e via via che cresceva la sua potenza, la televisione si ritrovava capace di trasformarsi anche in un "elemento modificatore" della realtà, dilatandone la risonanza diretta o successiva, o addirittura mutando le modalità di estrinsecazione e di sviluppo degli eventi[30], fino al punto di creare veri e propri *media events* (come li hanno definiti Dayan e Katz[31]) o *media rituals* (secondo l'espressione usata da Philip Eliott[32]).

Ancor prima che il mondo diventasse davvero, geograficamente parlando, un "villaggio globale", questo si è così realizzato nella verticale pervasività del medium televisivo come onnipresente e indefinita "estensione dei nostri organi sensori"[33], con tutte le conseguenze che questa nuova situazione antropologica-psicologica-sociale doveva comportare. Tali conseguenze hanno toccato in modo significativo tutti i poli del processo comunicativo, contribuendo sì alla crescita esponenziale delle capacità di emissione da parte degli apparati emittenti, ma anche all'aumento delle potenzialità di "disturbo" dei tanti canali in cui la comunicazione ha luogo e di decodifica errata o parziale o volutamente aberrante dei messaggi in cui le azioni vengono trasformate all'interno di questo iperesteso sistema mediale. Se nell'ormai lontano 1938 il celebre amato/odiato radiodramma di Orson Welles sulla discesa dei marziani nel New Jersey poteva profeticamente indicare un possibile problema strutturale della civiltà dei media, decine e decine di "eventi televisivi", in questi ultimi anni, hanno testimoniato che il problema è oggi parte della nostra vita, rischiando di trasformare il "mosaico caotico" della cultura della televisione (per riallacciarci a Moles e Burroughs) in una impalpabile "pasta soffice" in cui nulla è più distinguibile, e noi non abbiamo il tempo per distinguere, e del resto nessuno ci obbliga a distinguere.

3.3. È quasi ovvio, allora, che questo amalgama del tutto nuovo si presti a interpretazioni assolutamente divergenti: tutte a modo loro plausibili, perché ognuna coglie uno o più aspetti del vastissimo e confuso territorio televisivo che si è formato. Non si può, ad esempio, non essere d'accordo con Gianfranco Bettetini sul fatto che "la tv si materializza soprattutto in una spettacolarizzazione del sociale, finalizzata alla ricerca di interesse e di successo: si forma, quindi, sull'aggregazione di saperi disarticolati, immotivati e casualmente (ma non sempre) agglomerati", diventando "uno strumento di confusione culturale e di diseducazione, se progettata e gestita irresponsabilmente, senza vera creatività e, anche, se usata male da parte dello spettatore"[34]. E ha certamente le sue ragioni anche Franco Ferrarotti quando afferma che "la logica del mezzo [...] annulla la variabilità storica e le specificità culturali, appare perfettamente compatibile [...] con la ripetizione, eguale a se stessa e monotona, che prelude e determina, a lungo andare, l'acquiescenza passiva e la stoltificazione di massa"[35].

Al tempo stesso, può essere utile rilevare, con Giovanni Bechelloni, che tutto ciò avviene mentre abbastanza naturalmente si producono delle "mutazioni procedurali" nelle nostre modalità di percezione e apprendimento, che per quantità e qualità ampliano quelle sedimentatesi nel corso dei secoli: ad esempio, entra stabilmente a far parte delle forme di conoscenza del mondo l'"attualità" (intesa nel senso complessivo di metodologia di approccio alla realtà tipico di una società ipermediatizzata, in cui tutto sembra accadere in "diretta" televisiva), con le sue caratteristiche peculiari diverse da ogni precedente modalità di conoscenza (perché si produce a ridosso degli eventi, rendendo problematica, come si è visto, la distinzione tra vero e falso, tra genuino e costruito ecc.) ma che non sono in alcun modo marginalizzabili o addirittura evitabili come se fossero un "male oscuro" della nostra società[36].

Proprio per l'agire sotterraneo di queste trasformazioni, la televisione – nello stesso momento in cui veniva bersagliata, spesso a ragione, con i giudizi più negativi – poteva parallelamente svolgere funzioni positive che nessun altro mezzo aveva saputo attivare con la stessa forza e la stessa rapidità, ai vari livelli nazionali e, dopo l'avvento dei satelliti, anche nel grande contesto internazionale. Non è un caso, ad esempio, se il movimento dei diritti civili in America non prese piede fino all'avvento della televisione: "Fu solo quando tutta l'America poté vedere, nei telegiornali serali, la disobbedienza civile e la brutalità della polizia" in Alabama o nel ghetto di Watts, che "il tema dei diritti civili divenne una preoccupazione nazionale invece che una serie di 'isolati' eventi locali"[37]. E non è neppure un caso che si stia sviluppando, proprio sulla questione dei diritti civili, una vera e propria opinione pubblica mondiale, alimentata dai numerosi gruppi di pressione e associazioni assistenziali non governative (da Amnesty International a Greenpeace, da Save the Children a Médecins sans Frontières), che usano la televisione come mezzo primario e insostituibile di denuncia e di mobilitazione: è così che "quel che accade nelle carceri di Kampala, Mosca, Memphis o Johannesburg è divenuto un affare di tutti, come ben difficilmente avveniva soltanto due generazioni fa"; anche se, ancora una volta, questo "allargamento internazionale della coscienza" corre il rischio, proprio per l'ambivalenza della televisione suo vettore primario, di restringere la profondità dell'impegno, di trasformarci in "*voyeurs* dei nostri fratelli, turisti tra i loro scenari tragici"[38].

Siamo consapevoli che queste ultime considerazioni, ma anche tutte quelle che abbiamo via via avanzato nel corso del presente capitolo, non negano l'ipotesi catastrofista sulla televisione, non ricostruiscono la disastrata "immagine pubblica" di questo mezzo, non abbattono insomma l'accusa iniziale che la televisione sia davvero e soltanto una vasta "landa desolata", un "minestrone" di violenza e di kitsch. Si può però cominciare a capire – come ci segnala ancora una volta Eco[39] – che tra questa visione "apocalittica" e quella "integrata" a essa contrapposta (e troppo succube dello strapotere del mezzo) vi è spazio per una "terza via", la quale consideri il fenomeno-televisione senza aprioristicamente demonizzarlo o acriticamente accettarne tutti gli aspetti.

Proprio attraverso tale posizione mediana si può così intravedere, a questo punto, che il crocevia confuso oggi raffigurante il mezzo televisivo – dove tutto e il contrario di tutto possono accadere, dove la massima stupidità e la massima intelligenza possono scontrarsi, e quest'ultima può addirittura soccombere – non è un "effetto indesiderato" del nostro sviluppo tecnologico, uno "sbandamento" della nostra civiltà, ma è il risultato di un processo storico ben più importante e più complesso di quanto i suoi contenuti apparenti (assai spesso banali e semplicissimi nella loro brutalità) sembrano farci credere; ben più serio e denso di significati di quanto le pur felici metafore sdegnate o irridenti dei suoi critici più severi ci lasciano pensare e immaginare.

Certo, per "vedere" simili processi occorre abbandonare il terreno del "buon senso" ed entrare in quello dell'analisi approfondita del mezzo. Troppe volte, infatti – ammonisce Furio Colombo – le condanne massimaliste contro la televisione sono frutto "di equivoci, di memoria corta, di scarsa ambientazione culturale"[40]. Sintetizza efficacemente Abruzzese: "Fissare le differenze e le scale di valore risulta sempre più difficile e anche opinabile. La macchina è fuori controllo: un poco guida e un poco è guidata. Gli ingenui e in particolare i falsi ingenui si lamentano sempre più di una televisione misera e stupida, senza ammettere la superficialità della loro stessa analisi, che fa parte del crollo generale di capacità culturali non del sistema televisivo ma dell'intero sistema sociale. Sulle reprimende dei giusti – quelli dal 'tempo fermo' – la tv non può che trionfare con la sua in-credibile sapienza"[41].

Condannare tout-court il medium televisione significa allora, probabilmente, scambiare gli effetti per le cause, vedere cioè – per usare ancora le parole di Abruzzese – "la deriva incoerente di una dinamica implosiva e inflazionistica" in quello che è invece "il risultato coerente di un processo di accrescimento"; significa interpretare come degenerazione del mezzo quello che è invece "il suo semplice compiersi, rivelarsi al massimo delle sue possibilità genetiche"; significa non vedere che "la potenza del mezzo è consistita nella sua straordinaria capacità, esponenzialmente progressiva, di ottimizzare, trasformare, concentrare e miscelare operazioni e bisogni molteplici e differenti, sradicandoli dai loro contesti di appartenenza, dalle loro funzioni originarie, e unificandoli in una sola pratica polimorfa"[42].

Ma per comprendere meglio le grandi potenzialità e gli altrettanto grandi rischi di questa "pratica polimorfa" nel momento in cui essa dà vita a espressioni significative, dobbiamo ora trasferirci dall'analisi del "medium" in sé a quella dei suoi "messaggi": dal tutto ai singoli elementi che ne compongono l'aspetto più appariscente. È ciò che faremo nel secondo capitolo di questa prima parte.

NOTE BIBLIOGRAFICHE

[1] I due interventi di Newton Minow, del 1961 e del 1991, sono citati da D. Bianculli, *Teleliteracy – Taking Television Seriously*, New York, Continuum, 1992, pp. 72-73.

[2] Tra i numerosissimi testi disponibili sull'argomento, ne citiamo alcuni particolarmente autorevoli: G. Comstock, S. Chaffee, N. Katzman, M. McCombs e D. Roberts, *Television and Human Behavior*, New York, Columbia University Press, 1978; D. Pearl, L. Bouthilet e J.B. Lazar (a cura di), *Television and Behavior: Ten Years of Scientific Progress and Implications for the Eighties*, 2 volumi, Washington, D.C., U.S. Department of Health and Human Services, 1982; J.M. Wober e B. Gunter, *Television and Social Control*, New York, St. Martin's Press, 1988.

[3] È questa la conclusione cui giunge G. Comstock, nella voce "Violence", in *International Encyclopedia of Communications*, New York e Oxford, Oxford University Press, 1989, vol. IV, pp. 289-294.

[4] Si veda, a questo proposito: American Psychological Association, *Big World Small Screen*, Nebraska University Press, 1992.

[5] Tra i numerosi interventi del grande filosofo sulla televisione si vedano in particolare: K. Popper, *La lezione di questo secolo*, Venezia, Marsilio, 1992; K.Popper, "Contro la televisione", intervista di M.T. De Vito per *Enciclopedia multimediale delle scienze filosofiche*, Rai Radiotelevisione Italiana, Dipartimento Scuola Educazione, 13 aprile 1993.

[6] F. Fellini, "Queste tv non sono degne di sopravvivere", *L'Europeo*, 7 dicembre 1985.

[7] Si fa qui riferimento al ben noto testo: U. Eco, *Apocalittici e integrati*, Milano, Bompiani, 1964.

[8] Intervento giornalistico di U. Eco, "Il fantasma della NeoTv", *L'Espresso*, 2 febbraio 1986.

[9] Si veda: A. Grasso, *Linea allo studio – Miti e riti della televisione italiana*, Milano, Bompiani, 1989, pp. 250-251.

[10] Per i processi di globalizzazzione delle economie avanzate si veda il ben noto volume: M. Porter (a cura di), *Competition in Global Industries*, Boston, Massachusetts, Harvard Business School Press,1986; trad. it.: *Competizione globale*, Torino, Petrini, 1987.

[11] J. Lang, intervista con l'autore, Paris, 1989.

[12] È ancora un passo dell'intervento di U. Eco, "Il fantasma della NeoTv", op. cit.

[13] A. Abruzzese, introduzione al volume: A. Abruzzese e G. Montagano (a cura di), *Caro Enzensberger, il destino della televisione*, Milano, Lupetti & Co., 1992, p. 15.

[14] E. Ghezzi, "La bomba è già esplosa per tutti", *Corriere della Sera*, 22 dicembre 1992.

[15] C. Freccero, "Il fantasma della tv per bene", in P. Dorfles (a cura di), *Atlante della radio e della televisione 1992*, Torino, Nuova Eri, 1992, pp. 64-65.

[16] Riprendo e traduco la citazione dall'edizione inglese del testo: H.M. Enzensberger, "Constituents of a Theory of the Media", in D. McQuail (a cura di), *Sociology of Mass Communication*, Harmondsworth, Penguin, 1972, p. 105. In italiano:

H.M. Enzensberger, "Elementi per una teoria dei media", in *Palaver*, Torino, Einaudi, 1976, pp. 79-113; disponibile anche in: *Per non morire di televisione*, Milano, Lupetti & Co., 1990, pp. 91-123.

[17] E. Leach, *Culture and Communication*, Cambridge, Cambridge University Press, 1976, p. 62.

[18] J. Hartley, "Encouraging Signs. Television and the Power of Dirt, Speech, and Scandalous Categories", in W.D. Roland, Jr. e B. Watkins (a cura di), *Interpreting Television: Current Research Perspectives*, Beverly Hills, California, Sage, 1984, p. 125.

[19] Riprendo queste citazioni da: C. Sartori, *Evoluzione del sistema delle comunicazioni di massa nella società industriale*, Milano, Cooperativa Libraria, Istituto Universitario di Lingue Moderne, 1984, p. 26.

[20] Per maggiori dettagli si veda: C. Sartori, *La grande sorella – Il mondo cambiato dalla televisione*, Milano, Mondadori, 1989, pp. 41-42.

[21] Queste vicende storiche sono sintetizzate esaustivamente in: "Video Concepts: a Chronology", *Screen Digest*, ottobre e novembre 1986.

[22] Ancora da C. Sartori, *La grande sorella*, op. cit., pp. 41-43.

[23] E. Katz, D. Dayan e P. Motyl, "Television Diplomacy: Sadat in Jerusalem", relazione alla *Conference on World Communications*, Philadelphia, University of Pennsylvania, 1980.

[24] Per un'ampia trattazione si veda: P. Leon, *Histoire économique et sociale du monde*, tome 4, *La domination du capitalisme, 1840-1914*, Paris, Librerie Armand Colin, 1978; trad. it.: *Storia economica e sociale del mondo*, vol. 4, *Il capitalismo 1840-1914*, Bari, Laterza, 1980.

[25] Si richiama qui il fondamentale saggio: A. Moles, *Sociodynamique de la culture*, Paris, Mouton, 1967; trad. it.: *Sociodinamica della cultura*, Bologna, Guaraldi, 1971.

[26] Per una più dettagliata trattazione: C. Sartori, "L'esistenza ipermediale", *Sociologia della comunicazione*, n. 12, 1987, p. 102.

[27] W. Burroughs, *La scrittura creativa*, Milano, Sugarco, 1981, p. 33.

[28] W. Burroughs, conversazione con l'autore, Paris, 1981.

[29] A. Abruzzese, introduzione a: A. Abruzzese e A. Cavicchia Scalamonti (a cura di), *La felicità eterna*, Torino, Nuova Eri, 1992, p. 45.

[30] Per una più ampia trattazione si veda: C. Sartori, *La grande sorella*, op. cit., pp. 13-26; l'argomento è ripreso e ulteriormente ampliato in: C. Sartori, "In viaggio verso la tele-realtà", terza parte della relazione di trattamento per la serie *Global Communication*, Roma, Rai, 1991.

[31] La definizione in: D. Dayan e E. Katz, *Media events – The Live Broadcasting of History*, Cambridge, Massachusetts, Harvard University Press, 1992; trad. it.: *Le grandi cerimonie dei media, la storia in diretta*, Bologna, Baskerville, 1993.

[32] La definizione in: P. Eliott, "Media Performances as Political Rituals", in *Communication and Community*, vol. 7, n. 1, 1982.

[33] Si fa qui riferimento a una delle celebri tesi mcluhaniane, per la quale si rimanda a: M. McLuhan, *Understanding Media - The Extensions of Man*, New York, The New American Library, 1964; trad. it.: *Gli strumenti del comunicare*, Milano, Il Saggiatore, 1967.

[34] G. Bettetini, "False emozioni sugli schermi 'spazzatura'", *Sole 24 Ore*, 21 ottobre 1992.

[35] F. Ferrarotti, *Mass media e società di massa*, Bari, Laterza, 1992, p. 54.

[36] Riprendo questa osservazione da: G. Bechelloni, "Il nuovo giornalista: problemi, ruoli, responsabilità", relazione al convegno *I mercati della notizia*, Roma, 26-27 gennaio 1989.

[37] D. Bianculli, *Teleliteracy*, op. cit., p. 92.

[38] M. Ignatieff, "L'etica della televisione", in *Lettera Internazionale*, Roma, ottobre-dicembre 1990.

[39] U. Eco, "Apocalittici e integrati, c'è una terza via per parlare di tv", *L'Espresso*, 28 marzo 1992.

[40] F. Colombo, "Piove, tv ladra", *La Stampa*, 29 marzo 1993.

[41] A. Abruzzese da: A. Abruzzese e G. Montagano (a cura di), *Caro Enzensberger*, op. cit., p. 11.

[42] È un altro intervento di A. Abruzzese, da: A. Abruzzese e A. Cavicchia Scalamonti (a cura di), *La felicità eterna*, op. cit., p. 44-45.

II.

IL MESSAGGIO: SOLO UN "CHEWING GUM PER GLI OCCHI"?

1. La televisione di fronte ai teorici della "degenerazione"

1.1. In un recente volume, molto nuovo nella concezione e altrettanto stimolante nei contenuti, dal titolo *Media Debates*, Everette E. Dennis e John C. Merrill dibattono su opposti fronti alcuni temi fondamentali della cultura dei media in America, tra cui quello della qualità dei messaggi[1]. Spetta a Dennis attaccare i media per la loro scarsa qualità, ed egli lo fa a tutto campo, ma concentrandosi infine sulla televisione e sull'informazione televisiva in particolare, definita giustamente – secondo Dennis – un "chewing gum per gli occhi" (colorito paragone che si richiama a quando i romanzi popolari dell'Ottocento venivano definiti "chewing gum per la mente"). "Essa – sostiene lo studioso americano – enfatizza infatti gli eventi banali che hanno una componente visiva, indipendentemente dalla loro importanza; è prevenuta in favore dello spettacolo invece che perseguire tendenze più duttili; fuorvia il pubblico seguendo il 'taglio' visivo ed escludendo i significati più profondi". Non mancano ovviamente richiami espliciti alla *vast wasteland* di Minow, allo strapotere della pubblicità, al "grande livellamento" verso il basso della cultura, e così via.

La risposta di Merrill non è altrettanto secca e spietata in favore della qualità: anzi, egli concede all'"avversario" il fatto che i media americani, e la televisione soprattutto, "non sono certamente pietre di paragone della qualità", e conclude comunque che essi fanno bene o male il loro dovere, offrendo in modo interessante e comprensibile, con rare eccezioni, ciò che la società ha bisogno di sapere. Ma soprattutto, Merrill rimprovera a Dennis e a chi la pensa come lui (che i messaggi televisivi siano "chewing gum per gli occhi", che la loro qualità rappresenti il "minimo comune denominatore" culturale e sociale) di perpetuare un ingiustificato atteggiamento "arrogante ed elitario".

La diatriba Dennis-Merrill sintetizza e porta agli estremi un dibattito di lunghissima data, che ha segnato tutta la storia dei mezzi di comunicazione di massa e che, dagli anni Trenta a oggi, ha visto impegnati sui suoi fronti alcuni dei più importanti filosofi e sociologi del nostro tempo, dai primi teorici della "società di massa" agli esponenti della Scuola di Francoforte, da Ortega y Gasset a Shils, da Wright Mills a Merton, per citare solo alcuni dei nomi componenti un elenco che sarebbe lunghissimo[2]. Esula, del resto, dagli intenti di questo volume ripercorrere le linee di questo annoso dibattito; ne coglieremo, invece, soltanto quei riscontri che possano aiutarci a trovare risposte attendibili alle nostre domande sulla televisione e sui suoi messaggi.

Può essere piacevolmente utile muoverci a partire dalle suggestioni di quello straordinario romanzo che è *Il mondo nuovo* di Aldous Huxley. A differenza di quanto avviene in un altro famoso testo letterario di cui pure parleremo (*1984* di George Orwell), qui il progressivo, inesorabile "controllo della cultura" si estrinseca non in una insopportabile prigione del corpo e della mente, ma in una farsa irresistibile: non sarà l'oppressione di un Grande Fratello a condannare la parola scritta e stampata (cioè quella forma espressiva che ha presieduto alla costruzione logico-razionale del mondo e dell'uomo moderni[3]), ma una tecnologia che prima sollecita il riso in luogo del pensiero, poi preclude alla gente di sapere per che cosa ride, e perché ha smesso di pensare. Anche se Huxley scriveva in epoca pre-televisiva (o meglio, quando essa era ancora al suo pionieristico inizio), a molti pensatori contemporanei questa tecnologia è sembrata "incarnarsi" proprio nella televisione: cioè nel modo in cui essa converte in spettacolo e divertimento (nel senso etimologico di di-vertere, distogliere) tutto ciò che tocca, dal momento che il rapido flusso delle sue immagini, la loro giustapposizione casuale, la loro costruzione puramente paratattica impediscono ogni circolarità, ogni riflessione critica, ogni argomentazione[4].

Queste tesi ricorrono spesso nelle "incursioni" gnoseologiche che studiosi di diverse discipline compiono – con sempre maggiore gusto, a giudicare dalla frequenza crescente – nel campo della tv. La "civiltà televisiva" ne esce, ancora una volta, regolarmente battuta, irrisa, deprecata. La televisione sarebbe ad esempio – secondo il politologo Giovanni Sartori – "drammatizzazione del triviale, congiunta alla castrazione del capire: l'uomo che legge, l'uomo di Gutenberg, è costretto a essere un animale mentale; l'uomo che guarda e basta è soltanto un animale oculare incapace di astrazione, di capire al di là del vedere"[5]. Anzi, gli sembra di vedere (le grandi "dirette", i grandi eventi, dalla guerra alle elezioni politiche), ma in realtà egli è cieco: perché – come ci ricorda ad esempio Pietro Citati, ricorrendo a una massima degli antichi greci – "vedere dipende in primo luogo dalla posizione dell'occhio: quando manca la distanza, cade ogni possibilità di scorgere cogli sguardi della mente le cose, di comprenderle, di disporle in una serie di rapporti intellettuali"[6].

Questa interpretazione totalmente negativa sull'avvento della televisione si era già espressa anche in numerosi saggi di studiosi specifici della materia: basti pensare a Jerry Mander e ai suoi *Quattro motivi per abolire la televisione*[7]. Ma certamente l'espressione più dirompente – anche per il successo non solo americano riscosso dal libro – si è avuta con Neil Postman e con il suo *Divertirsi da morire*[8]: un pamphlet di grande finezza intellettuale, costruito proprio per condurre il lettore verso conclusioni huxleyane. Analizzando i fondamenti del discorso pubblico in America durante il dominio della stampa, Postman nota che esso era generalmente serio e razionale; anche la propaganda politica, basata essenzialmente su dibattiti che si protraevano per ore davanti a un pubblico che partecipava attivamente, si adeguava alla cultura del ragionamento profondo, lineare e sequenziale: la cultura, cioè, cresciuta nell'epoca della lingua scritta in antitesi a quella della lingua parlata[9]. La televisione, invece, è "poco seria" per natura; e poiché non sono i suoi contenuti quelli che contano (gli enunciati), bensì la sua "forma espressiva" universale del di-vertimento a tutti i costi (l'enunciazione), essa non è riformabile.

1.2. Anche se Postman, i suoi imitatori e i suoi predecessori certamente colgono alcuni aspetti essenziali della presenza del medium televisivo nelle società post-industriali avanzate, non si può non ricordare che lo stesso processo degenerativo, oggi attribuito all'onnivora potenza distruttrice della televisione, era stato individuato in ogni nuovo mezzo di comunicazione agli albori del suo sviluppo, a causa della incapacità, della non volontà – e, talvolta, dell'obiettiva impossibilità – da parte della cultura dominante, di adeguarsi ai mutati modelli di creazione-produzione-distribuzione che quel nuovo mezzo portava con sé. Come ci ha insegnato Jurij Lotman[10], era stato così con il cinema (che all'inizio era percepito solo come un fenomeno da baraccone), e ancora in precedenza con il grande romanzo ottocentesco, o con il melodramma rispetto alla musica cameristica.

Nel caso della televisione, questo fenomeno è risultato di eccezionale ampiezza "spaziale" (manifestandosi contemporaneamente in molte aree del pianeta) e di fortissima violenza "verticale", perché in brevissimo tempo ha fatto scadere in modo drastico i modelli culturali in vigore nella fase precedente, senza ancora darci – come è invece avvenuto tra Ottocento e Novecento – altri indicatori sostitutivi, progressivamente accettabili da parte di tutti. Per cui siamo proprio nel centro di una inevitabile e per ora non sanata dicotomia tra la perdita di autorità di certe forme culturali e l'acquisto di potere, ma non ancora di senso sociale condiviso, da parte di altre (nuove, diverse) forme culturali[11].

Rendersi consapevoli di questa *impasse* significa cercare di andare oltre il facile giudizio sulla "degenerazione" della civiltà televisiva e chiedersi perché, e come, la televisione abbia seguito il percorso che l'ha portata a rappresentare – nell'opinione dei critici "negativi" – la quintessenza, il traguardo finale di tale processo degenerativo. Significa cercare, nella società in cui è nata e si è sviluppata, le radici di una per ora insanabile frattura.

2. Alle radici della divaricazione tra televisione "alta" e "bassa"

2.1. Dopo il blocco causato dal secondo conflitto mondiale, la televisione – come vedremo meglio in seguito – ebbe il suo decisivo sviluppo diffusionale in America. Nell'immediato dopoguerra, questo sviluppo fu accompagnato dalla retorica speranza, da parte degli ambienti intellettuali e dell'opinione pubblica qualificata, in un uso della televisione rivolto esclusivamente all'ampliamento dell'informazione, della conoscenza, della cultura. Ecco ad esempio il "proclama" contenuto in un libro del 1946: "La televisione significa il mondo nelle vostre case e nelle case di tutti gli abitanti della terra. È il più grande mezzo di comunicazione mai sviluppato dalla mente umana. Dovrebbe contribuire a rafforzare i legami tra gli uomini e portare una maggiore comprensione e pace sulla terra, più di ogni altra singola forza materiale che esista al mondo"[12].

Questa pia speranza cadde, quando ci si accorse che era lo spettacolo l'oggetto naturale di attenzione della tv. C'era ancora posto, però, per un'altra speranza: che si trattasse di spettacolo serio, culturalmente impegnato. Proprio come, nel 1942, si era augurato David Sarnoff, uno dei "padri fondatori" della tv americana: "È assai probabile che gli sceneggiati televisivi produrranno un nuovo sviluppo, utilizzando il meglio del teatro e del cinema e costruendo una nuova forma d'arte basata su di essi. È pure assai probabile che tali lavori di notevole valore, prodotti e interpretati da artisti di prima qualità, accresceranno il livello del gusto della nazione americana"[13].

Ma, mentre questi profeti di ottimismo – "visionari", come li definisce Horace Newcomb[14] – continuavano a proiettare i loro desideri personali sul medium nascente, avveniva la prima, vera rivoluzione, sulle ali delle aspettative tumultuosamente crescenti del grande pubblico americano. La strada però era completamente diversa da quella che i "visionari" avevano sperato: infatti, dopo un'effettiva ventata di programmazione a forte valenza culturale (dovuta soprattutto al momentaneo impegno in tv di apprezzati autori di teatro) fu lo svago leggero a vincere decisamente la partita, trovando in breve le sue compiute espressioni produttive con le varie formule del telequiz, del talk-show, della *fiction* seriale.

Da quel momento, non vi è più spazio per pie speranze né per retoriche intellettuali: il bastone del comando passa definitivamente nelle mani, da un lato, delle strutture operative della televisione commerciale e, dall'altro, delle dinamiche di mercato. È così che, in America, "quella ex creatura ibrida chiamata televisione, a prima vista priva di grandi prospettive di sviluppo, si ritrova in pochi anni al centro di un sorprendente boom di popolarità e di fervore industriale sintonizzato su tale popolarità"[15]. Grazie a esso, l'impostazione strategica, la pianificazione produttiva e la razionalità distributiva (attraverso i tre network) dell'*entertainment*, del divertimento, cominciano a costituire i formidabili e costanti motori della forza di penetrazione dell'"ideologia televisiva" americana nel mercato nazionale e, poco dopo, della sua rapida espansione internazionale.

2.2. Ben diversa si presenta invece – nell'epoca del primo sviluppo televisivo – la situazione nel Vecchio Continente, dove operavano già nel campo della radio organismi pubblici a controllo governativo, o parlamentare, o comunque sociopolitico. Di contro alla totale libertà imprenditoriale della televisione americana, questi organismi sono trattenuti, o comunque tormentati, da gravosi legami derivanti dalla loro *mission*: una missione che prevede un delicato equilibrio tripolare tra informazione, educazione e svago, nel quadro di una concezione generale "democraticamente didascalica" del servizio pubblico televisivo.

Ma ancor più determinante finisce per rivelarsi, in campo europeo, il "pregiudizio culturale" che accompagna lo sviluppo della televisione (e che abbiamo visto essere stato spazzato via in America, forse con eccessiva brutalità, non appena questo medium ha mostrato di saper coniugare gli interessi dello *show-business* con le aspettative del pubblico). In Europa, infatti, il peso di una visione critica del conflitto tra cultura di élite e cultura di massa è ben più pregnante, ben più storicamente sedimentato rispetto alle posizioni dei deboli "visionari" americani (spesso non sorretti, nel loro vigore retorico, da altrettanto spessore teorico): come ha giustamente notato Alberto Abruzzese, il pensiero europeo – in un'ottica hegeliana rivisitata da Lukàcs e poi dalla Scuola sociologica di Francoforte – "pratica una profonda divaricazione tra *arte* (o i suoi equivalenti ideologici come conoscenza, coscienza critica, scienza, qualità, creatività) ed *evasione* (o i suoi equivalenti come mistificazione, consenso al sistema di potere, irrazionalismo, dequalificazione, ripetitività)"[16].

Tale e tanto è il peso di questi pregiudizi di valore, che in Europa essi non si fermano all'elaborazione teorica, non vengono neppure spazzati via dall'operatività delle strutture industriali (come in America), ma anzi si traducono molto spesso, lungo il corso della storia televisiva, nelle scelte politico-culturali più profonde e durature, nelle definizioni legislative delle regole del gioco, nelle pratiche imprenditoriali dei vari organismi televisivi nazionali, almeno fino a quando operano in regime di monopolio del servizio pub-

53

blico: il tutto, con una miscela di effetti positivi, ma anche di errori strategici, che emergeranno quando i monopoli pubblici si troveranno, a partire dagli anni Ottanta, a confrontarsi a tutto campo con l'emittenza privata.

3. Ostacoli e prospettive per un'"estetica" della televisione

3.1. L'aver compreso le radici della profonda divaricazione tra "alto" e "basso" che ha dilaniato e dilania il campo televisivo non è, ovviamente, un punto di arrivo, ma soltanto un punto di partenza. Di qui, si aprirebbero dinanzi a noi nuovi e complessi problemi conoscitivi, se volessimo davvero affrontare, in termini filosofici, quello "spostamento tecnoculturale, epistemologico ed estetico"[17] che i media elettronici in genere, la televisione in particolare, e infine (e soprattutto) il linguaggio telematico, ci propongono e ci impongono. Ma non è questo il luogo per farlo, per cui ci limiteremo a registrare l'insorgere di tali problemi, che ci rendono tutt'a un tratto consapevoli dell'inadeguatezza e della inesorabile obsolescenza delle categorie (distinzioni, suddivisioni, opposizioni) che hanno accompagnato la nostra storia culturale: non solo, come abbiamo già detto, *arte* o *evasione*, ma anche *concetto* o *immagine*, *fantasia* o *ragione*, *pensiero* o *materia*, e così via.

Nel rimandare dunque al vasto dibattito teorico in corso[18], noi proseguiamo verso un traguardo assai più limitato: quello di cercare di comprendere se la frattura evidenziata tra televisione "alta" e "bassa" (che corrisponde poi, in pratica, all'opposizione classica tra cultura d'élite e cultura di massa) sia davvero destinata a rimanere insanata e insanabile, come i teorici della "degenerazione" fermamente proclamano. Per far ciò, dobbiamo affrontare in via definitiva almeno due stereotipi che assediano da sempre la televisione.

Il primo stereotipo è quello della "inadeguatezza ontologica" del linguaggio visivo, che abbiamo visto permeare il pensiero di tutti i teorici della "degenerazione". Per questi – sintetizza efficacemente Alberto Granese – la cultura dei messaggi televisivi è espressa in termini di "enunciati catastrofici circa la 'massificazione' in senso negativo, il detrimento e il deterioramento della 'qualità'", come se l'uso di tali messaggi fosse finalizzato unicamente "alla neutralizza-

54

zione del pensiero, alla creazione di uno standard superindividuale di qualità sub-individuale, che sacrifica all'effimero scadente ciò che lo 'spirito' produce o potrebbe produrre nel 'raccoglimento'". La "grande illuminazione" dei media, e della televisione in particolare, sarebbe dunque il contrario di quella "luce discreta e soffusa" (per Heidegger, la luce/penombra della *Lichtung*, della radura nel bosco) da cui sola può nascere l'autentico disvelamento della realtà[19].

Certo, non possiamo né vogliamo nasconderci i rischi di questa nuova cultura contemporanea, e in particolare della "fascinazione tecnologica" che può tradursi in una pura e semplice "illusione del suo potere informativo"[20]. Ma, se è vero che, con le immagini delle sue telecamere, con la rappresentazione dell'effimero, la tv non vuole o non riesce a penetrare tutti gli universi della realtà (certe intenzioni, certe strategie, certe retoriche, certe conseguenze dei fatti), sarebbe tuttavia superficiale giudicare la televisione soltanto in opposizione al tradizionale criterio del potere chiarificatore della parola scritta. Ci ricorda a questo proposito Michel Ignatieff: "Se la parola scritta riesce talvolta ad analizzare più in profondità, la televisione ha il potere di ricreare il mistero di ciò che è sfuggito alle parole"[21].

In altri termini: siamo proprio sicuri che il "raccoglimento" tipico della parola scritta sia, da sola, la modalità conoscitiva più adatta per accostarsi alla complessità del mondo contemporaneo? O non è più probabile che – come ci indica ancora Granese – la prospettiva multipla di ciò che chiamiamo l'effimero, "il complicarsi e il combinarsi dei linguaggi, il costruire immagini attraverso dinamismi", sia più vicino alla realtà di quanto non lo sia il restare nella penombra della *Lichtung*? Si tratta allora, probabilmente, di andare oltre la divaricazione immagine/parola e le altre che ne conseguono (cultura alta/bassa, d'élite/di massa), riconoscendo che – di fronte alle sfide conoscitive di cui stiamo parlando – ogni singolo linguaggio generatosi nell'evoluzione storica dell'uomo appare all'improvviso inadeguato; smettendo di stupirci (o, peggio, di esprimere condanne) se assisteremo a sempre diverse forme (spesso ripetitive, spesso inusitate) di contaminazioni, ibridazioni, sovrapposizioni, fino a che a un certo punto non si potrà, né sarà utile, distinguere tra le diverse radici.

Capiremo allora che la civiltà televisiva, più che verso una "degenerazione" dei linguaggi tradizionali, ci sta conducendo dentro un "linguaggio totale", quale risultato di una sintesi originale e vitale tra la civiltà della parola/scrittura e la moderna cultura dei media elettronici: un linguaggio ricco e complesso, che unisce le immagini alle espressioni verbali o scritte; un linguaggio per sua definizione "unico", verbale-audio-visivo, considerato come espressione non del solo "spirito" ma della totalità dell'essere (inteso pertanto come corporeità, sensi, pragmaticità e intelligenza); un linguaggio che, per la prima volta, può superare proprio la dicotomia insopportabile tra il disperato, aristocratico convincimento della "degenerazione" e la ottimistica, velleitaria superficialità secondo cui il nuovo dovrebbe dimenticare il passato[22].

3.2. Dopo aver cercato di chiarire che il linguaggio televisivo non è di per sé "degenerativo", un altro stereotipo si presenta dinanzi a noi. È il rifiuto di cogliere la complessità del messaggio televisivo in quanto "merce"[23] (cioè in quanto oggetto dello scambio tra un mittente e uno o più destinatari) multiforme e multifunzionale.

Questo non significa – come potrebbe apparire superficialmente – ridurre e menomare la natura di prodotto culturale del messaggio televisivo, bensì esattamente il contrario. Significa porlo non ai margini (nella campana di vetro di un'improbabile estetica, nel ghetto di una – del resto indefinibile – espressività artistica televisiva) ma al centro della vita della società. Significa ancorarlo alla storia e allo sviluppo della società stessa, cogliendone la continuità con modalità di comunicazione precedenti: si pensi, a questo proposito, alla "funzione bardica" attribuita alla tv da Fiske e Hartley, in un legame con la tradizione medievale dei cantastorie[24]; o al concetto di "narrativa del consenso" con cui David Thorburn collega il messaggio televisivo all'epica di Omero o alla drammaturgia di Plauto e di Shakespeare, che pure svolgevano tale funzione[25]. Significa, in definitiva, cogliere del messaggio televisivo tutti gli aspetti: quelli propriamente culturali (le pressioni ideologiche, le regole creative, le modalità di fruizione) e quelli economici (il capitale che l'ha prodotto, i modi di produzione e distribuzione, le dinamiche di acquisto), senza che tra i due livelli vi sia, ancora una volta, un'insanabile frattura.

Solo in tal modo, ci sembra, possiamo avanzare la pretesa di approcciare finalmente il tema di un'"estetica" del messaggio televisivo, senza che immediatamente essa ci appaia contraddittoria per la palese diversità da tutte le altre forme di estetica che conosciamo (letteratura, teatro, cinema, ma anche design e pubblicità). Proprio per questo, però, l'operazione non è, non sarà facile. Come ci ricorda lo stesso Thorburn[26], il campo della cultura popolare, e della televisione in particolare, non ha tradizionali forme di sapere sedimentato e controllato (come avviene invece, ad esempio, per la letteratura o il teatro) in grado di valutare le più diverse interpretazioni che, nelle più diverse linee di pensiero, possono sorgere a proposito di questo o quell'aspetto. Per cui il messaggio televisivo è non soltanto alla mercé di qualsivoglia disciplina che si proponga di discuterlo, ma anche esposto a essere sezionato di volta in volta in parti che ricompongono un insieme eccessivo, o riduttivo, o comunque abnorme rispetto alla sua realtà.

Per spiegarsi meglio, Thorburn fa un esempio molto concreto, derivandolo dal saggio di Erik Barnouw (peraltro ottimo) sull'evoluzione della televisione americana[27]. Secondo Barnouw, l'aumento di serie di spionaggio verificatosi in tv alla metà degli anni Sessanta costituisce una prova del fatto che "la televisione promuoveva un imperialismo aggressivamente autogiustificantesi, raffigurante i 'buoni' americani contro i 'cattivi' comunisti", per cui lo svago televisivo diventava "una parte integrante del meccanismo di escalation" della guerra in Vietnam. Al di là del compiacimento che una simile interpretazione può offrire alla coscienza politica progressista, purtroppo le "evidenze" citate da Barnouw consistono in sei serie di spionaggio, di cui almeno quattro (*Get Smart*, *The Man from U.n.c.l.e.*, *The Girl from U.n.c.l.e.* e *I Spy*, quest'ultima con Bill Cosby al suo primo grande successo) sono spiccatamente parodistiche e burlesche, ben difficilmente catalogabili come propagandistiche in favore della guerra. In questo caso Barnouw ha nettamente sopravvalutato gli aspetti ideologici dei messaggi a scapito di quelli espressivi, che gli avrebbero probabilmente evitato questo evidente "strabismo": strabismo che – nota Thorburn – non sarebbe così facilmente permesso a un critico che volesse, ad esempio, ridurre Shakespeare a semplice esponente della (distorta) visione della storia inglese da parte dei Tudor, o Dickens a un propagandista delle ideologie liberal-riformiste e patriarcali che ribollivano in quegli anni[28].

Ma non esiste soltanto lo strabismo: c'è anche – ed è forse più grave – un atteggiamento che potremmo, analogamente, definire di "miopia". Questa, il più delle volte, impedisce di vedere quanta "ricchezza" culturale sia dentro una "merce", un prodotto di massa: il quale perciò viene sottovalutato, disprezzato, condannato, salvo poi ricredersi a posteriori. Applicando lo stesso ragionamento che Lotman ci proponeva in una chiave più estesamente mediologica, Thorburn fa a questo proposito l'esempio del cinema americano "di genere" (quello di Bogart, Cagney, Edward G. Robinson, per intenderci), scoperto negli anni Cinquanta dai registi della *nouvelle vague* francese e, di conseguenza, liberato dalla sua identità di prodotto unicamente commerciale e consegnato anche al campo estetico; con aggregato l'insegnamento che "anche l'avidità capitalistica, anche la più crassa delle alleanze tra il commercio e la tecnologia, può costituire la condizione di base per una complessa arte narrativa"[29].

In Italia, qualcosa di simile è avvenuto, ad esempio, con la figura artistica di Totò, rivalutato dalla critica solo molti anni dopo la sua morte; e, a ben vedere, probabilmente scopriremmo in ogni contesto mediale, di ogni paese, queste forme di sottovalutazione miope di certi prodotti culturali: specie, appunto, di quelli che incontrano il cosiddetto, tanto deprecato "favore delle masse". Con la sua arguta "filosofia quotidiana", Beniamino Placido, proprio a proposito della rivalutazione critica di Totò in Italia, ci ricorda di "non chiudere gli occhi agli spettacoli semplici, popolari [...]; tanto lo sappiamo – dovremmo averlo capito, ormai – che molte cose importanti, nella civiltà di massa, vengono alla luce in forme adatte alle masse, ma non per questo spregevoli: vent'anni dopo, saranno rivalutate"[30]. Vent'anni dopo, potremmo aggiungere noi, non saranno più considerate soltanto un "chewing gum per gli occhi".

Questo potrebbe certamente costituire un suggello, sul filo dell'ironia, al ragionamento che abbiamo seguito finora, e riconferire alla televisione (al medium in sé, ai suoi messaggi) quel minimo di "dignità" che troppo spesso le è stato con eccessivo rigore sottratto. Ma siamo consapevoli di essere rimasti all'interno di una visione essenzialmente "statica" del mezzo televisivo (la televisione così come è sempre stata, medium dell'istante e teatro elettronico per grandi pubblici), mentre incalzano oggi modificazioni di grande rilevanza nello sviluppo tecnologico del mezzo e, di conseguenza, nelle modalità di fruizione dei sempre più diversificati pubblici audiovisivi. Sono questi i temi che affronteremo nei prossimi due capitoli.

NOTE BIBLIOGRAFICHE

[1] E.E. Dennis e J.C. Merrill, *Media Debates – Issues in Mass Communication*, New York, Longman, 1991, pp. 95-108.

[2] Per ampie trattazioni dell'argomento si vedano: C. Mannucci, *La società di massa*, Milano, Edizioni di Comunità, 1967; A. Swingewood, *The Myth of Mass Culture*, London, The MacMillan Press, 1977; trad. it.: *Il mito della cultura di massa*, Roma, Editori Riuniti, 1980; C. Selvaggi, *La crisi del concetto di massa*, Roma, Bulzoni, 1978.

[3] L'argomento è trattato in modo esemplare da: E.L. Eisenstein, *The Printing Press as an Agent of Change – Communications and Cultural Transformations in Early-Modern Europe*, Cambridge, Cambridge University Press, 1979; trad. it.: *La rivoluzione inavvertita – La stampa come fattore di mutamento*, Bologna, Il Mulino, 1986.

[4] Un'esposizione (e critica) di queste tesi e dei loro principali sostenitori (Mac Donald, Boorstin, Ewen, Postman) si trova in: J. Jensen, *Redeeming Modernity – Contradictions in Media Criticism*, Newbury Park, California, Sage, 1990.

[5] G. Sartori, intervista di Antonio Lombardo, New York, 1988.

[6] P. Citati, *La Repubblica*, 23 gennaio 1992.

[7] J. Mander, *Four Arguments for the Elimination of Television*, New York, William Murrow and Company, 1978; trad. it.: *Quattro argomenti per eliminare la televisione*, Bari, Dedalo, 1982.

[8] N. Postman, *Amusing Ourselves to Death*, New York, Viking, 1985; trad. it.: *Divertirsi da morire – Il discorso pubblico nell'era dello spettacolo*, Milano, Longanesi, 1986.

[9] Si veda: W. Ong, *Orality and Literacy – The Technologizing of the Word*, London e New York, Methuen, 1982; trad. it.: *Oralità e scrittura – Le tecnologie della parola*, Bologna, Il Mulino, 1986.

[10] J. Lotman, intervista di Laura Lilli, Roma, 1988.

[11] Riprendo qui alcune considerazioni svolte in: C. Sartori, "L'esistenza ipermediale", *Sociologia della comunicazione*, n. 12, 1987, p. 106.

[12] T.H. Hutchinson, *Here Is Television: Your Window to the World*, New York, Dial Press, 1946.

[13] D. Sarnoff, citato da: L. De Forest, *Television: Today and Tomorrow*, New York, Dial Press, 1942.

[14] H. Newcomb, *Tv: The Most Popular Art*, Garden City, New York, Anchor Books, 1974.

[15] Per maggiori dettagli: C. Sartori, *La grande sorella – Il mondo cambiato dalla televisione*, Milano, Mondadori, 1989, p. 46.

[16] A. Abruzzese, "Spettacolo e società post-industriale", in: G. Barlozzetti (a cura di), *Il palinsesto*, Milano, Franco Angeli, 1986, p. 46.

[17] A. Renaud, "Pensare l'immagine oggi. Nuove immagini, nuovo regime del Visibile, nuovo Immaginario", in AA.VV., *Videoculture di fine secolo*, Napoli, Liguori, 1989, p. 17. Per un'ampia trattazione dell'argomento si può fare riferimento a vari saggi del volume.

[18] Un testo di grande utilità per l'argomento in generale è: G. Bettetini e F. Colombo, *Le nuove tecnologie della comunicazione*, Milano, Bompiani, 1993.

[19] A. Granese, "Valori etico-educativi e valori estetici nella cultura dei media", in AA.VV., *Videoculture di fine secolo*, op. cit., p. 134.

[20] Si veda: S. MacBride et. al., *Many Voices, One World*, Paris, Unesco Press, 1980.

[21] M. Ignatieff, "L'etica della televisione", *Lettera internazionale*, ottobre-dicembre 1990.

[22] Tra i numerosi saggi sul "linguaggio totale" segnalo: A. Faurie e A. Vallet, *Le Langage Total – Experience internationale d'éducation à la communication*, Paris, Unesco Press, collana Communication et Société, n. 9, 1983.

[23] Lo sviluppo di questi temi in: A. Abruzzese, *Forme estetiche e società di massa*, Venezia, Marsilio, 1992 (terza edizione), pp. 3-11.

[24] J. Fiske e J. Hartley, *Reading Television*, London e New York, Methuen, 1978, pp. 85-100.

[25] D. Thorburn, "Television as an Aesthetic Medium", in J. W. Carey (a cura di), *Media, Myths, and Narratives – Television and the Press*, Newbury Park, California, Sage, 1988, pp. 56-62.

[26] D. Thorburn, op. cit., p. 50.

[27] E. Barnouw, *Tube of Plenty – The Evolution of American Television*, New York, Oxford University Press, 1975; trad. it.: *Il canale dell'opulenza – Storia della televisione americana*, Torino, Eri, 1981.

[28] D. Thorburn, op. cit., pp. 49-54.

[29] ibidem, pp. 54-55.

[30] B. Placido, "Totò, Totò, segreta passione di tanti...", *La Repubblica*, 18 dicembre 1992.

III.

IL "CANALE": FINALMENTE ALLE SOGLIE
DELLA MATURITA'

1. La televisione nel quadro delle tre fasi di diffusione dei media

1.1. Vi è una "legge naturale" dello sviluppo di tutti i media, ben descritta da Lowenstein e Merrill nel loro volume *Macromedia*[1]. Si tratta della cosiddetta "curva E-P-S", la quale (con un andamento a "*s*" tipico della dinamica di penetrazione di un bene o prodotto nei mercati) illustra un'evoluzione che passa da un livello di fruizione esclusivamente elitario (E) a uno di diffusione popolare (P), per approdare infine a uno stadio di specializzazione (S) in cui i media soddisfano particolari gusti, interessi, esigenze.

Nel primo grado di sviluppo ("fase elitaria"), la diffusione è ostacolata da alcuni fattori obiettivi, tra cui innazitutto l'analfabetismo e la povertà. Soltanto le fasce alte della società (culturalmente progredite, economicamente abbienti) si rendono disponibili al consumo dei media, che presentano caratteristiche sintoniche a tale pubblico: i loro contenuti sono principalmente informativi, e anche l'intrattenimento è mantenuto su standard piuttosto elevati; dal punto di vista finanziario, i ricavi dalla diffusione sono in genere maggiori di quelli provenienti dalla pubblicità. La concentrazione di questo pubblico nelle aree urbane, inoltre, limita il raggio di estensione dei media: ciò vale massimamente per i giornali (che necessitano di strade per la loro distribuzione) e vale in notevole misura per il cinema e la televisione (che seguono per forza di cose lo sviluppo dell'elettrificazione di un paese); tale limitazione è risultata invece più attenuata per la radio dopo l'invenzione del transistor (che le ha permesso di compiere in molte nazioni sottosviluppate un repentino "salto della rana" dallo stadio elitario a quello successivo).

Il superamento di tutte queste barriere conduce i media verso la "fase popolare" della loro diffusione. In essa cambiano, con le dimensioni, anche i contenuti: la necessità di raggiungere e mantenere un'audience sempre più vasta ed eterogenea fa sì che i messaggi (per evitare un effetto-rifiuto da parte dei più bassi strati socioculturali, di gran lunga maggioritari) scelgano il principio del "minimo comun denominatore", del più basso livello omogeneizzato di contenuti. Esistono già, in questa fase, alcuni media e messaggi specializzati, ma più come eredità dello stadio elitario e di una mentalità elitaria, che come deliberato sforzo per raggiungere un'audience segmentata.

L'approdo alla terza e ultima fase di sviluppo avviene solo dopo che si sono presentati e realizzati compiutamente alcuni "acceleratori di specializzazione": (a) un più alto livello di istruzione generalizzata, con conseguente maggiore segmentazione delle professioni e quindi degli interessi; (b) un grado di benessere che permetta il possesso o l'acquisto non solo di una varietà di media, ma anche di una varietà di strumenti dello stesso medium (più di una radio e di una televisione, videoregistratori, tv cavo; numerosi giornali e riviste ecc.) all'interno di situazioni familiari sempre più frammentate nei gusti informativi e di intrattenimento; (c) un tempo libero sufficiente per dedicarsi a varie attività culturali e di svago, che accrescono l'interesse per i media a esse relativi; (d) una quantità di popolazione sufficiente (valutata in almeno 10-15 milioni di persone), per non ridurre la diffusione capillare dei media specializzati al di sotto di un livello economicamente accettabile.

Ogni continente, ogni area geografica, ogni paese ha ovviamente attraversato, per ogni suo mezzo di comunicazione, queste tre fasi di sviluppo in epoche assai diverse (dalla metà dell'Ottocento ai nostri giorni) e con modalità assai diverse. Lo "stadio elitario" oggi appare applicabile nella sua totalità solo ad alcune nazioni del Terzo e Quarto Mondo asiatico e africano. Nella maggior parte dei paesi industriali avanzati (l'area della Triade Nord America-Europa-Giappone, nonché Israele, Australia, Nuova Zelanda) e nelle cosiddette *newly industrialized countries* (come il Brasile o il Messico) ci troviamo in fasi più o meno sviluppate dello "stadio popolare". Ma alcuni paesi, in questa prima metà degli anni Novanta, fanno registrare già pronunciati livelli di "specializzazione" (tra questi, sicuramente Stati Uniti, Gran Bretagna, Francia, Germania e Giappone), nel senso che in essi la dinamica dei media appare già introdotta in un processo sempre più evidente di frammentazione sia dei mezzi (pubblicazioni e canali destinati a specifici segmenti di popolazione), sia dell'offerta (con parti di quelle pubblicazioni e di quei canali mirate a soddisfare non uno ma molteplici interessi).

Chiarita questa "legge generale dello sviluppo dei media" e illustrata a grandi linee la situazione attuale nelle diverse aree del mondo, possiamo ora concentrare l'attenzione nel campo specifico del medium che forma l'oggetto del nostro studio, la televisione, per comprendere in quale stadio di sviluppo essa effettivamente si situi, nella sua globalità planetaria e all'interno dei principali contesti nazionali.

1.2. Anche se la televisione è nata ufficialmente in Inghilterra già prima della seconda guerra mondiale (con trasmissioni regolari della Bbc a partire dal 2 novembre 1936), il ciclo di vita di questo mezzo ha avuto praticamente inizio soltanto nel dopoguerra. Il conflitto mondiale, infatti, aveva prima ostacolato e poi fermato la sua diffusione sia in Europa (nella stessa Inghilterra, nonché in Germania e in Unione Sovietica) sia negli Stati Uniti, dove le trasmissioni televisive in forma stabile erano state inaugurate nel marzo 1939 in occasione della Fiera mondiale di New York[2].

Sono stati proprio gli Stati Uniti – non toccati dalle distruzioni della guerra e gestori, per l'Occidente, dei nuovi equilibri mondiali creatisi – a battere per primi la strada di uno sviluppo accelerato della televisione, già nei tardi anni Quaranta. E, grazie alla forza espansiva delle loro *corporations*, l'hanno esportata poco dopo, all'inizio degli anni Cinquanta, nei paesi "satelliti" dell'America Latina, dove una televisione "all'americana" poteva entrare agevolmente (specie nelle grandi città) tra gli interstizi di un sottosviluppo schizofrenico. Tra l'inizio e la metà degli anni Cinquanta la tv ha fatto il suo ingresso nelle nazioni più industrializzate dell'Europa e in Giappone, mentre ai tardi anni Cinquanta risale il primo sviluppo televisivo negli stati del blocco comunista. Nel decennio successivo si celebrava l'avvento della televisione anche in alcuni paesi dell'Asia e dell'Africa, quelli che via via si rendevano indipendenti dalle potenze coloniali.

Così, se nel 1949 soltanto quattro nazioni avevano ufficialmente già introdotto la televisione (Gran Bretagna, Stati Uniti, Unione Sovietica e, proprio in quell'anno, la Francia), vent'anni dopo, nel 1969, i paesi televisivi erano già 118. Dal 1970 ai nostri giorni il mosaico è andato completandosi, con l'ingresso nell'area televisiva di tutti quei paesi che, per motivi economici o sociopolitici (si pensi, per quest'ultimo caso, alla Grecia dei Colonnelli e al Sud Africa), avevano a lungo escluso l'avvento della tv. Oggi si può dire che quasi tutti i territori "ufficialmente riconosciuti" sul pianeta possiedono una propria autonoma organizzazione televisiva[3].

Il solo dato generico della presenza/assenza della televisione in un paese ci fornisce peraltro un'informazione assai poco significativa sul suo reale sviluppo nelle diverse aree del mondo. Elementi di riflessione più significativi sono certamente quelli che si riferiscono al numero di apparecchi televisivi esistenti sul pianeta e nei singoli paesi. Pur disponendo di statistiche strutturalmente ambigue e talora contraddittorie, si deduce che il parco-televisori mondiale potrebbe aver superato, fin dal 1990, il miliardo di unità[4], anche se l'Unesco ne indicava a quella data solo 826 milioni[5]. Gli esperti inglesi di *Screen Digest* prendono invece in considerazione le *tv households* (cioè le case con almeno un televisore), che sarebbero state circa 680 milioni nel 1990, ma già 750 nel 1993 e prevedibilmente 790 nel 1995, varcando la soglia del miliardo intorno all'anno 2005[6]. Su una popolazione planetaria che ha da poco superato i 5 miliardi di individui, queste cifre significano comunque, già oggi, una penetrazione nei nuclei familiari ormai mediamente notevole: anche prendendo per reali i dati Unesco (che solitamente risultano i più "conservatori") si ha ormai, infatti, una diffusione mondiale di oltre 150 apparecchi tv per mille abitanti.

Lo sviluppo è stato particolarmente intenso a partire dalla metà degli anni Sessanta, quando le case con tv sul pianeta erano appena 165 milioni (di cui l'80 per cento circa concentrate nei soli Stati Uniti, Europa Est e Ovest, Unione Sovietica). Da allora si sono aggiunte ogni anno almeno 20 milioni di case, saturando in breve i mercati già dinamici e costruendo le prime basi in quelli più poveri e ritardati. Oggi la distribuzione nelle diverse aree del pianeta è più equilibrata, anche se permangono alcune forti sperequazioni: l'Asia, dove vivono quasi i due terzi della popolazione terrestre, ha da poco superato la soglia di 60 televisori ogni mille abitanti (e la media è non poco distorta dal Giappone, che di apparecchi ne ha oltre 600 ogni mille abitanti); l'Africa nera è addirittura ferma a circa 20 televisori su mille abitanti, salendo a poco meno di 40 con gli stati arabi. Proprio questi due continenti, come è ovvio, sono destinati a subire le maggiori accelerazioni nel corso del presente decennio Novanta, con un tasso di crescita complessivo delle *tv households* di circa il 64 per cento in Asia e il 57 per cento in Africa (rispetto a una media mondiale che sarà intorno al 31-32 per cento)[7].

La suddivisione per grandi aree continentali o sub-continentali, peraltro, non dice ancora tutto sul tasso di penetrazione della tv, perché al loro interno possono manifestarsi forti, talora abissali differenze diffusionali. Nell'arretrato continente africano, ad esempio, il Sud Africa ha già stabilmente superato la quota di cento televisori ogni mille abitanti; e due piccoli "centri di privilegio", le isole Mauritius e Reunion, sono addirittura al di là della media mondiale. In Asia, oltre al Giappone (e, in misura minore, Singapore, Hong Kong, Corea del Sud, Taiwan) risaltano le eccezioni dei piccoli emirati arricchitisi con il petrolio, che hanno una densità di apparecchi televisivi pari, se non talvolta superiore, a quella dei paesi industrializzati dell'Occidente; la "punta" massima è quella dell'Oman, dove già le statistiche del 1990 indicavano oltre 760 televisori ogni mille abitanti (una quota vicinissima a quella degli Stati Uniti, paese leader mondiale con 815 apparecchi). Notevoli differenze si registrano anche in America Latina: dagli oltre 200 televisori per mille abitanti di Argentina, Brasile e Uruguay ai 60 del Paraguay e ai 40 della Guyana. L'area continentale più uniforme appare l'Europa (tranne piccole sacche di relativa arretratezza, come l'Albania), dove si è raggiunta quasi ovunque una diffusione "popolare" del mezzo (tra 250-300 e 500-600 televisori ogni mille abitanti)[8].

La televisione si presenta dunque, nella prima parte del decennio Novanta, in una condizione di relativa, ma incipiente maturità diffusionale; maturità che diventa notevolmente solida, se noi prendiamo in considerazione solo il comparto dei paesi industrializzati, che hanno ormai raggiunto una media di quasi 500 apparecchi televisivi per mille abitanti (contro i 55 delle nazioni in via di sviluppo). Ma a questo punto ci accorgiamo che la diffusione del televisore non esaurisce più il mercato audiovisivo, perché nuovi strumenti si sono, in questi ultimi anni, affacciati con successo nelle *tv households* del pianeta, portando forti elementi di potenziale innovazione nelle modalità con cui i messaggi vengono recepiti e fruiti.

Per occuparci di tale "rivoluzione", però, dobbiamo prima spostarci dal terreno della diffusione del mezzo tv a quello delle tecnologie che ne hanno accompagnato e che ne segneranno lo sviluppo.

2. Lo sviluppo tecnologico della tv nella "convergenza" telematica

2.1. È opportuno subito chiarire che la televisione non ha beneficiato, per lungo tempo, di uno sviluppo tecnologico degno di rilievo. Per quasi mezzo secolo dopo la sua invenzione, le uniche novità sono state rappresentate, in campo distributivo, dalla moltiplicazione dei canali disponibili (specie dopo l'avvento dei diversi tipi di satelliti) e, a livello di fruizione, dall'introduzione del colore (la cui tecnica di produzione e trasmissione, peraltro, era stata teorizzata fin dai primi del Novecento, con dimostrazioni pratiche già a partire dagli anni Venti). Si può dunque tranquillamente affermare che, fino a tutti gli anni Settanta, la televisione si è fermata a uno stadio di evoluzione assai primitivo, quasi "preistorico". Perché? Per rispondere compiutamente a questa domanda (e per comprendere poi meglio gli elementi della fase attuale di sviluppo) è necessario ancora una volta fare un passo indietro, e ripercorrere brevemente la storia tecnologica del mezzo televisivo[9].

L'invenzione della tv non è scaturita da un evento scientifico isolato o da una singola serie di eventi, ma – al contrario – è stata il risultato di un lungo processo interattivo di ricerche e scoperte, di esperienze nuove e di accumulazioni innovative di conoscenze già acquisite. L'idea di una qualche forma di *tele-visione*, cioè di percezione di immagini a distanza, era già implicita in molti sviluppi di campi quali l'elettricità, la fotografia, la cinematografia, la radiofonia, ed è infatti difficile separarla, nei suoi primissimi stadi pre-evolutivi nel corso dell'Ottocento, dalla maturazione di questi molteplici settori interagenti. Per molte vie – come ci ricorda Raymond Williams[10] – "i mezzi per la trasmissione di immagini, e di immagini in movimento, erano attivamente ricercati e, in misura considerevole, scoperti", ma non per questo significativamente indirizzati a un unico fine.

Comparsa nella sua identità futura in un romanzo di fantascienza del 1883 (*Ventesimo secolo* di Albert Robida), negli anni immediatamente seguenti la televisione comincia a vivere di vita propria – come vero e proprio obiettivo tecnologico coagulante i progressi anche di campi contigui – sulla scia dell'invenzione del "disco di Nipkow", un apparecchio per la scansione delle immagini che prende il nome dal suo creatore, un russo trapiantato in Germania. Manca però ancora del tutto la consapevolezza che la televisione sia una nuova forma sociale, e quindi una potenziale impresa economica, un potenziale sistema istituzionale e produttivo. Di qui, uno scarso interesse dei governi e delle forze economiche, con ben pochi investimenti per coordinare e sistematizzare le varie ricerche in atto, specie se si fa un confronto con ciò che sta contemporaneamente avvenendo nei campi dell'elettricità, della telefonia e della telegrafia (rispondenti ai grandi bisogni generali dell'epoca e già "maturati" come forme sociali importanti).

Non è un caso che la situazione cominci a cambiare poco dopo l'inizio degli anni Venti quando, trasformatasi l'esperienza cinematografica (da prodotto marginale a prodotto centrale delle forme sociali dominanti, con l'esplosione del primo divismo) e maturatosi lo sviluppo della radio (da mezzo avanzato di telegrafia a forma sociale nuova, di grande capacità persuasiva, sia politica sia commerciale), l'idea di televisione diventa il terzo polo di un settore non più confondibile con altri contigui: radio, cinema e la nascente tv sono *un'altra cosa* rispetto a elettricità, telefonia, telegrafia ecc. Questa consapevolezza segna il definitivo passaggio dal disinteresse all'interessamento nei confronti della tecnologia televisiva, che solo in tal modo potrà, negli anni Trenta, venire ufficialmente a esistenza: in Europa – come sappiamo – al servizio dei governi nazionali, in America manovrata dalle già potenti *corporations* private della radiofonia[11].

Il novello fervore che, da quei momenti, si impadronisce della televisione (si pensi, ad esempio, all'accesa guerra dei brevetti che si combatte, sia in America sia in Europa) subirà una temporanea crisi con lo scoppio del conflitto mondiale, ma sarà pronto a riprender vita nell'immediato periodo post-bellico. A guidarlo, però, non sarà più il progresso tecnologico del mezzo (la *crescita "verticale"*), perché questo appariva già soddisfacente in relazione alle esigenze manifestate da un mercato cui bastava la novità della tele-visione. Il "posto di comando" passerà allora alle esigenze di copertura diffusionale del mercato stesso, cioè all'imposizione del *dominio "spaziale"* della tv.

Per usare i termini della descritta "legge generale di sviluppo dei media", e per ricollegarci alle affermazioni negative che abbiamo più volte citato, potremmo dire che effettivamente, dalla fine della seconda guerra mondiale a tutti gli anni Settanta, la televisione non fa altro che passare dallo "stadio elitario" a quello "popolare" (prima nei paesi-guida; poi, come si è visto nel paragrafo precedente, a macchia d'olio nelle altre nazioni); e il fenomeno è così vasto e potente, da indurre facilmente la sensazione (tanto diffusa) che questo secondo gradino di sviluppo sia il suo definitivo punto di arrivo: la celebrazione/condanna della televisione come l'unico, vero, immodificabile *mass-mass-medium* partorito dalla storia dell'uomo.

2.2. Che cosa è invece avvenuto, dalla fine degli anni Settanta, che ha messo in crisi la "stagnazione di massa" della tv? È avvenuto che – mentre la televisione impegnava tutte le sue risorse nella corsa verso la massima diffusione possibile della sua immutata tecnologia, del suo modesto "teatrino elettronico" – il vasto settore delle telecomunicazioni (da cui, come si è visto, la tv stessa era nata, ma che aveva ben presto abbandonato) subiva profonde e sempre più radicali trasformazioni di cui, alla fine, la televisione ha "dovuto" tener conto.

L'innovazione più importante e basilare è stata certamente quella legata all'informatica, che concede a tutti i mezzi un "cervello" (il computer) e un "linguaggio" comune (il linguaggio digitale), i quali permettono l'interscambio reciproco tra media, e accrescono l'"intelligenza" – nonché la velocità, la duttilità, la creatività – di ciascun medium. Un secondo ordine di innovazioni, di vario genere, si riferisce invece alle modalità e agli strumenti (nuove generazioni di satelliti, cavi a fibre ottiche, sistemi di compressione digitale dei segnali su un canale ecc.) che consentono di trasmettere, a prezzi costantemente decrescenti, un numero sempre maggiore di messaggi e servizi, sempre più complessi e interattivi, a distanze sempre più lunghe.

Queste rivoluzioni hanno finalmente messo in crisi la cosiddetta "epoca della divergenza", che aveva caratterizzato tutta la storia del nostro secolo e che aveva isolato ciascun mezzo elettronico – dal telegrafo al telefono, dalla radio alla televisione – in un suo "ghetto" tecnologico e funzionale, caratterizzato da una sempre maggiore sterilità[12] (si pensi, ad esempio, a quanto abbiamo già detto dell'arretratezza della televisione, o all'uso estremamente limitativo del telefono prima dell'invenzione del telefax). Al posto della "divergenza", nella pur convulsa storia degli anni Ottanta, si è delineata una nuova, potente, dinamica "epoca della convergenza", nella quale tutti questi strumenti non sono più forzatamente chiusi nel proprio, ristretto ambito di operatività e di uso, ma possono spaziare l'uno nel campo di applicazione dell'altro, con continui rimandi e accelerazioni di sviluppo reciproche.

È, in pratica, l'inizio della costruzione di un grande sistema integrato, caratterizzato da un modello di offerta strutturalmente multimediale (che ingloba media cartacei e audiovisivi; generi culturali, informativi e spettacolari; forme di propaganda diverse, dalla pubblicità al *merchandising*), la quale di volta in volta può usare uno o più dei supporti tecnologici tra quelli, sempre più numerosi e sofisticati, che l'evoluzione in atto rende via via possibili[13]. Ma, per le sue caratteristiche strutturali (mezzo audiovisivo adatto a contenere immagini e parole, nelle forme più diverse) è proprio il televisore, il teleschermo, a trovarsi al centro di tutte queste rivoluzioni: gli basterà di non considerare più esclusiva ed esaustiva la sua tradizionale natura di semplicistico "teatro elettronico", per trasformarsi nel *monitor di un terminale polifunzionale*, in cui possono confluire tutti i nuovi strumenti, prodotti e servizi di comunicazione cui abbiamo accennato.

Alcune di queste pratiche comunicazionali continueranno a essere tradizionalmente televisive (trasmissioni di programmi di svago-informazione-cultura, via ponti radio, via satellite o via cavo), ma saranno fruite su apparecchi riceventi estremamente più sofisticati (schermi giganti in alta definizione, così come "televisorini" da polso); altre pratiche configureranno ipotesi di interattività telematica (videotext, servizi videotelefonici, accesso a banche dati, transazioni varie con centri operativi e commerciali). In alcuni casi si vorrà fruire del teleschermo per collegarsi con il mondo, in altri casi si preferirà il circuito domestico che sintonizza il televisore con i cosiddetti *self-media* (videoregistratori, videodischi interattivi e non), o con i sistemi informatici della casa (dai *videogames* agli *home-computers*).

Possiamo a questo punto intravedere uno scenario ipoteticamente conclusivo di questa fenomenale corsa alla "convergenza telematica". Nel quadro delle sue funzioni, da semplice *receiving medium* (mezzo passivo), la televisione è in grado di trasformarsi in un *publishing medium* (mezzo dinamico), con il telespettatore che può attivare gli elementi della comunicazione quando vuole, nella forma in cui vuole, secondo le modalità che vuole. Il teleschermo diventa, in definitiva, una sorta di "filtro personalizzato" del crescente carico di conoscenza dovuto all'avvento della *information society*: il nostro legame con essa, e al tempo stesso la barriera nei confronti della sua possibile cacofonia ridondante. Un filtro che, nelle ipotesi più avanzate di società telematica, sarà in grado di immagazzinare, conservare, sintetizzare, ripetere messaggi, dati, spettacoli ecc.: il tutto tarato sul gusto, sulle strategie conoscitive, sulle intenzioni momentanee, sulle disponibilità di tempo di ogni singolo utente.

2.3. I numerosi alfieri del "determinismo tecnologico"[14] non hanno dubbi: questo sarà, potrà, dovrà essere il panorama del futuro; e si realizzerà presto, trasformando la nostra vita come con un colpo di bacchetta magica. Ma questa sicurezza, che tramuta semplici opinioni e speranze in "osservazioni scientifiche"[15], non può certamente soddisfarci: allo studioso sociale si presentano molti dubbi, molti interrogativi cui deve dare risposta.

È per certo innegabile che alcune delle novità di cui abbiamo parlato siano destinate a svolgere, già nel breve periodo, una funzione di mutamento, o comunque di traino. Nell'insieme, inoltre, esse cercheranno di portare sempre di più lo *hardware* televisivo (cioè le reti di trasmissione e gli apparecchi elettronici, intelligenti o meno) al centro dello sviluppo, in posizione di supremazia rispetto al *software* (i messaggi, i programmi). Del resto, è avvenuto questo anche alle origini del medium televisivo, la cui implementazione contenutistica fu attivamente sostenuta dalle industrie del settore (la Rca, la Att, la British Marconi) proprio nell'intento di allargare il loro mercato di apparecchi riceventi. Oggi, sono soprattutto le grandi *corporations* elettroniche multinazionali a fare pressioni sui governi, sugli organismi internazionali e sui mercati di utenza, per procedere speditamente a un rinnovo integrale del parco-televisori mondiale e a una adozione intensiva delle nuove tecnologie di diffusione e di ricezione televisive: in tale chiave, ad esempio, si sono sviluppate le polemiche internazionali sull'alta definizione e sui satelliti a diffusione diretta[16].

Ma l'insegnamento del passato ci viene in aiuto anche per comprendere l'altra faccia della medaglia dell'evoluzione tecnologica: e cioè che essa non si dipana mai per linee sue interne, secondo quegli scenari di radicale mutazione così cari ai "visionari" super-ottimisti della tecnocrazia o ai "partigiani" interessati delle multinazionali elettroniche. Oltre ai vincoli costituiti dalle regole politico-giuridiche nazionali e internazionali (che possono frenare, nonostante tutti i leciti e illeciti sforzi di *lobby*, le scelte strategiche anche delle più forti *corporations*), vi sono infatti da considerare vischiosità e lentezze tipiche delle trasformazioni di abitudini sociali e individuali, culturali e di consumo, degli utenti. Anzi, a ben guardare, dalle "macchinette" dei primi sperimentatori televisivi a oggi, la variabile dominante è stata un grande spreco tecnologico, dovuto al fatto che le tecniche più avanzate e sofisticate sono state spesso penalizzate proprio per il loro carattere innovativo teso a rompere in maniera troppo radicale gli equilibri consolidati di fuizione[17].

In definitiva il *software*, la sua appetibilità, il suo potere aggregante, la sua forza di mercato, hanno sempre efficacemente controbilanciato le spinte assolutistiche dello *hardware*. Ed è assai probabile che questa tendenza continui: analizzando infatti la spesa mondiale per famiglia nel consumo dei media audiovisivi, ci si accorge che, nei paesi almeno mediamente avanzati, il *software* assorbe in genere il doppio di risorse finanziarie dello *hardware*, e la differenza percentuale è in costante aumento[18]. Per questo, dunque, non vi saranno "bacchette magiche" né mutazioni repentinamente rivoluzionarie, ma un articolato e non sempre lineare processo evolutivo, che si svilupperà lungo i punti d'incontro tra *hardware* e *software*, tra tecnologia e consumo: è così, del resto, che si spiegano alcuni imprevisti fallimenti (come quello dei videodischi negli anni Ottanta) e certe deludenti forme di indifferenza del pubblico (come quella manifestata verso videotext e teletext)[19].

Con grande efficacia descrittiva, Raymond Williams ci ricordava tutto ciò in una sua corrispondenza dalla California, giustamente riprodotta nel libro postumo a lui dedicato: "Eravamo là, a sud di San Francisco – scrive Williams nel 1973 – in una delle due o tre regioni più ricche del mondo, nel luogo in cui il futuro si deve sempre realizzare da un momento all'altro. Al fondo della strada, De

Forest aveva sperimentato la valvola termoionica e il cinema sonoro. All'inizio della via, avevano inventato il transistor. Dall'altro lato, un giovane ingegnere aveva progettato un'antenna domestica per la televisione via satellite. In questa terra madre della tecnologia, stavamo guardando vecchi film in una piccola televisione tremolante. La predominanza delle forze sociali su quelle tecniche non poteva essere meglio dimostrata in nessun altro luogo"[20].

3. Dal *broadcasting* al *narrowcasting*, ma con cautela

3.1. Muniti di queste doverose cautele, dunque, dobbiamo cercare ora di valutare il "peso" effettivo raggiunto dalla rivoluzione diffusionale e tecnologica del mezzo televisivo: se da un lato non abbiamo più dubbi sul fatto che essa sia almeno in atto, dall'altro lato dobbiamo capire quanto vicini o distanti siamo dagli affascinanti scenari che ci vengono proposti e descritti.

Ci sembra di poter riconoscere, per intanto, che il processo espansivo (orizzontale) e il progresso tecnologico (verticale) della televisione appaiono oggi ben più saldamente collegati che in passato. Ciò è verificabile, in primo luogo, sul terreno del *broadcasting* (cioè la trasmissione via etere tradizionale, da un'emittente a un universo indifferenziato di pubblico). Se si prendono in considerazione i cento principali paesi del mondo, si constata ad esempio che, a cavallo tra il decennio Ottanta e il decennio Novanta, vi è stato un gigantesco passo in avanti nel numero dei canali televisivi nazionali disponibili per l'utenza: da 354 nel 1987 a 521 nel 1991, con un incremento in soli quattro anni del 46 per cento. Inoltre, pur escludendo i due casi degli Stati Uniti e dell'Italia (nei quali il fenomeno del localismo è del tutto anomalo), si contano in quei cento paesi almeno 650 canali locali e regionali, che erano quasi inesistenti soltanto pochi anni fa[21].

Un settore di ancor più significativa osservazione è quello del *narrowcasting*, termine con il quale identifichiamo tutte le modalità distributive dei messaggi audiovisivi che si indirizzano non alla generalità dell'audience, ma ad alcune sue fasce settoriali. Lo strumento "pioniere" è stato certamente il videoregistratore, che per primo ha spezzato la tirannia di una fruizione televisiva fino ad allora forzatamente mono-temporale ed etero-imposta, anche se le sue attuali forme di consumo (noleggio o acquisto di videocassette nei negozi) sembrano destinate a essere superate negli scenari del futuro. Oggi il mercato mondiale dello *homevideo* ha raggiunto una notevole maturità, con una penetrazione media vicina al 35 per cento delle "case con tv" (in pratica, una casa su tre): Stati Uniti (oltre il 70 per cento) e Giappone (quasi il 70 per cento) sono i paesi-guida, ma ben 39 nazioni del mondo hanno già oltrepassato la ragguardevole soglia di penetrazione del 50 per cento[22].

Un altro asse portante del *narrowcasting*, spesso in antitesi allo *homevideo*, è stato indubbiamente il cavo, al quale oggi si uniscono o si sovrappongono altre forme tecnologiche avanzate (dalle micro-onde ai sistemi di compressione digitale dei segnali), che potrebbero in certa misura permettere di "by-passare" la strutturale lentezza e l'alto costo marginale delle operazioni di cablatura. Nata già negli anni Cinquanta negli Stati Uniti, semplicemente per collegare zone fortemente disturbate via etere, in quel paese la tv cavo ha avuto un salto di qualità a partire dalla metà degli anni Settanta, quando le sue disperse stazioni locali hanno potuto (grazie alla proliferazione dei satelliti della prima generazione) essere collegate a fonti emittenti nazionali in grado di fornire nuovi, attraenti tipi di programmi e di servizi agli utenti[23]. Oggi si calcola che il 94 per cento delle case americane (97 per cento nel 1996) siano "attraversate" dal cavo, cioè potenzialmente collegabili; ma, quel che più conta, è che oltre il 60 per cento sono già effettivamente collegate[24]. In Europa lo sviluppo non è stato altrettanto impetuoso, ed è ancora fortemente disomogeneo: nel 1992 solo due televisori su dieci erano collegati a una rete cablata, per un totale di 30 milioni di apparecchi, che dovrebbero diventare oltre 50 milioni nel 1998, con una penetrazione finalmente superiore al 35 per cento[25].

Mentre il cavo prosegue la sua marcia, si assiste, in tutti i paesi della Triade sviluppata, all'ascesa dei satelliti a diffusione diretta (Dbs), ricevibili attraverso piccole e sempre più economiche antenne individuali. Questa nuova generazione di satelliti si unisce alle precedenti, dilatando a dismisura la quantità di canali televisivi ricevibili nelle case: nel 1991, nella sola Europa, i canali via satellite erano già circa 70; e la previsione per la metà del decennio è di oltre 200. Nel nostro continente, nel 1996, dovrebbe essere raggiunta la cifra di dieci milioni di case collegate; ancora più forte è e sarà la penetrazione in Giappone, dove (con una popolazione numericamente molto inferiore a quella complessiva dell'Europa) i collegamenti erano già oltre 5 milioni e mezzo nel 1992 e saranno probabilmente 8 milioni e mezzo nel 1996[26].

Queste diverse e interagenti forme tecnologiche, pur in una fase ancora "minoritaria", hanno già in parte mutato le modalità di fruizione del mezzo televisivo, e di conseguenza hanno ampliato le forme possibili di finanziamento del sistema. È vero che, nell'ambito dei cento principali paesi del mondo, quasi la metà (47) usano ancora il canone, e circa un terzo (32) prevedono una qualche forma di sovvenzione governativa[27], con tutte le conseguenze che ciò comporta. Ma è altrettanto vero che sta crescendo ovunque – accanto al drenaggio della pubblicità tradizionale legata all'audience – la presenza di forme dirette di pagamento (*pay-tv*) dei programmi televisivi. Queste basano la loro offerta sull'esistenza di un *surplus del consumatore*, cioè di una cifra teorica che l'utente sarebbe disposto a spendere in più per godere di "un certo tipo" di servizio, ma che nessuno gli richiede in un sistema tutto *broadcasting* : quel surplus permette di instaurare un rapporto diretto tra domanda e offerta, definibile attraverso un "prezzo" elastico (come per il cinema o il teatro).

Con una "preistoria" che affonda le radici addirittura negli anni Cinquanta in America, con una "storia" che ha praticamente inizio con la fondazione di Home Box Office nel 1972, la *pay-tv* si è sviluppata rapidamente nel corso degli anni Ottanta, partendo dagli Stati Uniti ed espandendosi a numerosi altri paesi. Già nel 1991, considerando i soliti cento mercati televisivi più avanzati, forme di tv a pagamento erano presenti in 28 di essi, per un totale di 75 canali diversi. Negli Stati Uniti, sempre nel 1991, gli abbonati alle varie reti a pagamento (tutte via cavo/satellite) erano oltre 60 milioni; e in Europa, nel 1992, hanno superato la barriera degli 8 milioni (grazie soprattutto alla *performance* della francese Canal Plus e delle sue affiliate estere). In genere, la *pay-tv* oggi si estrinseca attraverso il pagamento diretto di un menù mensile (di film, sport e altri eventi); ma negli Stati Uniti l'esplosione del fenomeno ha già introdotto sistemi sempre più sofisticati e "veloci" di *pay-per-view* e di *video-on-demand*, basati sul pagamento diretto di singoli spettacoli ed eventi[28].

74

3.2. Anche se non configurano scenari di progresso "fantascientifico", queste innovazioni diffusionali e tecnologiche sono tutt'altro che irrilevanti. Innanzitutto, esse possono ormai essere considerate veramente "globali", in quanto almeno alcuni dei loro elementi caratterizzanti si manifestano in una molteplicità sempre crescente di contesti televisivi, e non soltanto in quelli avanzati. Ad esempio, le nazioni televisivamente più "giovani" (con meno di 25 anni di anzianità del medium) contano già su un buon numero di canali nazionali e/o locali (4,5 ciascuna, in media), e mostrano una penetrazione *homevideo* assai alta, in linea con la media mondiale, nonché talvolta una forte presenza di antenne per la ricezione da satellite: per cui si può dire che esse stanno letteralmente bruciando le lunghe tappe di superamento del tradizionale *broadcasting* mono-canale e mono-temporale, su cui si era faticosamente costruita la televisione della prima generazione[29]. Ciò vale, in misura ancora maggiore, per i paesi dell'Europa dell'Est liberatisi dai regimi comunisti: qui la diffusione degli apparecchi tv era già alta, ma la nuova libertà ha portato quasi ovunque la diffusione di nuovi canali privati e un forte incremento del mercato *homevideo*[30].

In secondo luogo, pur senza sposare le tesi dei "visionari ottimisti", si può ritenere che l'attuale rinnovamento tecnologico-diffusionale abbia una sua forza "interna" piuttosto decisa, tale da superare molti ostacoli e da "imporre" certe conquiste. Qualche elemento di questa rivoluzione è oggi ancora trattenuto o penalizzato, ma preme alle porte con esigenze sempre più potenti e sempre più irrimandabili. È il caso del rinnovamento del parco-televisori, la cui ultima novità (l'avvento del colore) risale ormai a oltre 25 anni fa: per cui, considerando il ciclo medio del tasso di sviluppo/obsolescenza delle nuove tecnologie della comunicazione (così come si è verificato nella loro storia), si può ormai ritenere che "le prospettive per una nuova generazione di apparecchi televisivi dovrebbero essere, almeno in teoria, notevoli"[31]. E ciò, lo sappiamo bene, significa molto in termini di sviluppo della tv ad alta definizione, anche se in questo campo la pronuncia americana in favore della tecnologia tutta digitale, con la conseguente "messa in soffitta" della pionieristica ma obsolescente *high definition* giapponese ed europea, sembra avere spostato in avanti di qualche anno l'epoca di un'adozione più generalizzata: soltanto nella seconda parte del decennio Novanta, infatti, si cominceranno a vedere sul mercato gli effetti di questa scelta avanzata, la quale ha avviato nella pratica quell'"autostrada telematica" che porterà davvero il teleschermo al centro del nuovo universo interattivo delle telecomunicazioni.

NOTE BIBLIOGRAFICHE

[1] R.L. Lowenstein e J.C. Merrill, *Macromedia*, New York e London, Longman, pp. 31-41.

[2] Per una più ampia trattazione si veda: C. Sartori, *La grande sorella – Il mondo cambiato dalla televisione*, Milano, Mondadori, 1989, pp. 27 e seguenti.

[3] Per l'esposizione in dettaglio di questi dati di sviluppo quantitativo, si vedano in particolare: *Screen Digest*, ottobre 1985; *Unesco Statistical Yearbook*, Paris, Unesco Press, 1992.

[4] Dossier "Tuning In the Global Village", *Los Angeles Times*, 20 ottobre 1992.

[5] Ancora da: *Unesco Statistical Yearbook*, op. cit.

[6] "World Tv Households: The Growth Continues", *Screen Digest*, marzo 1993.

[7] ibidem.

[8] Anche questi sono dati tratti da *Unesco Statistical Yearbook*, op. cit.

[9] Una più ampia trattazione è contenuta in: C. Sartori, "La televisione, occhio universale", in G. Giovannini (a cura di), *Dalla selce al silicio*, Torino, Gutenberg 2000, 1986 (quarta ediz.), pp. 211-240.

[10] R. Williams, *Television – Technology and Cultural Form*, New York, Schocken Books, 1975, pp. 14-19; trad. it.: *Televisione – Tecnologia e forma culturale*, Bari, De Donato, 1981.

[11] Riprendo il tema da: C. Sartori, *La grande sorella*, op. cit., pp. 225-227.

[12] Questo tema è diffusamente trattato in: I. de Sola Pool, *Technologies of Freedom*, Cambridge, Massachusetts, The Belknap Press of Harvard University Press, 1983.

[13] Sintetizzo qui alcuni passi tratti da: C. Sartori, relazione di trattamento per il programma televisivo *Supertelevision*, Roma, Rai, 1992.

[14] Un'ampia critica del "determinismo tecnologico" in: C. Sartori, "I nuovi strumenti del comunicare", seconda parte della relazione di trattamento per la serie *Global Communication*, Roma, Rai, 1991.

[15] Questa la critica di fondo contenuta in: G. Gilder, *Life After Television*, New York, W.W. Norton, 1992. Si veda anche l'illuminante recensione di P. Coy, "Liberation Technology", *Business Week*, 12 ottobre 1992.

[16] Riprendo alcuni passi da: E. Grazzini, relazione per la serie televisiva di Carlo Sartori, *Dieci anni che sconvolgono la tv*, Roma, Rai, 1989.

[17] Francesco Pinto (esperto di televisione), conversazione con l'autore, 1993.

[18] "Household Media Spending", *Screen Digest*, giugno 1992.

[19] G. Comstock, "Today's Audiences, Tomorrow's Media", in: S. Oskamp (a cura di), *Television as a Social Issue*, Newbury Park, California, Sage 1988, pp. 324-345.

[20] Il brano è contenuto in: A. O'Connor (a cura di), *Raymond Williams on Television*, London e New York, Routledge, 1989, p. 25.

[21] "Transformation Scene in World Television", *Screen Digest,* febbraio 1992.

[22] "World Video Recorder Market Reaches Maturity", *Screen Digest*, giugno 1992.

[23] La vicenda storica del cavo in America è più estesamente percorsa in: C. Sartori, *La grande sorella*, op. cit., pp. 241 e seguenti.

[24] "Television in Transition: Expansion and Displacement", *Screen Digest*, dicembre 1992.

[25] Edoardo Novelli, voce "Broadcasting/Narrowcasting" per la trasmissione di C. Sartori, *L'alfabeto del futuro*, Roma, Rai, 1993 (in cui si elaborano dati contenuti in vari numeri di *Screen Digest*, 1992-93).

[26] Sono ancora dati rielaborati da *Screen Digest*, settembre 1992.

[27] Elaborazioni dell'autore su dati Unesco e *Screen Digest*, 1992-1993.

[28] "Approaching the Era of Video-on-demand, *Screen Digest*, agosto 1993.

[29] Ancora da *Screen Digest*, febbraio 1992.

[30] "Eastern Europe: The Boundaries Are Redrawn", *Screen Digest*, gennaio 1992.

[31] "21 Years that Shaped the World", *Screen Digest*, ottobre 1992.

IV.

IL PUBBLICO: MAI PIU' UN "BERSAGLIO IMMOBILE"

1. Rischi e speranze nel "villaggio globale" delle *corporations*

1.1. Si deve per primo a Wilbur Schramm[1] la comoda definizione di *bullett theory* (teoria del proiettile) per comprendere in un'unica, significativa espressione il senso, peraltro già abbastanza evidente, del cosiddetto *hypodermic needle model of communication* (modello di comunicazione dell'ago ipodermico): una teoria secondo la quale i mass media hanno un diretto, immediato e potentissimo effetto sulle loro audience semplicemente "iniettando" messaggi nella coscienza delle masse, in quanto "ogni membro del pubblico di massa è personalmente e direttamente 'attaccato' dal messaggio"[2]. Nata storicamente nel periodo tra le due guerre mondiali – cioè nell'epoca di sviluppo su larga scala dei mass media e in particolare della radio, sotto l'incubo del suo uso manipolatorio da parte del nazismo – la teoria ipodermica ha in seguito mostrato tutte le crepe di una visione catastroficamente massimalista degli effetti dei mass media nella società contemporanea, ancorata com'era alle prime, drastiche formulazioni del concetto di "società di massa" (da Simmel a Ortega y Gasset, fino a Blumer[3]) e a un modello comunicativo basato sulla teoria dell'azione elaborata dalla psicologia behaviorista[4] (un semplice "stimolo/risposta") che risultava del tutto indifferente alla diversità tra i vari media e all'influenza di importanti variabili sociopsicologiche del rapporto comunicativo.

Ma il lungo e faticoso superamento della "teoria del proiettile"[5] (già iniziatosi subito dopo la guerra con il celebre modello di Lasswell, sintetizzabile nella più ampia formula "chi dice che cosa a chi attraverso quale canale con quale effetto"[6]) ha incontrato non pochi contrasti proprio nell'epoca postbellica, caratterizzata dal grande sviluppo della televisione: come si è visto, infatti, questo sviluppo (del quale abbiamo tracciato un breve itinerario nel capitolo precedente) ha a lungo alimentato la convinzione che il mezzo tv si sia, per così dire, "accontentato" della sua piuttosto semplice e modesta forma originaria (consistente nella trasmissione a distanza di immagini e suoni da una o più emittenti) per imporre la sua ingombrante e oppressiva presenza a una massa sempre più vasta di destinatari, dispersi nel territorio (nazionale e/o internazionale) e "schiavi" della propria immodificabile passività. Si sarebbe insomma costituito un vero e proprio rapporto di prevaricazione, che trasformava le audience-massa della televisione in puri e semplici "bersagli immobili", in "lavagne vuote" su cui era possibile incidere qualsiasi effetto[7].

Tutto ciò avveniva, tra l'altro, sotto un ombrello protettivo di ben più vigoroso spessore rispetto al semplicismo della teoria ipodermica: e cioè l'apparato filosofico-scientifico della teoria critica della Scuola di Francoforte (da Horkheimer e Adorno a Marcuse)[8]. Questa, entro le acquisizioni fondamentali del materialismo marxiano, sviluppa una delle sue principali originalità proprio attraverso un'analisi della comunicazione di massa come sistema portante di un'"industria culturale", in cui i mass media sono visti come i principali strumenti destinati a creare una società fortemente ideologizzata e totalitariamente egemonizzata, con le varie forme culturali (anche quelle potenzialmente "sovversive") imprigionate e rese inermi. Nella fantasia letteraria, la visione del mondo che ne deriva assomiglia a quella creata da George Orwell nel suo celebre romanzo *1984*: una società in cui la vita privata, le opinioni, i comportamenti sono controllati e influenzati da un unico Grande Fratello.

Si sa che il "pensiero forte" della Scuola di Francoforte si è sviluppato in epoca pre-televisiva, applicandosi a tutti gli strumenti dell'"industria culturale" dell'epoca (dal romanzo al cinema, dal fumetto alla radio), e contribuendo certamente alla comprensione di molti fenomeni della moderna comunicazione di massa. Ma la sua tesi di fondo, cioè la manipolazione diretta e inevitabile da parte dei grandi centri di potere nei confronti delle masse inermi, è apparsa particolarmente adatta a "catturare" il senso della macrofunzione del mezzo televisivo nel periodo del suo primo, tumultuoso sviluppo; e tale intuizione è stata sviluppata a tal punto che alcuni superentusiasti epigoni dei "catastrofisti" francofortesi (si pensi, in America, a Schiller, Smythe ecc.[9]) hanno individuato in questo medium l'ultima e più compiuta espressione della vasta azione di propaganda/inganno attribuita agli "apparati ideologici" dello stato e del superstato multinazionale dominato dalle *corporations* americane.

Ne è scaturita una vera e propria "teoria del complotto", che negli anni si è variamente intessuta con le più o meno documentate ipotesi sull'"imperialismo culturale americano" legato al mercato televisivo internazionale[10]. In realtà, il complotto era certamente possibile (e in parte, anche, è stato realizzato) in epoche proto-televisive, caratterizzate da una scarsità di "canali" comunicativi (intesi nel senso più vasto del termine: reti, strutture di compravendita di programmi ecc.) facilmente appropriabili da parte di pochi, potenti gestori. Ma già all'inizio degli anni Settanta Enzensberger e altri pensatori innovativi avevano sottolineato come una maggiore diffusione della tecnologia della comunicazione potesse rappresentare un rimedio strutturale al pericolo del controllo centralizzato: se da un lato era vero che continuavano a nascere e a diffondersi "strumenti del comunicare" in grado di permeare in maniera sempre più diffusa tutti gli aspetti dell'esistenza individuale e sociale, dall'altro si doveva considerare che difficilmente (come del resto indicavano alcune semplici applicazioni della teoria dei sistemi e della cibernetica) tutti questi nuovi strumenti avrebbero potuto essere gestiti e controllati da un unico centro, o comunque da pochi, potentissimi soggetti[11].

Gli osservatori più ottimisti hanno rilevato che, in effetti, questo è stato il trend che ha caratterizzato, all'interno dei paesi-guida dello sviluppo dei media, i decenni successivi, quando siamo diventati – come sostiene Gianni Vattimo – "pienamente coscienti della molteplicità dei punti di vista"[12]. Secondo questa interpretazione, abbiamo cioè assistito al compiersi del fenomeno per cui i centri che raccolgono, ordinano e distribuiscono le informazioni, potenzialmente su "tutto" (come nell'ipotesi della società a controllo totale), diventano inevitabilmente molteplici e centrifughi, tendono quindi a sfuggire a una gestione unitaria e omogeneizzante. Sembrerebbe, insomma, di assistere a un marcato processo di allontanamento dalla società dell'"organizzazione totale" (Adorno), dalla società "a una dimensione" (Marcuse), dalla società del Grande Fratello animatore della mirabile costruzione romanzesca di Orwell.

1.2. Riscontri pratici più approfonditi, anche all'interno delle sole civiltà avanzate (per non parlare dei paesi a basso sviluppo socioculturale) non sono, peraltro, così univoci e chiari. Se infatti le tesi più catastrofiste dei "teorici del complotto" non hanno trovato conferma nel passaggio dai sistemi proto-comunicativi a quelli attuali, ciò non significa che il problema della gestione delle fonti e dell'accesso ai media sia stato per sempre felicemente superato; anzi, alcune delle tendenze che caratterizzano l'attuale sistema dei media sembrano riproporlo alle soglie del Duemila sotto nuove vesti e con nuovi rischi per il "polo ricevente" della comunicazione.

Innanzitutto, dobbiamo renderci conto che – se la tendenza in atto nello sviluppo della televisione e dei media in genere è quella che abbiamo descritto nel capitolo precedente – viene inesorabilmente a ribaltarsi il luogo comune secondo cui l'industria della comunicazione è un settore marginale nell'economia di un paese (quasi una "palla al piede" inevitabile per raggiungere desiderati effetti di propaganda), ed essa acquista così un'appetibilità e un peso destinati a richiamare su di sé l'attenzione sempre più mirata di potentati vari e numerosi, in grado di "concentrare" le forze (attraverso un'articolazione multimediale e multifunzionale) come mai prima d'ora era stato possibile.

Questa spiccata tendenza alla concentrazione si unisce a un altro trend forte e rischioso, manifestatosi a partire dal decennio scorso: quello che conduce verso la globalizzazione. Si tratta di un fenomeno generale, che riguarda tutte le economie avanzate e che è stato ampiamente studiato e dibattuto[13]. A dire il vero, nel campo specifico della televisione esso ha ancora dei margini di incertezza e di elasticità: infatti, se è indubbio che la tv contribuisce alla miscelazione planetaria dei comportamenti socioeconomico-culturali (attraverso i suoi programmi e la pubblicità), è altrettanto chiara la persistenza di ampie sacche nazionali/locali di consumo televisivo, testimoniata dalla preferenza che, a parità di condizioni estetico-professionali, il pubblico di ogni paese accorda ai prodotti del proprio contesto. Ma basta ricordare alcuni dei dati di *hardware* che abbiamo a suo tempo esposto (crescita del numero mondiale di reti emittenti e di televisori riceventi, di satelliti e sistemi via cavo, di altre nuove tecnologie ecc.) per renderci conto che l'infrastruttura di base di un "villaggio globale" audiovisivo non è più così lontana. E il *software*, a sua volta, mostra per certi aspetti la stessa tendenza: il successo qualitativo di reti informative a vocazione globale, come la Cnn americana, ci dice che la strada è ormai chiaramente segnata; e anche tutto il settore della fiction si sta globalizzando, con prodotti sempre più pensati e realizzati come se i tanti mercati nazionali fossero un unico grande mercato planetario[14].

Un riscontro strutturale di questo incipiente fenomeno di globalizzazione si ha nel momento in cui ci si rende conto di quanti e quali "giganti globali" siano sorti o si siano grandemente rafforzati in questi anni. La "concentrazione del mercato" nelle mani di pochi è dimostrata dal fatto che (dati 1991) le prime dieci *corporations* audiovisive (Time-Warner, Sony, Matsushita, Capital Cities/Abc, Nhk, Ard, Philips/Polygram, Fininvest, Fujisankei e Bertelsmann) hanno fatto registrare complessivamente un fatturato superiore ai 40 miliardi di dollari, cioè quasi un terzo dell'intero mercato. Inoltre, una prova della sempre maggiore "globalizzazione verticale" (diversificazione delle attività di ciascun gruppo), la si deduce guardando la classifica mondiale delle cento principali aziende audiovisive, da cui risulta che ben venticinque fanno parte di *conglomerates* le cui attività sono, per più del 50 per cento, fuori dal campo audiovisivo stesso. Infine, la vera e propria "globalizzazione orizzontale" (spaziale) dei soggetti protagonisti trova riscontro nella rilevazione che, tra le prime venti aziende audiovisive mondiali, tutte sono attive su più mercati nazionali[15].

Questi tratti strutturali del sistema internazionale dei media non sembrano destinati a subire inversioni di tendenza, e anzi le continue fusioni (ad esempio Time e Warner, per citare quella che resta la più clamorosa) e le frequenti operazioni di acquisizione transnazionali (delle quali ancor una volta ricordiamo la più simbolica, quella effettuata dalla giapponese Sony nei confronti dell'americana Columbia Pictures) rivelano come nel prossimo futuro il settore della comunicazione sarà sempre più dominato da giganti globali, con attività su più mercati e in differenti settori. Si cita spesso la previsione del defunto Robert Maxwell, secondo cui dopo il Duemila sette "grandi sorelle" multinazionali dei media peseranno nel mondo come, negli anni Sessanta, le "sette sorelle" del petrolio. Ma anche se dovessero essere dieci, o venti, certamente saranno *conglomerates* multimediali animate da strategie globalizzanti.

1.3. In seguito a questo profondo mutamento strutturale dello scenario internazionale dell'audiovisivo e dei media in genere, sono dunque riemersi alcuni timori relativi al controllo e alla gestione della comunicazione e delle informazioni. Ma davvero si deve temere che l'evoluzione del sistema non faccia altro che realizzare il passaggio al dominio monopolistico di un Grande Fratello o a uno oligopolistico di "sette sorelle", con il mantenimento o addirittura il rafforzamento di tutti i problemi relativi al pluralismo della società e alla libertà del destinatario? Anche se non dobbiamo nasconderci quelli che sono, in effetti, i rischi di questo "villaggio globale" della comunicazione, e senza sposare le tesi più superficialmente ottimistiche, crediamo di poter dire che esso oggi non appare più come il naturale, ineluttabile conduttore della massificazione più devastante, dell'alienazione più odiosa.

Vi sono infatti, nel suo più recente sviluppo, alcuni meccanismi di salvaguardia che non possiamo dimenticare. Innanzitutto, la diversificazione massima dei supporti distributivi dei media non può che riflettersi positivamente nella loro fruizione da parte dell'utente, perché essa trae vantaggio non più dalla dominazione delle masse, ma da una sempre più accurata ricerca dei pubblici, dei *targets*, delle nicchie: in una parola, da una sempre maggiore "*personalizzazione*". Inoltre, è sempre più possibile far leva – come ci ricorda Franco Ferrarotti[16] – sull'"interagire critico" dei media, cioè su una logica "che gioca un mezzo di comunicazione di massa contro l'altro in una sorta di continua verifica e di continuo controllo reciproco competitivo".

Certo è che, per sviluppare questi "circoli virtuosi" ed evitare il sorgere di posizioni eccessivamente dominanti – che finirebbero per risultare non solo pericolose ma anche controproducenti per lo sviluppo del sistema – è necessario che il sistema stesso non sia lasciato preda delle sole forze brute del mercato e, pur nel rispetto delle fondamentali libertà imprenditoriali, metta in funzione tutta una serie di "anticorpi" (ad esempio, efficaci ma non penalizzanti legislazioni anti-trust a garanzia del pluralismo, in ogni paese). In tale scenario aperto ma non selvaggio, il "controllo democratico" del sistema diventerebbe certamente più facile, comunque possibile; e si potenzierebbe certamente la circolazione anche di quei messaggi che le forme dominanti rendono "minoritari" e quindi penalizzati, contribuendo così a un maggiore pluralismo di voci per una sempre più diversificata pluralità potenziale di pubblici, nonché a un sempre più ricco policentrismo creativo, produttivo, distributivo.[17]

Ma, con queste ultime considerazioni, noi comprendiamo che il nostro angolo visuale è ora mutato: non più i pubblici, i *targets*, le nicchie di fronte alla forza di mercato delle grandi *corporations*, bensì tutti questi gruppi sociali, nonché l'individuo, di fronte agli effettivi messaggi che gli vengono inviati all'interno di questo scenario in via di mutazione. È il tema che cercheremo di analizzare nel prossimo paragrafo.

2. L'ascesa dell'audience di massa e il suo (ancora limitato) declino

2.1. La capacità di coinvolgere un'audience tendenzialmente molto vasta è il motore principale dello sviluppo della televisione così come tradizionalmente la conosciamo, organizzata intorno a un'offerta generalista, distribuita via etere a una massa indistinta di telespettatori. Ciò, ovviamente, con qualche differenza tipologica a seconda del modello di televisione prescelto: la ricerca dell'audience acquista subito un valore essenziale e totalizzante all'interno di quei sistemi dove l'emittenza televisiva si sviluppa soltanto sull'imprenditoria privata (come negli Stati Uniti), mentre, laddove nasce un'emittenza statale (come in Europa), il lato quantitativo del consumo è dapprima "coperto" dall'ideologia del servizio pubblico e acquisirà una valenza dichiaratamente strategica solo più tardi, quando si passerà a un sistema "misto", cioè aperto al più o meno ampio contributo privato e commerciale.

Questo "conteggio" numerico dell'audience televisiva ha una sua notevole efficacia strumentale, perché serve ai responsabili delle reti per poter affermare che il loro lavoro consiste proprio e soltanto nel dar voce agli interessi e alle richieste della loro "padrona e signora", l'audience. In una ancor recente polemica giornalistica scoppiata in Italia, si è potuta registrare una precisa applicazione di questo fenomeno di *captatio benevolentiae*. Il responsabile del palinsesto del berlusconiano Canale 5, Giorgio Gori, di fronte alle critiche rivolte a una programmazione privata giudicata di pessima qualità, rispondeva che "la tv è un eccezionale specchio sociologico: andiamo in giro per le case degli italiani e scopriremo che la televisione non è altro che un'immagine fedele del paese"; e ammoniva: "Non potendo prendersela con la maggioranza degli italiani, ci si accanisce contro la tv, facendo finta che questa sia il prodotto di un'insana combriccola di tecnocrati e di saltimbanchi e non, piuttosto, la tv commerciale, l'unico prodotto dell'industria culturale continuamente (ri)modellato dal suffragio universale"[18].

Con il consueto gusto per la citazione dotta, gli rispondeva Beniamino Placido (a quel tempo ancora critico televisivo della *Repubblica*), ricordando una lettera di Flaubert del 1853 sull'esecuzione in piazza della condanna a morte di un giovane che era entrato in una casa, aveva ammazzato moglie e marito, violentato la serva e scolato la cantina. Scrive Flaubert: "Per veder ghigliottinare questo disgraziato stravagante, diecimila persone sono accorse dalla campagna, fin dal giorno prima. Siccome gli alberghi traboccavano, molti hanno passato la notte all'aperto, dormendo nella neve. Erano tanti, che è venuto a mancare il pane nei forni!" Commenta Placido: "Abbiamo capito. E prima di noi ha certamente capito Giorgio Gori. Gustave Flaubert, uno degli uomini più lucidi dell'Ottocento, vuol dirgli che quello del pubblico non può essere l'unico criterio. Vuol dirgli che non deve vantarsi delle folle che riesce a raccogliere intorno alle sue trasmissioni. [...] Bravo non è chi attira la folla, comunque. È facile. Bravo è chi riesce ad attirarla con mezzi che non siano questi"[19]: che non ricorrano cioè all'equivalente di quel "minimo comun denominatore" che nell'Ottocento poteva essere rappresentato da un'esecuzione capitale in piazza.

Il discorso può essere ampliato, fino a farci comprendere che in realtà, nascosta sotto l'apparente "glorificazione" quantitativa dell'audience, si intravede una filosofia di sottovalutazione, talvolta addirittura di disprezzo, dell'audience stessa. Una applicazione di questa filosofia, l'aveva spiegata già parecchi anni fa Paul Klein, allora responsabile della programmazione del network americano Nbc: dal momento che la cattura del più vasto numero di spettatori è direttamente correlato alle tariffe pubblicitarie praticate e quindi agli introiti, le situazioni che le emittenti televisive aborriscono sono, da un lato, il televisore spento e, dall'altro, quando il televisore è acceso, la nascita di controversie che possano infastidire, dividere e quindi allontanare l'audience; di qui nasce quella che Klein battezzò la "teoria della programmazione meno controversa" (*theory of the least objectionable programming*)[20]: "La gente – spiegava – non guarda programmi, guarda la televisione. [...] La gente dice molte cose sulla televisione: 'è una porcheria', 'non va bene'; e dice ciò perché ne vede così tanta che finisce per guardare cose che non corrispondono ai suoi gusti". In altri termini, secondo questa concezione, il telespettatore inizia a vedere che cosa offrono i vari canali e, anche se non trova nulla di interessante, continua così in questa ricerca sempre più velocemente, fino a sintonizzarsi sul programma meno controverso, meno disturbante, meno sgradito.

La "brutalità" di questa posizione è affiancata da un altro assioma (formalmente contrapposto a essa, ma in realtà convergente nella filosofia di "disprezzo strumentale" dell'audience) che ha dominato e domina le politiche di offerta dei network commerciali (e ormai di tutte le reti), sintetizzato nella formula *what you see is what you want*: ciò che vedi è ciò che in realtà vuoi, ciò che comunque ti piace. Tale formula viene utilizzata per dedurre, dagli alti indici di ascolto fatti registrare dai programmi e dalle elevate medie orarie di visione giornaliera, una automatica quanto scorretta presunzione di gradimento e soddisfazione da parte dei telespettatori. Questa concezione, dunque, nega che il pubblico-massa possa guardare con riserva, possa vedere cioè un programma anche se in realtà ne avrebbe preferito di gran lunga un altro; gli nega, in breve, di possedere gusti, competenze, interessi che non trovino riscontro all'interno del panorama televisivo esistente; ma, come nota Renee Hobbs, non tiene conto del fatto che lo sviluppo di una coscienza critica da parte del pubblico è penalizzato non tanto dai contenuti dei programmi, quanto dal formato tradizionale che domina attualmente la televisione generalista: un formato che, mentre fornisce una grande, superficiale varietà di trasmissioni, sviluppa ben poca, reale diversificazione di generi e di modelli espressivi[21]).

Considerazioni simili a queste di Hobbs giungono da approfondite analisi di dati di audience compiute in diversi contesti televisivi internazionali. Ad esempio, un interessante studio italiano di Francesco Siliato (che fa riferimento non più alla totalità degli ascoltatori, ma solo a quella fascia di *tv-addicted* che vede la televisione per più di quattro ore al giorno e che viene perciò definita "popolo della televisione", o Pdt) rileva che una delle caratteristiche precipue di questo Pdt è proprio l'indifferenza alla qualità dei programmi trasmessi rispetto alla scelta di visione e alla sua durata: gli appartenenti al Pdt guardano la televisione comunque spesso per un periodo di tempo prestabilito, e mettersi davanti all'apparecchio è da loro considerato come una non fungibile "occupazione di un dato tempo"[22]. Ma, secondo Siliato, questa passività di visione "ad ogni costo" è da interpretare, appunto, "come mancanza di alternative nell'impiego del tempo, e non come mancanza di gusto critico". Le sue vere radici risiedono non in una qualche "colpa" dell'audience, bensì nelle modalità di emittenza: infatti, data la rigidità dei sistemi televisivi e delle loro politiche di offerta, che non hanno quasi mai consentito soluzioni e ipotesi realmente alternative (e che comunque non se lo permettono più nel clima di accesa competizione pubblicitaria ormai in atto ovunque), il destinatario "forte" ha dovuto imparare a muoversi e a scegliere all'interno di quanto gli viene proposto, soddisfacendo con i programmi disponibili la sua voglia di televisione.

La conclusione derivante da questo stato di cose è che le reti emittenti, mentre proclamano e sbandierano la sovranità dell'audience, possono continuare tranquillamente a perseguire quello che nei sistemi commerciali (e anche nei sistemi misti più competitivi) rimane il loro vero obiettivo fondamentale: la soddisfazione degli utenti pubblicitari. Erano direttamente questi a produrre i programmi all'inizio dell'era televisiva in America (segno proprio di una dipendenza dei contenuti non dai gusti dei consumatori, ma dalle esigenze dei committenti). Oggi, sono di nuovo loro a detenere saldamente il "bastone di comando", in una televisione che – come ci ricorda ancora Siliato – "sta sempre più diventando 'degli utenti' e sempre meno 'degli editori'"[23]. Ciò grazie alla nascita o alla rinascita di modalità produttive e distributive strutturalmente ben più attente agli obiettivi pubblicitari che alla soddisfazione dell'audience: basta pensare alle forme sempre più invadenti di sponsorizzazione e di telepromozione, che si sono diffuse vertiginosamente in molti sistemi televisivi (Italia in testa); oppure si può fare riferimento a certi meccanismi di finanziamento come il *bartering* (cioè il baratto tra la concessione del tempo di trasmissione dell'emittente e il programma con pubblicità già preinserita) o la produzione dell'*advertiser generated program* (cioè il programma ideato dall'agenzia pubblicitaria a scopi promozionali), ritornati a diffondersi negli anni Novanta per l'ormai cronica "fame" economica delle emittenti: tutti ugualmente irrispettosi – fatte salve limitatissime eccezioni – di un'audience matura e consapevole.

2.2. Quali effetti di lungo periodo ha determinato, nei confronti del pubblico, la situazione che abbiamo appena descritto? Tutta una cospicua serie di studi ha cercato di rispondere a questa fondamentale domanda, senza giungere peraltro a risultati sicuri e omogenei (e talvolta anche semplicemente confrontabili).

Una delle posizioni più "pessimiste" al riguardo è quella di George Gerbner che, dal suo punto di osservazione della Annenberg School of Communications della University of Pennsylvania, ha espresso l'ipotesi dell'esistenza e della persistenza di un unico pubblico-massa, caratterizzato da un elevato grado di uniformità e omogeneità. Nel corso di numerose osservazioni effettuate su vasti campioni di telespettatori, Gerbner ha riscontrato "pericolose convergenze di prospettive tra persone che, in teoria, non dovrebbero condividere un bel nulla"; e da queste convergenze egli deriva la convinzione che gli spettatori assidui di televisione, a qualsiasi gruppo sociale essi appartengano, sono portati a condividere una prospettiva relativamente omogenea[24]. Questa tesi, detta del *mainstreaming* (termine che denota, per esempio in un fiume, il convogliarsi dei flussi nella corrente principale), sostiene quindi che l'esistenza di un "unico" soggetto destinatario, uniforme e indifferenziabile, è connaturata al mezzo, il quale di per sé starebbe quindi svolgendo un'azione livellatrice sulle differenze che esistono e che contraddistinguono tutti gli appartenenti a una società moderna.

Si può andare anche oltre, e spostare l'uniformità massificata del pubblico televisivo verso confini sempre più imperscrutabili di manipolazione, decifrando – come fanno Altheide e Snow[25] – una sorta di "naturalezza innaturale" indotta nei suoi atteggiamenti e comportamenti: "È un errore – dicono i due studiosi – affermare che siamo media-dipendenti, o che siamo vittime di un complotto; piuttosto, partecipiamo a produrre una cultura mediale che è dominata dalle formule dell'*entertainment*", dello svago. Quale esempio particolarmente significativo, i due autori citano da un ampio servizio di *Newsweek* la notizia relativa a un video vincitore in una delle gare televisive settimanali della trasmissione *America's Funniest Home Videos,* in cui si vede una donna cui si sono impigliati i capelli nella lavapiatti mentre tentava di recuperare una forchetta;

suo marito Bill ha obbedito al suo istinto più "naturale" (naturale, appunto, secondo la cultura televisiva che lo ha nutrito): è corso a prendere la sua telecamera, l'ha piazzata sul treppiedi e ha ripreso la moglie intrappolata per cinque minuti buoni, stuzzicandola in continuazione per ottenere una maggiore ilarità[26].

È questo, forse, un sintomo rivelatore di quel fenomeno che una studiosa italiana (con riferimento specifico alla nostra realtà, ma con un occhio alla televisione in genere) ha definito "mitridatismo mediatico"[27]? "Negli ultimi dieci anni – sostiene – c'è stato in tv un crescendo impressionante di meccanismi di autorappresentazione, autosanzione e autovalorizzazione. [...] La ridondanza e la ritualità esacerbate, la tendenza a rendere 'evento' ogni cosa, anche la più banale, e soprattutto l'enfasi nella presentazione-sanzione delle *performances*, hanno raggiunto dei livelli che ci risulterebbero insopportabili", se non fossimo stati appunto sottoposti, negli anni, a una sorta di "cura omeopatica" consistente nell'ingestione lenta ma costante di tutti quei "veleni". Questa continua "iperbole autonullificante" ci avrebbe così resi progressivamente insensibili alla sua assurdità, introducendoci in modo stabile e con avvolgente sicurezza dentro i meccanismi della sua "cultura".

Chi ritiene che davvero i "guasti" siano giunti a tal punto, è convinto che un processo di demassificazione sia estremamente lento e difficile, per non dire impossibile. Era il 1970 – si fa notare – quando Alvin Toffler prevedeva che le nuove tecnologie avrebbero prodotto una generale "demassificazione"; e pochi anni dopo Norman Lear profetizzava che quelle stesse tecnologie sarebbero state un veicolo di sperimentazione per giungere a un "off-off Broadway dell'audiovisivo" (*video off-off Broadway*), cioè a un territorio audiovisivo di libertà espressiva e di valorizzazione dei talenti come l'off-off Broadway è per il teatro. Invece, come rilevano ancora Altheide e Snow, "ben poco è cambiato" dall'epoca di quelle predizioni; certo, i due studiosi non possono negare che una qualche forma di specializzazione si sia introdotta nell'industria televisiva, ma secondo loro tutto sommato "la gente guarda ancora quello che guardava trent'anni fa"[28], nel modo in cui lo faceva trent'anni fa.

C'è però chi percorre vie mediane, evitando di cedere al pessimismo esasperato indotto da una massificazione che sembra indistruttibile, ma senza farsi trascinare da un ottimismo dimentico delle vischiosità ineliminabili della condizione attuale. Sembra di poter cogliere una posizione di questo genere in un ampio e complesso studio di W. Russell Neuman, che per cinque anni ha svolto la sua ricerca con la cooperazione di alcuni alti dirigenti dei tre network americani, di Time Warner, del *New York Times* e del *Washington Post*[29]. L'indicazione finale è che il movimento verso la frammentazione e la specializzazione (verso la comunicazione *on demand*, su richiesta) sarà moderato, ma non inesistente. Pur rallentato dagli alti costi produttivi e promozionali necessariamente legati ai media elettronici, esso comincerà con il coprire un'area di interessi e bisogni che i media tradizionali non hanno mai potuto o voluto sviluppare: un'area che il giapponese Tetsuro Tomita ha definito appunto "media gap"[30] e che include numerosi, importanti processi di diversificazione comunicativa (come ad esempio l'informazione filtrata secondo le esigenze del ricevente, i contatti all'interno delle comunità, le conversazioni tra computer ecc.), ormai alla portata di fasce sempre maggiori di popolazione. Da questa area di "consumo vistoso", la segmentazione potrà successivamente spingersi in altri campi di approccio ai media, oggi ancora saldamente legati alla tradizione della cultura di massa: sarà quello il punto di incontro in cui la mancanza dei media e la loro sovrabbondanza cacofonica potranno armonizzarsi in una nuova "ecologia comunicativa", caratterizzata dall'equilibrio e dalla misura.

3. Le "armi" del telespettatore e le sue strategie di coinvolgimento

3.1. Le posizioni mediane non sono destinate – come è ovvio – ad accontentare tutti. In aperto e frontale contrasto con le ipotesi più pessimiste, troviamo alcune intuizioni e interpretazioni che, prescindendo dal riscontro quantitativo e oggettivo, evitano tutti gli ostacoli che abbiamo visto e dipingono perciò, in totale libertà soggettiva, scenari molto più allettanti. L'attenzione più viva si è concentrata su quella che sembra essere l'"arma" principale del telespettatore contemporaneo, il telecomando, e sull'uso che egli ne fa per saltare da un programma all'altro, da un canale all'altro (*grazing* o, ormai più comunemente, *zapping*).

Bernard-Henri Lévy[31], ad esempio, fa addirittura una glorificazione dello "zapping", celebrandolo come "categoria di pensiero, forma a priori del mondo e dell'intelletto". "È merito dello 'zapping' – afferma – se lo spettatore non è più l'essere ipnotizzato e passivo di un tempo. Quando in tv c'è un film di Buñuel, lo 'zapping' è seccante. Ma se c'è uno spettacolo di varietà, o una qualsiasi scemenza audiovisiva, o una trasmissione di propaganda, non è forse meglio avvalersene?" E ancora: "Anche il potere ipnotico di Big Brother verrebbe neutralizzato spontaneamente grazie a un ascolto, se non convulso, sicuramente distratto; non proprio nervoso, ma certo fluttuante. [...] Perché è in questo modo che la verità viene a galla. [...] Dunque, lo 'zapping' è anche scuola di verità".

Con tali premesse, è chiaro che lo "zapping" si introduce potentemente nel movimento di liberazione dell'utente. Il passaggio da una rete all'altra, continuo e incessante, non è solamente da interpretare come una semplice fuga dettata dall'istinto di autoconservazione: lo "zapping" si rivela infatti anche un atto di costruzione attiva della propria fruizione, di elaborazione del proprio testo da parte del coautore. "Il protagonista dello 'zapping' – dice ancora Levy – è l'autore di un montaggio personalizzato che svolge questa operazione nella sua mente. È una persona dotata di una immaginazione smisurata che ricostruisce quanto gli viene sottratto dalla banalità audiovisiva. Lo 'zapping' è una scienza, è un'arte. Una filosofia di vita. Fra tutte, probabilmente quella che meglio si adatta all'individualismo democratico".

Lo "zapping" è al centro anche dell'ultimo Enzensberger[32] che, venti anni dopo la prima provocazione del saggio "Elementi per una teoria dei media", ha voluto di nuovo sconcertare e allarmare i suoi colleghi europei con una teoria della televisione come "medium zero", come "vuoto perfetto". Per il pensatore tedesco, il telecomando non sarebbe il "sasso" di Davide che frantuma la potenza monolitica di Golia, perché in realtà il suo bersaglio (il programma) non esiste. Le riflessioni dell'industria televisiva, infatti, "ruotano da un lato intorno a frequenze, canali, norme, cavi, antenne paraboliche; dall'altro lato intorno a investimenti, partecipazioni, tecniche di distribuzione, costi, quote, pubblicità", mentre nessuno "ha mai speso anche una sola idea di un qualche contenuto: [...] vengono spesi miliardi per lanciare satelliti nello spazio e raccordare con una rete di cavi l'intera Europa centrale; ha luogo un 'riarmo' senza precedenti dei mezzi di comunicazione, senza che nessuno ponga la domanda su cosa in realtà deve essere comunicato". In questa situazione, i "creatori di programmi [...] tanto impotenti quanto ostinati, offrono un colpo d'occhio malinconico: il centro di pianificazione è il loro avamposto perduto, dal quale girano attorno alla televisione come provincia pedagogica, come istituzione morale".

Ma la soluzione dell'enigma è, secondo Enzensberger, ormai a portata di mano. "L'industria sa di essere d'accordo con la figura sociale decisiva nel suo gioco: con il telespettatore. Costui, in nessun caso privo di volontà, dirige energicamente una situazione che può essere definita come assenza di programma. Per avvicinarsi a questo scopo, egli impiega virtuosamente tutti i tasti disponibili del suo telecomando". Lo sa bene, il telespettatore, con che cosa ha a che fare: "È immune da qualsiasi illusione del programma. [...] Ben lungi dal lasciarsi manipolare (educare, informare, formare, illuminare, ammonire), egli manipola il medium, per imporre i propri desideri. Chi non si sottomette a essi viene punito attraverso i tasti con la revoca dell'audience; chi li soddisfa viene ricompensato con quote eccellenti. Lo spettatore si è completamente reso conto di avere a che fare non con un mezzo di comunicazione, ma con un mezzo per il rifiuto della comunicazione, e in questa convinzione non si lascia scuotere. Proprio ciò che gli viene rinfacciato costituisce ai suoi occhi lo charme del medium-zero". Il quale dispiega in questa sua caratteristica non la sua debolezza, ma la sua forza: perché viene imposto "come un metodo ben definito per un lavaggio del cervello che produca un godimento; serve all'igiene individuale, all'automedicazione". Il medium-zero è, per Enzensberger, "l'unica forma universale e di massa di psicoterapia [...] rappresenta l'avvicinamento tecnico al nirvana", per cui il televisore può davvero essere visto come la "macchina buddista".

3.2. Al di là del sempre utile lavoro di provocazione (che in ogni caso ci costringe a riflettere), tutte queste intuizioni e interpretazioni, per quanto suggestive, non ci aiutano granché a superare l'*impasse* entro cui ci siamo venuti a trovare, con un pubblico-massa che non riesce a uscire dalla gabbia che i media hanno costruito attorno a lui in tutti questi anni. Proviamo allora ad affrontare il tema su un terreno più ancorato alla ricerca fattuale.

A ben guardare, il "motore" principale del catastrofismo, la radice profonda del pessimismo relativo alla massificazione del pubblico, risiede in una concezione del "guardare la televisione" come processo di routine, non problematico, passivo: se così fosse, sarebbe davvero inutile sperare che lo sviluppo tecnologico del mezzo televisivo possa da solo provocare un'inversione di tendenza. Tutta la più recente ricerca sociopsicologica, però, ci dice che guardare la tv instaura una serie di attività complesse, costruttive, governate da regole[33], in cui interferiscono notevolmente diversi livelli di conoscenze, capacità, motivazioni delle diverse fasce di pubblico. Ben lungi dall'essere un "bersaglio immobile", una "lavagna vuota", le audience costituiscono allora insiemi attivi e articolati, contraddistinti da un'estrema varietà di bisogni e di aspettative, di atteggiamenti e di comportamenti, di storie e di culture; ed è rispetto a queste componenti che vengono confrontati costantemente i programmi visti.

Perfino il più travolgente dei successi americani, *Dallas*, non ha provocato quei fenomeni di ricezione omogeneizzata che molti temevano: come hanno dimostrato Katz e Liebes in uno studio empirico intercontinentale (svolto fra Israele e Los Angeles), le diverse audience nel mondo hanno accettato o respinto i valori contenuti in *Dallas* – il successo degli affari contro la vita familiare, il denaro contro la felicità, la civiltà della legge contro la frontiera fuori-legge – a seconda dei propri personali sistemi di valori. Per cui i due studiosi possono tranquillamente concludere che "i programmi televisivi non si impongono inequivocabilmente su telespettatori passivi: la 'lettura' di un programma è un processo di negoziazione tra la storia raccontata sullo schermo e la cultura propria dei telespettatori"[34].

Siamo dunque in presenza di un ricevente che – poco o tanto – è in qualche modo "attivo". Costui – ci dice Marino Livolsi – "senza essere un colto critico o un grande intellettuale, decodifica secondo le sue abilità-capacità, le sue pregresse esperienze e preferenze, mettendoci non poco 'di suo', tanto da poter essere considerato una sorta di coautore, perché di quello che vede-sente-legge trattiene nel ricordo, e decodifica con attenzione, solo alcuni elementi del tutto, che ricompone [...] secondo un ordine e un senso personali o di piccolo gruppo"[35]. Con un'ipotesi suggestiva, si può addirittura parlare – con Francesco Casetti – di una vera e propria, progressiva "professionalizzazione" dell'ascolto, nel senso che, alla capacità di base di saper distinguere un genere da un altro, si accompagna sempre più nell'utente l'abilità pragmatica di operare distinzioni efficaci e rapide (secondo i propri gusti e desideri), pur all'interno di un flusso audiovisivo che apparentemente si presenta ancora come oppressivo, continuo e ininterrotto[36].

Gli studi più recenti, inoltre, abbattono un altro stereotipo tradizionale sul pubblico: quello che vede il consumo di ciascun mezzo di comunicazione (e in primo luogo della televisione) come un'esperienza separata e diversa, concorrenziale al consumo di altri media. Una vasta ricerca sul campo condotta in Italia dall'Università di Trento dimostra, nei fatti, esattamente il contrario: e cioè che si sta costruendo un vero e proprio "consumo multimediale", consistente nel contatto cumulato, più o meno esteso, con molteplici fonti emittenti di varia natura (giornali, riviste, radio, televisione, cinema ecc.), all'interno del quale il destinatario è sempre più in grado di muoversi con autonomia e indipendenza. "Paradossalmente, ma non troppo – nota Livolsi – si potrebbe dire che ogni attore sociale ha una dieta di consumo multimediale (per 'quantità' e 'tipi' di generi-mezzi considerati) almeno un poco diversa da quella di qualsiasi altro soggetto anche se molto simile e che, quindi, è impossibile trovarne anche solo due (e sempre con maggiore difficoltà più si aumenta il numero) con uguale comportamento"[37].

Non saranno dunque semplicemente le nuove tecnologie, con la loro forza strutturale, a determinare il passaggio dalla società di massa alla società della segmentazione (la storia, lo abbiamo visto, ci insegna che ciò non è sufficiente). Ma il passaggio potrà avvenire grazie alla crescita di un pubblico del quale troppo spesso, e con troppa superficialità, si trascurano le diversificazioni sociopsicologiche, le capacità tecnico-professionali, le complessità di consumo. Certo, non possiamo nasconderci che tutto ciò si verificherà attraverso un'evoluzione "a salti", che in certi momenti creerà o accentuerà (come del resto è sempre avvenuto) odiose differenziazioni tra sacche di *information rich* e di *information poor*: per capirlo, basta pensare al rilevante costo attuale per chi, ad esempio, volesse ricevere tutti i canali a pagamento oggi disponibili via satellite in Europa. Ma, nonostante lo scetticismo di molti, gli scandagli più sensibili usati per esplorare la realtà e le potenzialità del tessuto sociale (nonché i risultati, pur non uniformi, degli esperimenti delle "città cablate" giapponesi e ora dei "sistemi interattivi" americani) ci indicano che non è poi così assurdo pensare, nel prossimo futuro, a un utente che sappia interagire tra televisore, videoregistratore, computer e tutti quegli strumenti e funzioni che il progresso tecnologico sta introducendo nelle nostre case. Un utente ben lontano da quel telespettatore passivamente seduto di fronte allo schermo televisivo, che la vicenda storica del primo sviluppo del mezzo sembrava averci consegnato per sempre.

NOTE BIBLIOGRAFICHE

[1] W. Schramm, "The Nature of Communication between Humans", in W. Schramm e D. Roberts (a cura di), *The Process and Effects of Mass Communication* (edizione riveduta), Chicago, University of Illinois Press, 1972, pp. 3-53.

[2] C.R. Wright, *Mass Communications – A Sociological Approach*, New York, Random House (seconda edizione), 1975, p. 79.

[3] Tra i teorici della società di massa citiamo: J. Ortega y Gasset, *La rebellion de las masas*, Madrid, 1930; trad. it.: *La ribellione delle masse*, Bologna, Il Mulino, 1962; G. Simmel, *Grundfragen der Soziologie (Individuum und Gesellschaft)*, Berlino, de Gruyter, 1917; trad. it.: *Forme e giochi di società*, Milano, Feltrinelli, 1983; H. Blumer, "Collective Behavior", in A.M. Lee (a cura di), *New Outline of the Principles of Sociology*, New York, Barnes and Noble, 1946, pp. 167-222.

[4] Si veda: F.H. Lund, *Psychology – An Empirical Study of Behavior*, New York, Ronald Press, 1933.

[5] Un'ampia e documentata trattazione in M. Wolf, *Teorie delle comunicazioni di massa*, Milano, Bompiani, 1985, pp. 15-136.

[6] H.D. Lasswell, "The Structure and Function of Communication in Society", in L. Bryson (a cura di), *The Communication of Ideas*, New York, Harper, 1948, p. 84.

[7] Maggiori dettagli in C. Sartori, *L'occhio universale – Modelli di sviluppo, programmi e pubblico delle televisioni del mondo*, Milano, Rizzoli, 1981, pp. 13-19.

[8] Per un'esaustiva analisi degli autori della Scuola di Francoforte, si può ancora fare riferimento a: G.E. Rusconi, *La teoria critica della società*, Bologna, Il Mulino, 1968.

[9] Possiamo qui citare due titoli esemplificativi: H.I. Schiller, *Communication and Cultural Domination*, White Plains, New York, International Arts and Sciences Press, 1978; D. Smythe, *Dependency Road: Communications, Capitalism, Consciousness, and Canada*, Norwood, New Jersey, Ablex Publishing Corporation, 1981.

[10] Si fa qui riferimento, in via principale, a: K. Nordenstreng e T. Varis, *Television Traffic – A One-Way Street?*, Paris, Unesco, Reports and Papers on Mass Communication, n. 70, 1974; T. Gubak, "Film as International Business", *Journal of Communication*, vol. 24, n. 1, 1974, pp. 90-101.

[11] H.M. Enzensberger, "Constituents of a Theory of the Media", *New Left Review*, n. 64, dicembre 1970; prima trad. it.: "Fondamenti di una teoria socialista dei mezzi di comunicazione di massa", in AA.VV., *Contro l'industria culturale*, Bologna, Guaraldi, 1971, pp. 57-102.

[12] G. Vattimo, conversazione con l'autore, Torino, 1988.

[13] La trattazione più ampia e autorevole è quella ben nota di M.E. Porter (a cura di), *Competition in Global Industries*, Boston Massachusetts, Harvard Business School Press, 1986; trad. it.: *Competizione globale*, Torino, Petrini, 1987.

[14] Questi temi sono ripresi da: C. Sartori, "Global Communication", saggio non pubblicato, Roma, 1992.

[15] Si veda "The World's Top Av Companies: The Idate 100", *Screen Digest*, agosto 1993.

[16] F. Ferrarotti, *Mass media e società di massa*, Bari, Laterza, 1992, p. 59.

[17] Lo sviluppo di tali temi in: C. Sartori, "Verso una tv di servizio", *Famiglia Oggi*, n. 54, dicembre 1991.

[18] G. Gori, "La tv volgare? È lo specchio degli italiani", *La Repubblica*, 2 settembre 1992; e "Volgare non è la tv ma chi diprezza le scelte della gente", *Corriere della Sera*, 15 settembre 1992.

[19] B. Placido, "Quant'era bella la foresta delle tv", *La Repubblica*, 10 settembre 1992

[20] P. Klein, "Programming", in AA.VV., *Inside the Tv Business*, New York, Sterling Publishing, 1979, pp. 15-17.

[21] R. Hobbs, "Television and the Shaping of Cognitive Skills", in A.M. Olson, C. Parr e D. Parr (a cura di), *Video Icons and Values*, New York, State University of New York Press, 1991, pp. 33-44.

[22] F. Siliato, "Il popolo della televisione è indifferente alla qualità", *L'Osservatorio dello Spettacolo*, n. 0, ottobre 1991.

[23] F. Siliato, "La produzione di audience per mezzo di programmi", in R. Gambaro e F. Silva, *Economia della televisione*, Bologna, Il Mulino, 1992, pp. 225-229.

[24] G. Gerbner, L. Gross, M. Morgan e N. Signorielli, "The Mainstreaming of America: Violence Profile n. 11", *Journal of Communication*, n. 3, 1980.

[25] D.L. Altheide e R.P. Snow, *Media Worlds in the Post-Journalism Era*, Hawthorne, New York, Aldine De Gruyter, 1991, p. 50.

[26] L'episodio è riportato da *Newsweek*, 5 marzo 1990.

[27] M.P. Pozzato, *Dal "gentile pubblico" all'Auditel – Quarant'anni di rappresentazione televisiva dello spettatore*, Torino, Nuova Eri, 1992, p. 118.

[28] D.L. Altheide e R.P. Snow, op.cit., p. 49.

[29] W. Russell Neuman, *The Future of the Mass Audience*, Cambridge, Massachusetts, Cambridge University Press, 1991.

[30] T. Tomita, "The New Electronic Media and Their Place in the Information Market of the Future", in Anthony Smith (a cura di), *Newspapers and Democracy: International Essays on a Changing Medium*, Cambridge, Massachusetts, Mit Press, 1980, pp. 49-62.

[31] Si veda: B.H. Levy, relazione al Convegno internazionale organizzato da Umbriafiction 1993, Perugia, aprile 1993.

[32] I concetti qui riportati sono espressi in: H.M. Enzensberger, "Il vuoto perfetto", in *Per non morire di televisione*, Milano, Lupetti & Co., 1990, pp. 13-24.

[33] Un'ampia trattazione in: S.M. Livingstone, *Making Sense of Television: The Psychology of Audience Interpretation*, Oxford e New York, Pergamon Press, 1990, pp. 3 e segg.

[34] E. Katz e T. Liebes, "Decoding Dallas: Notes from a Cross-Cultural Study", in H. Newcomb (a cura di), *Television: The Critical View*, New York, Oxford University Press, 1987 (quarta edizione).

[35] M. Livolsi, "Ordine e disordine: il consumo multimediale", in: A. Abruzzese e G. Montagano (a cura di), *Caro Enzensberger, il destino della televisione*, Milano, Lupetti & Co., 1992, p. 136.

[36] Si veda: F. Casetti, *Tra te e me – Strategie di coinvolgimento dell'audience televisiva*, Torino, Nuova Eri, 1988.

[37] M. Livolsi, introduzione a: M. Livolsi (a cura di), *Il pubblico dei media*, Firenze, La Nuova Italia, 1992, p. IX.

PARTE SECONDA

TELEVISIONE E QUALITÀ:
LA COSTRUZIONE DEL RAPPORTO

La combinazione televisione-qualità è dunque possibile, se non altro nelle condizioni e con i limiti che abbiamo considerato nella prima parte di questo volume. Il medium è qualcosa di più della "landa desolata" di certe ipotesi catastrofiste; il messaggio può ambire a non essere semplicemente ricondotto alla metafora del "chewing gum per gli occhi"; il canale (la tecnologia del mezzo, le sue caratteristiche distributive) sta raggiungendo una "maturità" notevole, all'interno del nuovo universo telematico che è in via di costruzione; il pubblico infine non è il "bersaglio immobile" di potenti apparati (anche se il rischio permane), e la sua scansione attraverso gli interessi e i bisogni delle società avanzate lo trasforma a poco a poco in un "corpo mobile" di crescente consapevolezza nel consumo di audiovisivo, alla ricerca di quel "rapporto di fiducia" con gli apparati emittenti che è certamente alla base di un qualsiasi concetto di qualità televisiva.

Ora si tratta di delineare elementi più precisi di questo potenziale rapporto tra televisione e qualità, alla luce di quanto abbiamo già anticipato nell'Introduzione: e cioè la necessità di un ampliamento dello scenario, per la verità assai asfittico, entro cui il concetto di qualità è stato situato nella ricerca massmediologica. Solo in tal modo potremo sperare di contribuire a fare di questo tema (che, come si è detto, è da ritenersi di sicura e fondamentale importanza nella fase avanzata della civiltà televisiva) un vero fattore di sviluppo dei sistemi e delle politiche di offerta, e non semplicemente un "fiore all'occhiello" da esibire in qualche occasione (la qualità "da premio"...), oppure una "terra promessa" da invocare con rimpianto (la qualità perduta...) o con impotente desiderio (la qualità impossibile...).

La costruzione degli elementi del rapporto televisione-qualità è proprio l'argomento di questa seconda parte del volume. In tale percorso, seguiremo uno schema per così dire "induttivo", muovendoci (nel I capitolo) dall'analisi della qualità della programmazione, così come risulta dal modo più tradizionale di rilevarla: e cioè attraverso i giudizi espliciti richiesti ai telespettatori in appositi sondaggi. Ciò ci permetterà non solo di passare in rassegna tutta una lunga serie di tentativi di misurazione realizzati dai principali enti televisivi (dall'"indice di gradimento" generico a più complessi metodi e riscontri), ma anche di esaminare la pertinenza e l'opportunità dei giudizi dei telespettatori nell'ambito dei problemi di valutazione della qualità televisiva.

Nel II capitolo, passeremo "dall'altra parte della barricata", cioè all'interno del mondo professionale che "fa" la televisione. Cercheremo – e scopriremo la mancanza di – "regole auree" per la qualità che siano universalmente condivise e accettate, pur all'interno di un quadro operativo che, se non altro, si pone il problema della qualità (accanto a più pressanti esigenze quantitative). Ci dedicheremo quindi in particolare alle due "scuole" che più hanno elaborato sistematiche concezioni in materia, e cioè quella americana e quella britannica.

Nel III capitolo, infine, rielaborando studi, ricerche e sforzi professionali profusi in questi anni nei principali contesti televisivi internazionali, affronteremo la strutturazione vera e propria di un possibile schema di rapporto televisione-qualità, avendo come punto di riferimento non più soltanto i programmi, ma le politiche complessive di offerta, le emittenti, i sistemi televisivi: in altri termini, gli elementi costituivi di una vera e propria "qualità globale".

I.

LA QUALITA' DELLA PROGRAMMAZIONE
E I GIUDIZI DEI TELESPETTATORI

1. Usi e abusi dell'"indice di gradimento" generico

1.1. Destinatario finale della produzione e della programmazione televisive (spesso, come si è visto, destinatario più apparente che reale in situazioni di forte dominio pubblicitario), il telespettatore è comunque l'obiettivo più esplicito delle strategie di offerta degli enti televisivi. È perciò ovvio che egli sia da sempre l'interlocutore privilegiato della ricerca applicata sulla televisione e sui suoi programmi.

In questo campo, la più semplice e più elementare modalità di sondaggio è quella relativa all'analisi dei comportamenti di consumo sintetizzati negli *indici di ascolto*, assoluti nell'ambito della popolazione televisiva (*ratings*) o relativi a chi in un certo momento sta effettivamente guardando la tv (*shares*). In realtà, questi indici puramente quantitativi sono sovente impiegati dal mondo professionale – oltreché per misurare l'ascolto dei programmi, e quindi commisurare su di essi le tariffe pubblicitarie – anche per dedurne una implicita indicazione di gradimento e di qualità. Ma si tratta di una indicazione del tutto "indiretta", e molto spesso forzata e fuorviante, anche se per comodità (o peggio) essa viene contrabbandata quale criterio pertinente per giudicare i programmi e le scelte di palinsesto delle reti televisive (secondo la filosofia, tanto cara a certo mondo professionale, che vede nella massa, nel numero, il giudice supremo).

Al di là del responso che esso fornisce attraverso questi suoi puri e semplici comportamenti di consumo, il pubblico viene comunque utilizzato anche per ottenere *indicazioni "esplicite" riguardo ad*

103

aspetti qualitativi dell'ascolto televisivo. Questo settore della ricerca include diversi obiettivi di analisi: dallo studio dell'audience in base ai diversi fattori psicografici, stili di vita, esperienze di consumo televisivo, alla valutazione dei programmi e della programmazione in termini di gradimento, soddisfazione, impatto ecc.[1].

La misurazione del *gradimento per i programmi visti* è stata, tradizionalmente, la più praticata di queste modalità di ricerca: nelle ipotesi più semplici, si tratta di un apprezzamento generico sulla base di contrapposizioni elementari (bello/brutto, mediocre/eccellente, interessante/noioso e simili), mentre in altri casi si richiede un più esteso e complesso giudizio di qualità (ad esempio sui contenuti, sugli aspetti tecnici, sugli effetti suscitati dalla visione). Inoltre, spostando l'indagine dal singolo programma (utile soprattutto in una politica di programmazione a breve) a esperienze di consumo più ampie e articolate, il telespettatore viene anche utilizzato per ottenere *giudizi di gradimento relativi alle varie reti e al sistema televisivo* in cui si situa la sua fruizione televisiva.

1.2. La storia di un generico indice qualitativo, espresso dal telespettatore, affonda le sue radici agli albori della civiltà televisiva. Già all'inizio degli anni Cinquanta, proprio nella prima fase di diffusione della tv, fu sviluppato in Gran Bretagna un *indice di apprezzamento*, che nella terminologia tecnica fu chiamato *reaction index* in ambito Bbc (l'ente pubblico) e *appreciation index* in ambito Iba (l'istituzione di controllo della tv privata). Anche se è sempre rimasto un servizio accessorio del sistema televisivo (vengono raccolti dati soltanto per un terzo circa dei programmi trasmessi), la sua importanza nel sistema inglese è fuori discussione: come è stato notato, "più di un programma sarebbe stato cancellato a causa di un basso indice di ascolto, se non fosse stato per le favorevoli reazioni iniziali che il pubblico aveva dimostrato", appunto nei sondaggi qualitativi[2].

L'indice di apprezzamento britannico è servito da modello per gran parte dei servizi pubblici europei ed extraeuropei, che dagli anni Cinquanta in poi hanno operato nel campo televisivo, da soli o al fianco di istituzioni private. Si ritrova ad esempio lo stesso tipo di approccio in Italia, nell'*indice di gradimento*, poi abbandonato, che fu sviluppato nelle prime, semplici ricerche "qualitative" del Servizio Opinioni Rai in pieno regime di monopolio (realizzate attraverso le tecniche sia delle indagini per corrispondenza settimanali, sia delle interviste telefoniche giornaliere)[3]. Lo si ritrova anche in Giappone (dove la ricerca sulla qualità è invece già nata, essenzialmente, in clima di forte competizione delle tv private) nell'ambito della critica alle rilevazioni quantitative sull'audience, che erano state introdotte fin dal 1961 con i *ratings* della Nielsen e che avevano ben presto guadagnato una forte autorevolezza; e questo semplice criterio *single scale*, che successivamente (come vedremo) aveva lasciato il posto a indici ben più complessi, è ritornato in auge nella seconda metà degli anni Ottanta, nel tentativo di rispondere in modo semplice alle crescenti richieste di qualità provenienti dal tessuto sociale giapponese[4].

Nonostante la generica matrice comune, questi parametri qualitativi si sono sviluppati con modalità assai poco omogenee e comparabili. I più usati indici di apprezzamento inglesi sono stati costruiti su scale di valori (dal massimo al minimo) relative agli aggettivi "interessante" (*interesting*) e "piacevole" (*enjoyable*)[5]. In Austria, invece, la scala viene ottenuta sul differenziale "buono/cattivo"[6]. Da "pessimo" a "eccellente" è il giudizio in Olanda, che risulta essere l'unico paese al mondo in cui, dal 1965, tutti i programmi televisivi vengono regolarmente valutati e votati da un campione di telespettatori[7].

Qualche somiglianza attraverso i confini nazionali si riesce a rintracciare, ma abbastanza casualmente. Nelle vecchie ricerche del Servizio Opinioni Rai in Italia, il gradimento veniva espresso su una scala di cinque valori, da "ho gradito la trasmissione moltissimo" a "non l'ho gradita per niente"[8]; qualcosa di simile avviene in Canada, dove la televisione pubblica è attenta a rilevare il piacere (*enjoyment*) provato dal telespettatore, espresso su una scala che ha ad un estremo "non mi è piaciuto affatto" e all'altro "mi è piaciuto moltissimo"[9]; un indice questo che è simile a quello (*liking*) usato talvolta nel passato in Gran Bretagna[10].

1.3. Al di là delle sue indicazioni per sé, l'*appreciation index* è stato usato "strumentalmente" come *spia di atteggiamenti e di comportamenti di consumo*, in numerosi studi specie in campo angloamericano.

Ciò vale innanzitutto all'interno di una stessa tipologia di consumo: l'*Ai* è apparso in relazione positiva, ad esempio, con la visione di episodi concatenati di una stessa serie[11], con la visione del

105

precedente episodio[12], con la visione del successivo episodio o di due programmi dello stesso tipo nella stessa settimana[13].

Interessante è vedere all'opera l'*appreciation index* anche nel confronto tra diverse tipologie di consumo, in particolare tra programmi "impegnati" e programmi "di evasione". Se è vero che i primi, proprio perché richiedono un maggiore coinvolgimento intellettuale, portano molti telespettatori a cambiare canale e ricevono perciò in media minori indici quantitativi[14], a parità di ascolto i programmi "impegnati" ottengono un gradimento maggiore di quello attribuito ai programmi "di evasione"[15] (in una sorta di autogratificazione meritocratica). Non solo: programmi concepiti per specifici *targets* di pubblico ricevono generalmente indici di apprezzamento superiori a quelli realizzati per l'audience di massa (qui subentra l'appiattimento naturale dei "grandi numeri"). E pure avvantaggiati nell'apprezzamento appaiono programmi caratterizzati da immagini piacevoli ed evocanti sentimenti positivi (ad esempio, trasmissioni sulla natura e sugli animali), rispetto a quelli più "disturbanti" per lo spettatore[16].

Infine, risultano interessanti alcune connessioni tra l'espressione del gradimento e altre tipologie di comportamento. Ad esempio, l'apprezzamento è correlato positivamente con l'interesse che il telespettatore dimostra pianificando la propria esperienza di ascolto attraverso le guide-tv oppure leggendone e parlandone a posteriori[17]: in altri termini, più il telespettatore si documenta e parla di un programma, più è portato ad apprezzarlo. E ancora: pur non esistendo una relazione significativa tra l'indice di ascolto quantitativo e l'indice di apprezzamento qualitativo, una diminuzione di quest'ultimo tende in genere a precedere il calo dell'ascolto; ciò vuol dire che l'indice qualitativo, se ben usato, può funzionare da "sentinella" rispetto all'indice quantitativo[18].

1.4. In una ulteriore estensione del suo ruolo, il giudizio qualitativo espresso dagli ascoltatori sui programmi è stato ed è ampiamente usato in tutto il mondo dagli organismi televisivi anche al fine di *correggere e migliorare i contenuti* della loro programmazione. In simili casi l'obiettivo delle indagini non è più la costruzione, tramite scale valoriali, di indici sintetici di gradimento/qualità, quanto il reperimento di informazioni traducibili il più direttamente possibile in indicazioni operative.

I tre network americani, che proclamano di spendere annualmente milioni di dollari in ricerche qualitative sui loro programmi, offrono un'ampia gamma di queste ricerche, che si differenziano in due distinti filoni. Il primo è costituito dalla ricerca primaria attraverso test sui programmi-piloti, ormai effettuata in prevalenza usando canali via cavo con i quali si raggiungono gli individui componenti il campione prescelto, che esprimono i loro giudizi immediatamente dopo la visione (sul gradimento della storia e dei personaggi, sul grado di attenzione ecc.); un test, questo, che è sovente ripetuto anche sul primo e sul secondo episodio della serie. Il secondo filone comprende la ricerca valutativa successiva, che prosegue per tutta la stagione con sondaggi per lo più telefonici, tra cui molto importanti sono considerati quelli "diagnostici" a favore di programmi che non stanno riscuotendo un adeguato successo di pubblico. Il dato "qualitativo" che deriva da questa ampia azione di rilevazione non risulta però di per sé sufficiente: infatti tutti i risultati di queste indagini vengono poi ovviamente letti alla luce degli indici di ascolto Nielsen e segmentati secondo le più diverse variabili sociodemografiche.

Numerosi sono gli accorgimenti usati per rendere comunque il dato "qualitativo" il più significativo possibile. In particolare, alla Abc si usano scale di valori da "eccezionale" a "terribile" per determinare soprattutto se l'audience più assidua e tipica di un programma non cominci a dare segni di stanchezza: si tratta, in gergo, di *tracking research*, che in caso di risultati negativi lascia il campo a una ricerca più diagnostica e introspettiva attraverso le consuete tecniche in materia (*focus groups* ecc.).

A ben vedere, però, non è possibile considerare quest'ampia batteria di ricerche e di rilevazioni qualitative[19] – che recepiscono l'opinione dei telespettatori nei momenti cruciali di vita del prodotto televisivo (lancio, *restyling*, invecchiamento) – quali ricerche sulla qualità dei programmi: la loro azione si limita infatti a misurare la propensione del pubblico, o di un certo tipo di pubblico, a guardare un programma, indipendentemente dal suo percepito livello qualitativo.

Pur sempre in questa chiave strumentale, qualcosa di innovativo è emerso, all'inizio degli anni Novanta, dal network Cbs. All'interno di sondaggi continuativi, i telespettatori sono invitati a identificare i programmi che reputano "eccezionali" tra tutti quelli che hanno visto in un giorno: i risultati – secondo il responsabile del settore ricerche e marketing della stessa Cbs[20] – mostrano chiaramente che un programma indicato come eccezionale da almeno il 75 per cento dei telespettatori è molto più efficace nel ricordo della pubblicità che lo accompagna (dato di notevolissimo interesse per le agenzie) e presenta generalmente un'audience più "alta" in termini socioeconomici e composta da un numero maggiore di *light viewers* (cioè di telespettatori meno agevoli da raggiungere).

"Scoperte" di questo genere potrebbero condurre i network a non voler rappresentare più, come in passato, il "minimo comun denominatore" della programmazione televisiva, ma a "identificare programmi eccellenti da poter vendere a prezzi pubblicitari più alti" grazie alle loro *performances* in termini di qualità dell'audience e del ricordo degli spot. Un cambiamento di strategia che, ove diventasse dominante, equivarrebbe a trascurare le fasce meno remunerative di audience, creando – come gli stessi responsabili delle ricerche non si nascondono – "un problema anche sociale" per un paese in cui, nel bene e nel male, la televisione è stata sempre il mezzo di gran lunga più popolare.

2. Forza e debolezza dei giudizi "complessi" di qualità

2.1. All'interno delle ricerche qualitative incentrate sul gradimento da parte dei telespettatori, si è detto che il generico indice di apprezzamento è stato spesso ampliato per recepire dati più articolati e complessi, come ad esempio l'opinione relativa agli *aspetti tecnico-produttivi del programma o la percezione dei suoi effetti* sullo stesso telespettatore.

Storicamente, lo sforzo di ricerca più cospicuo in questa direzione è stato forse realizzato dall'emittente pubblica giapponese[21]. Non soddisfatti del criterio di misurazione della qualità importato dalla Gran Bretagna e dagli Stati Uniti (basato, come si è visto, su un unico e generico parametro di valutazione), i ricercatori dell'Nhk hanno messo a punto, nel corso degli anni sessanta, una complessa metodologia che è stata usata per la valutazione qualitativa dei programmi televisivi dal 1963 al 1970. Essa è stata più volte modificata, sempre nel tentativo di meglio cogliere e rappresentare la "soddisfazione del telespettatore", ma solo nell'ultimo anno di ricerca (in relazione cioè ai programmi del 1969) si è raggiunta una misurazione ritenuta soddisfacente di questo "gradimento" attraverso due "pesi" distinti: il grado di sviluppo di alcuni "punti di richiamo" (*appeal points*) nei confronti del telespettatore e la valutazione dei "fattori produttivi" (*composing factors*).

L'*appeal point* fa riferimento all'effetto che la produzione cerca di ottenere da un programma. Le trasmissioni televisive analizzate sono state suddivise in due grandi aree, informazione e intrattenimento. Si è quindi assunto che il motivo di richiamo di un programma informativo fosse fornire notizie e pareri su una certa gamma di argomenti di interesse per il telespettatore, suddividendo tale interesse (sulla base della tassonomia dei bisogni definita da Murray) in numerose categorie (realizzazione di sé, consumo, sesso, e così via). Per un programma di intrattenimento, invece, il motivo di richiamo si condensava nell'offerta di esperienze emotive al telespettatore: esperienze definite dai ricercatori giapponesi modificando la teoria dei tre vettori delle emozioni delineata da Wundt e suddividendo ulteriormente le tre coppie di antitesi "eccitazione-calma", "tensione-relax", "luce-ombra" (ossia "entusiasmo-depressione") in dodici categorie più dettagliate. Quanto ai *composing factors*, sono state considerate sia le intenzioni della produzione sia le percezioni dei telespettatori, chiamati gli uni a definire e gli altri a valutare elementi come "il livello tecnico di produzione e costruzione", "la scelta degli interpreti, il livello di interpretazione, la pertinenza degli interpreti ai rispettivi ruoli", e così via.

Grazie a tali procedimenti di ricerca, è stato possibile confrontare significativamente il punto di vista della produzione e quello della ricezione, rintracciando anche i processi psicologici sottesi ai giudizi di valore dei telespettatori[22]. Tuttavia, alcuni dubbi sui metodi di determinazione degli *appeal points*, nonché sulla validità dei risultati di questa analisi per l'effettiva produzione di nuovi programmi, uniti alla considerazione dell'enorme mole di lavoro necessario alla sua realizzazione, hanno suggerito di porre fine alla ricerca.

Al di là di questo vasto (ma in effetti inattuabile) sforzo degli studiosi giapponesi, numerose sono state le analisi che si sono limitate a prendere in considerazione il *giudizio sugli aspetti tecnici del programma* all'interno di un più generale quadro di rilevazione, senza affrontare così complessi problemi metodologici. Questo è ad esempio quanto avvenne in una serie di ricerche qualitative condotte in Italia dal Servizio Opinioni della Rai: alla metà degli anni Sessanta, infatti, la pura e semplice valutazione del gradimento assoluto fu arricchita con un parallelo lavoro di analisi del contenuto, per verificare quali fossero "i caratteri, relativi al contenuto e al linguaggio delle trasmissioni televisive, che significativamente si associavano a un elevato o a uno scarso gradimento da parte del pubblico"[23]. Per quanto riguarda i programmi culturali, le voci più positivamente influenti sul gradimento erano ad esempio "centralità dell'argomento", "spettacolarità", "comprensibilità" (mentre "difficoltà del linguaggio", e "fatica mentale" vi si associavano negativamente). Nel campo dei programmi leggeri da studio, emergevano invece il "rapporto col pubblico in sala" (espressione di un desiderio di partecipazione "vicaria" da parte del pubblico a casa), la "velocità del ritmo" di svolgimento della trasmissione, e infine la "spettacolarità". Nel settore della fiction (teleromanzi, trasmissioni di prosa, telefilm) le voci più significative diventavano quattro: "identificazione" (nella storia, nei personaggi), "velocità del ritmo", "notorietà degli interpreti" (specie per i teleromanzi) e "centralità dell'argomento".

L'importanza della valutazione degli aspetti tecnici da parte del telespettatore all'interno di un più generale discorso qualitativo dei programmi è stata ripresa da un'indagine condotta nel 1991 in Gran Bretagna[24]. Finalizzata a rilevare il gradimento complessivo di un programma di punta, il notiziario serale delle dieci della rete Itv, l'indagine ha messo in luce come, tra dodici attributi proposti, erano i due di tipo strutturale a risultare più strettamente correlati con l'apprezzamento del programma: la percezione di un buon equilibrio fra servizi realizzati in studio e servizi esterni, e una giusta frequenza dei servizi realizzati in presa diretta, erano infatti i due fattori che più di tutti gli altri (attinenti invece a particolari aspetti contenutistici) risultavano associati in modo indipendente e significativo al gradimento complessivo. L'autore della ricerca, indicando la necessità per il futuro di ridurre gli *items* tecnici sottoposti al giudizio, suggeriva di mantenerne solamente due: uno attinente al contenuto, l'altro alla struttura.

2.2. Nel quadro del processo di estensione del generico indice di apprezzamento/gradimento, anche la *rilevazione degli effetti* che i telespettatori dichiarano di derivare dalla visione dei programmi costituisce – come si è accennato – un'area d'indagine qualitativa: area piuttosto complessa e contraddittoria, che segna la vicenda storica di questo tipo di ricerche sulla televisione.

Si è già detto del vasto studio giapponese degli anni Sessanta, in cui gli *appeal points* facevano esplicito richiamo agli effetti percepiti dal pubblico. Dal 1975, poi, per quattro anni l'istituto di ricerca della Associazione nazionale delle emittenti commerciali giapponesi (Minporen) ha portato avanti un'indagine continuativa nella quale i programmi venivano classificati a seconda del tipo di piacere che procuravano al telespettatore (relax, istruzione ecc.). Ma anche questo tipo di approccio è stato interrotto, a causa delle difficoltà nel determinare le categorie del piacere e nel classificare conseguentemente i programmi[25].

Nel mondo anglosassone, sia in Gran Bretagna sia negli Stati Uniti, è stato l'inizio degli anni Ottanta a segnare la nascita di una tendenza a valutare l'opinione del pubblico sui programmi visti usando più scale di valori, relative proprio agli effetti suscitati dalla visione dei programmi: ad esempio, per il richiamo (*appeal*), per il piacere (*enjoyment*), per l'impatto vero e proprio (*impact*). Ma un numero eccessivo di scale appariva tuttavia troppo complesso per la capacità di uso del settore professionale della televisione, e del resto ogni scala in più comportava chiaramente un vantaggio decrescente. Di conseguenza, tutti i tentativi effettuati tra il 1980 e il 1985 hanno indicato "come la scelta migliore risieda nell'uso di due scale", una ancorata al piacere della visione (*enjoyment*), l'altra al suo impatto sul pubblico (*impact*)[26].

Ma perché proprio queste due scale? Perché, nel complesso, gli studi condotti parallelamente sulle due sponde dell'Oceano hanno confermato che *enjoyment* e *impact* sono fenomeni comunque differenti; che esiste un certo vantaggio nel considerarli separatamente; che costituiscono la miglior formulazione di due modi di valutazione separabili. Nonostante la loro efficacia, all'interno degli ambienti pubblicitari e televisivi questi risultati – come è ben noto – non hanno minimamente intaccato il predominio del più elementare e rozzo dato quantitativo. Così, anche il criterio di misurazione elaborato negli Stati Uniti dal Television Audience Assessment (consistente in una scala di valutazione sull'attrattiva del programma, unita a una scala che combina due valori: "il programma mi ha toccato emotivamente" e "il programma mi ha insegnato qualcosa") ha perso nella concorrenza con i *people meters*, in grado di fornire elementi molto più direttamente e facilmente "masticabili" in termini di compravedita di spazi; per cui il composito indice del Taa compare oggi soprattutto in ricerche di organismi televisivi non legati ai meccanismi pubblicitari, come la rete pubblica Pbs.

In America, ormai, anche i servizi a pagamento diretto (che pure hanno nella qualità dell'offerta il loro *plus* più significativo) tendono oramai a usare i meter: la stessa Home Box Office (*pay-tv* pioniera e leader negli abbonamenti), che in passato usava un criterio di misurazione incentrato sulla "soddisfazione" del telespettatore (basato sull'incrocio dei dati di ascolto con il loro apprezzamento), dal 1988 ha adottato pienamente i meter, limitandosi a integrare i risultati forniti con alcuni criteri qualitativi (premi del settore, uso dei programmi da parte delle scuole, critiche da parte di speciali gruppi di interesse, unicità dell'offerta rispetto ad altri servizi a pagamento ecc.).

Più variegata si presenta la situazione in Gran Bretagna, dove il più significativo tra i nuovi soggetti protagonisti dell'etere, la rete via satellite Bsb, riconosce l'importanza del monitoraggio degli indici di gradimento, in riferimento sia a ciascuno dei suoi canali a tema sia ai vari programmi che vi sono offerti. Uno studio indirizzato su tre aree specifiche (soddisfazione, qualità e interesse/affezione) è servito a sviluppare una ricerca sistematica per la rilevazione delle reazioni dell'audience (condotta con il metodo dei diari), in grado di differenziare le tipologie di telespettatori a seconda del canale su cui si sintonizzano di preferenza[27].

3. Le difficoltà di valutazione delle reti e del sistema tv

3.1. Come già si è accennato, all'interno delle ricerche qualitative il telespettatore è stato più volte utilizzato per raccogliere informazioni che andassero oltre l'esperienza di visione del singolo programma. L'attenzione si è così trasferita ai palinsesti (intesi nella loro globalità o in ampie fasce di programmazione), e all'ascoltatore è stato richiesto di passare da commenti puntuali a giudizi di sintesi, con il risultato che si è potuto parlare in termini qualitativi sia di reti sia degli interi sistemi televisivi nazionali, conducendo analisi e classifiche non incentrate sui dati d'ascolto. Anche in questo campo, come si può immaginare, sono stati usati criteri, elementi e scale assai differenti.

Estremamente diretto è stato, ad esempio, l'approccio adottato da una ricerca della Bbc condotta nel 1989, che ha usato il puro e semplice concetto di "qualità" chiedendo quali reti ne fossero maggiormente dotate[28]. Ne è risultata una stretta correlazione tra reti considerate "di alta qualità" e palinsesti effettivamente infarciti di "trasmissioni serie": riscontro talmente ovvio, da suggerirci che non è questa la strada giusta, in quanto un approccio troppo diretto al problema resta prigioniero di un'interpretazione estremamente tradizionale e scontata del concetto di qualità, il quale nasconde invece ben più complessi (e spesso contraddittori) risvolti.

Un percorso più articolato per risalire alla qualità dei singoli canali e della televisione nel suo complesso è quello impiegato, sempre in Gran Bretagna, in una ricerca Iba del 1990, dove sono stati presi in considerazione gli elementi che il pubblico considera importanti al fine di valutare la qualità di un canale rispetto agli altri[29]. Queste, nell'ordine, le voci su cui il pubblico era invitato a esprimere il proprio eventuale accordo, con le percentuali ottenute: una grande varietà di programmi tra cui scegliere (96 per cento); programmi che intrattengono e svagano (93 per cento); essere sicuri che programmi non adatti a tutti siano messi in onda solo dopo le nove di sera (87 per cento); programmi che danno informazione (80 per cento); programmi che istruiscono (73 per cento); programmi concepiti per bambini inferiori ai cinque anni d'età (48 per cento); un certo numero di programmi religiosi (33 per cento); programmi costosi nella realizzazione (15 per cento). Quando però, allo stesso campione di pubblico, nella stessa ricerca, è stato chiesto quale fosse la propria definizione di "televisione di qualità" (ed era permessa una sola risposta), la graduatoria appare non poco differente: divertente, piacevole (17 per cento); informativa, istruttiva (12 per cento); con buoni presentatori e attori (11 per cento); interessante e avvincente (11 per cento); dotata di qualità produttive (9 per cento); adatta a tutta la famiglia, a tutti i gusti (8 per cento); con buone storie, sceneggiature (7 per cento); ampia, varia (6 per cento); senza *game-shows* e *sit-coms* (4 per cento); equilibrata (4 per cento); non insultante verso l'intelligenza dei telespettatori (3 per cento). Dunque non è così semplice "smascherare" le vere opinioni del telespettatore in merito ai diversi canali e alla loro qualità!

Ancora in Gran Bretagna, sono stati elaborati due indici per cercare di ottenere una valutazione delle singole reti: la "qualità generale" (Gq) e la "proporzione di buona qualità" (Pq)[30]. Su questi due parametri gli intervistati hanno giudicato la *performance* in assoluto di uno specifico canale, nonché la sua programmazione in un periodo determinato, a "breve termine" (ad esempio: "Su Bbc1 la scorsa settimana, quale è stata la qualità generale? e a parte la qualità generale, quale è stata secondo lei la proporzione di programmi di alta qualità?"); inoltre, per periodi di tempo più lunghi (ad esempio un anno) è stato introdotto anche il criterio di "miglioramento/peggioramento".

Ma il risultato più interessante di questa ricerca (perché più paradigmatico, o comunque più universalizzabile) è un altro. È emerso infatti chiaramente che il modello di giudizio che accompagna un'idea di qualità per un canale può assolutamente non essere lo stesso che la determina per un altro: la rete pubblica Bbc e la privata Itv facevano registrare, ad esempio, attributi di qualità del tutto differenti. Ciò è stato confermato in una successiva ricerca della Independent Television Commission, che ha pure paragonato i quattro canali "terrestri" inglesi (Bbc1, Bbc2, Itv e Channel 4)[31]. In un ulteriore studio, infine, si è confermato che non solo esiste una diversità nella percezione dell'"immagine" di ciascun canale in relazione agli attributi della qualità, ma che essa influenza direttamente le scelte dei programmi nel telespettatore (anche se, una volta vista la trasmissione, ciò che si pensa di un canale non si "intromette" nel grado di soddisfazione raggiunto)[32].

3.2. La valutazione complessiva di una rete risulta particolarmente importante e delicata, come ovvio, nel servizio pubblico. Non stupisce quindi che numerosi enti abbiano cercato, attraverso sondaggi, di identificare l'opinione dell'audience circa i ruoli e le funzioni a essi attribuiti, per averne un riscontro di immagine in ter-

114

mini sia istituzionali sia di efficacia e di efficienza. Indichiamo alcune di queste ricerche, a puro titolo esemplificativo.

La statunitense Pbs, ad esempio, ha sottoposto ai telespettatori
una lista di attributi, chiedendo loro di indicare quali descrives-
sero meglio la televisione pubblica americana in confronto alle reti
commerciali e ai sistemi via cavo: tra gli aggettivi più votati figurano "educativa", "informativa", "stimolante", "immaginativa",
"seria". La stessa Pbs, allargando ulteriormente il campo di indagine sino ad abbracciare la percezione complessiva del proprio
ruolo, ha richiesto il grado di soddisfazione del suo pubblico, in
confronto ad altri cento prodotti (tv via cavo, riviste, ma anche
latte, uova ecc.).[33].

Un'altra rete pubblica, la canadese Cbc (attraverso il suo Television Research Centre of Canada) ha chiesto ai telespettatori di giudicare in che misura il suo servizio raggiunga obiettivi specifici propri di un servizio pubblico, quali: provvedere all'informazione del
paese, contribuire a una maggiore conoscenza di carattere generale,
fornire programmi di alto standard professionale, incoraggiare gli
artisti nazionali, fornire programmi che corrispondono agli interessi
e ai gusti di molti e diversi gruppi di individui, facilitare la reciproca conoscenza tra le diverse aree del paese, trasmettere un'ampia varietà di programmi ecc. Il pubblico era anche chiamato a fare
dei confronti tra la stessa Cbc e gli altri canali disponibili in Canada
(inclusi quelli americani), sulla base di criteri quali: vicinanza ai
propri gusti e idee, credibilità in caso di informazioni divergenti,
piacevolezza, intrattenimento, efficienza, managerialità, nazionalità
dei programmi, vicinanza alla gente ecc.[34]

In Europa, l'ente pubblico olandese Nos[35], oltre alla misurazione
dell'apprezzamento dei singoli programmi, ha deciso di rilevare in
continuazione anche il gradimento del servizio nel suo complesso.
Tramite i *people meters* della società Agb, i telespettatori facenti
parte del campione sono invitati a esprimere il loro giudizio qualitativo ogni volta che terminano la visione di un programma. La
riaggregazione di questi dati, che compongono una delle rilevazioni
qualitative più sistematiche e ampie che si conoscano, consente poi
di trarre indicazioni complessive sul giudizio di gradimento nei
confronti delle emittenti.

115

4. Il telespettatore come giudice e critico: luci e ombre

4.1. Al termine di questa pur breve e incompleta "carrellata" sulle ricerche qualitative presso il pubblico, una domanda sorge spontanea, anche alla luce delle conclusioni cui eravamo pervenuti nella prima parte di questo volume: il telespettatore è un "giudice" attendibile per esprimere valutazioni circa il valore e la qualità dell'offerta di cui fruisce? Bisogna dire che, a questo proposito, alcune recenti ricerche britanniche offrono indicazioni piuttosto univoche in senso positivo.

Innanzitutto, sembra crescere la auto-consapevolezza del telespettatore in quanto "giudice". Ad esempio, in un sondaggio commissionato in Gran Bretagna dalla Independent Television Commission (Itc), il pubblico stesso appoggia implicitamente un modello "democratico" di valutazione della tv. Esso ritiene infatti che il telespettatore adulto costituisca una buona fonte di giudizi sulla qualità televisiva, ancora migliore nel caso in cui egli nutra un interesse particolare per il tipo di programmi in esame; minore fiducia, come giudice della qualità, riscuote la categoria degli "esperti appartenenti agli organismi televisivi" (evidentemente considerati troppo di parte), mentre gli individui non interessati a ciò che guardano in tv (i telespettatori "distaccati" dall'argomento) sono addirittura ritenuti del tutto inadatti a diventare giudici della qualità. La fiducia nell'"assennatezza" di tutto il pubblico è tale, che – secondo questo sondaggio – i programmi per bambini dovrebbero essere valutati da "bambini un po' più grandi" piuttosto che da adulti[36].

Con la consapevolezza, sembra crescere nel telespettatore anche la sicurezza di sé in quanto "critico". A questo proposito, un'altra ricerca commissionata nel 1990 dall'autorità di controllo della televisione commerciale britannica ha messo a confronto il giudizio di qualità dei telespettatori con il loro personale gradimento dei programmi. Ne sono emersi, in via generale, quattro interessanti risultati: in primo luogo, i telespettatori usano due diverse scale di valori nel giudicare la qualità e nell'esprimere il loro personale gradimento; inoltre, i punteggi della qualità sono inferiori a quelli del gradimento e più discriminanti; a maggior conferma, il pubblico dichiara di gradire molti programmi che riconosce non essere di alta qualità (per cui si può dire ancor più tranquillamente che il successo di audience di un programma non indica il giudizio del telespettatore sulla qualità del programma stesso); infine, più alta è la qualità di un programma percepita dal pubblico, più forte è la propensione a indicarlo, e dunque la sua conoscenza[37].

Un'ulteriore considerazione, in linea con le precedenti, riguarda il fatto che non sembrano più esservi molti motivi per credere che le opinioni dei telespettatori divergano fortemente da quelle del mondo professionale. A tale riguardo, un aspetto interessante è stato messo in luce da una ricerca della Bbc del 1989. In essa sono stati presi in considerazione circa quaranta programmi della stessa Bbc, che avevano vinto in quell'anno, complessivamente, circa cento premi televisivi nazionali e internazionali, per la loro eccellenza tecnica o artistica. Ne sono emersi altissimi indici di gradimento (*appreciation*), pur all'interno di dati di ascolto relativamente bassi, permettendo ai ricercatori comunque di concludere che i programmi giudicati di altissima qualità da parte della comunità professionale sono apprezzati e dunque "riconosciuti" dall'audience, qui rappresentata da quelle fasce di pubblico cui tali programmi sono "naturalmente" destinati[38].

4.2. Queste ricerche ci confermano dunque, abbastanza univocamente, che i telespettatori possono certamente esprimere giudizi di qualità e identificare che cosa intendano con essa, dal momento che sono in grado di differenziarla dall'interesse e dal gradimento personali. E la stessa "gerarchia morale" emersa in uno studio nordeuropeo[39] – per cui si ha vergogna ad ammettere di aver visto certi tipi di programmi come *soap-operas*, *sit-coms* e via dicendo, e si sente un bisogno irresistibile di spiegare e giustificare queste "debolezze" – costituisce un'ulteriore conferma della crescente consapevolezza di cui stiamo parlando. In via preliminare, perciò, si può ritenere che questi giudizi "popolari" di qualità, ove fossero condotti con maggiore ampiezza e sistematicità (e soprattutto omogeneizzando scale di valori troppo diverse e frammentarie), sarebbero molto utili sia ai responsabili delle produzioni e della programmazione, sia a quegli organismi che, in alcuni sistemi, sono chiamati a valutare la qualità delle singole emittenti.

Non sembra, però, che il mondo professionale sia particolarmente disposto ad affrontare, sistematicamente e in profondità, un tipo di ricerca di questo genere, certamente più efficace ma anche più difficile e costosa da realizzare. Non lo è certamente in America, tanto per cominciare. Qui Greenberg e Busselle[40] hanno intervistato in profondità un buon numero di *professionals* e dirigenti di aziende televisive, impegnati soprattutto nel settore ricerche, avendo come argomento fondamentale proprio questo: quale ruolo avranno negli anni Novanta – ammesso che ne abbiano alcuno – le ricerche qualitative sull'ascolto. Fondamentalmente – oltre alla riaffermazione della diversità dei metodi e dei valori usati per misurare la qualità e dell'impossibilità di sostenere un sistema universale di valutazione – è emersa la convinzione generale che resti centrale la dipendenza dagli indici quantitativi di ascolto: per alcuni, addirittura, sono gli unici cui prestar fede (Roger Baron: "La qualità significa grandi ascolti dei programmi dei network: qualsiasi altra misurazione della qualità è soggettiva"), anche se molti ammettono che essi andrebbero esaminati con maggiori sottigliezze del solito (grazie a criteri quantificabili come il grado di attenzione a un programma, la permanenza dell'ascolto nel tempo ecc.).

Non si può negare, d'altra parte, che lo scetticismo del mondo professionale nei confronti delle ricerche qualitative sul pubblico sia giustificato dalla loro attuale inadeguatezza rispetto alle risposte che i *professionals* vorrebbero sapere. Da un lato, infatti, abbiamo serie di studi (come quello, da noi esaminato, della giapponese Nhk negli anni Sessanta) che usano sofisticate metodologie ricavate dalle diverse teorie psicologiche, ma che crollano di fronte alla loro stessa complessità: c'è infatti un limite alla gamma di domande che possono essere rivolte agli spettatori, mentre ne occorrerebbero moltissime; inoltre, proprio a causa della complessità, si è costretti a stabilire a priori nel questionario il tipo di soddisfazione/piacere che si ricerca nel pubblico, per cui si riduce la gamma possibile degli "usi e gratificazioni" che potrebbero emergere liberamente[41]. Da un altro lato esiste, come si è visto, la valutazione della qualità basata su un singolo criterio, l'indice di gradimento, o comunque su poche scale di valori: ma questi sondaggi, nella loro genericità e approssimatività, non producono davvero alcuna informazione pratica utile per confezionare programmi.

E non vi sono soltanto le obiezioni dei *professionals*: gli stessi studiosi sono consapevoli dei limiti di queste ricerche. Sharrocks[42], ad esempio, ha messo in luce come i generici indici di gradimento possano essere addirittura fuorvianti perché, in realtà, tipi diversi di programmazione richiederebbero domande differenti su cui far riflettere il pubblico. La strada, a questo proposito, appare ancora lunga e tortuosa, anche se si comincia a intravedere qualche novità degna di rilievo: Greenberg e Busselle[43], operando una sorta di sintesi costruttiva di tutti i diversi criteri usati nei principali paesi per i giudizi di qualità da parte del pubblico, hanno appunto proposto differenti scale di valutazione per differenti generi di programmi (intrattenimento e informazione/attualità) e reti o canali televisivi. Siamo ancora in una fase decisamente "pionieristica": i due autori hanno elencato alcune decine di attributi (con i loro contrari, in modo da creare un differenziale semantico), e loro stessi riconoscono che sono certamente troppi, per cui si impongono – paese per paese – alcuni pre-test per eliminare quelli che risulteranno ridondanti.

Il contributo di Greenberg e Busselle, peraltro, risulta estremamente utile anche perché recepisce pienamente ciò che altri studi avevano indicato come "desiderabile", e che è in effetti fondamentale se si vuole sollevare questo tipo di ricerche dall'inutilità in cui sono precipitate: mentre il gradimento generico, infatti, misura non la qualità in sé ma solo quella della propria esperienza personale[44], ed è legato a valutazioni puramente emotive piuttosto che cognitive, le scale di valori dei due studiosi americani riguardano tutti i possibili livelli di giudizio: emozionale (con attributi come divertente, che tocca i sentimenti ecc.), cognitivo (intelligente, realistico, credibile ecc.) e anche stilistico (veloce, vivo, stimolante ecc.). Il telespettatore in tal modo è collocato in quella posizione di "critico"[45] che certamente – come già si è visto – è in grado di svolgere, e intende svolgere.

Ma altre difficoltà restano comunque sul cammino di queste ricerche. Innanzitutto, l'attendibilità dei risultati è sempre in dubbio, data la necessaria sinteticità dei questionari: infatti, senza adeguate domande filtro, che garantiscono l'onestà delle risposte, non si può mai sapere se l'intervistato dice davvero ciò che pensa, o dice ciò che ritiene di pensare, o dice addirittura ciò che giudica sia migliore per la propria immagine e/o per il bene della comunità.

Un difetto ancora maggiore viene identificato nel metodo di selezione "massimalista" dei soggetti da intervistare (scelti a caso tra l'audience dei programmi), specie se si considera che le diverse caratteristiche degli individui (psicologiche, sociali, culturali ecc.) influenzano non poco il loro giudizio sui programmi: il giapponese

Ishikawa[46] si chiede ad esempio quale significato può avere il giudizio su uno spettacolo del teatro Kabuki in tv, espresso da un individuo che nulla sa del Kabuki. Diventa perciò cruciale chiedersi da chi – da quale tipologia di pubblico – dovremmo ottenere i giudizi qualitativi sui programmi. Ma per il futuro, ciò potrebbe diventare ancora più difficile: con l'aumentare dei canali disponibili, infatti, aumentano le possibilità che le preferenze "strutturali" degli spettatori circa i diversi programmi non si riflettano direttamente nelle loro estemporanee scelte di visione, per cui si avrebbe davanti al teleschermo una mescolanza degli specifici *targets* socioeconomicoculturali che formano le diverse basi di giudizio.

Nonostante tutte queste difficoltà, un'era della qualità non potrà fare a meno dei giudizi di qualità da parte del pubblico: se questi dovessero fallire, saremmo costretti a rivedere l'ottimismo (sia pur prudente) con cui seguiamo l'attuale fase di evoluzione del mezzo televisivo.

NOTE BIBLIOGRAFICHE

[1] H.M. Beville, "Audience Measurement in Transition", *Television/Radio Age*, 1983.

[2] B. Reeve, "Audience Appreciation: What's the Score?", *Airwaves*, luglio 1990.

[3] Si veda: Rai Radiotelevisione Italiana, *I programmi televisivi nelle opinioni del pubblico*, Quaderni del Servizio Opinioni, n. 5, Roma, 1959.

[4] S. Ishikawa, "The Assessment of Quality in Broadcasting: Research in Japan", *Studies of Broadcasting*, n. 27, marzo 1991, pp. 7 e segg.

[5] J.M. Wober, *The Assessment of Television Quality: Some Explorations of Methods and Their Results*, London, Independent Broadcasting Authority, 1990.

[6] B. Wolf, *Towards Qualitative Observations on the Audience in Public Service Broadcasting*, rapporto non pubblicato, 1989.

[7] W. Bekkers, *Audience Research: Dutch Style*, Hilversun, Broadcasting Foundation, 1989.

[8] Rai Radiotelevisione Italiana, *L'accoglienza del pubblico per i programmi televisivi dal 1961 al 1964*, Quaderni del Servizio Opinioni, n. 11, Roma, 1967.

[9] Television Research Centre of Canada, *Media in Canada: A Public Opinion Survey*, Toronto, Canadian Broadcasting Corporation, 1989.

[10] G.J. Goodhardt, A.S.C. Ehrenberg e M.A. Collins, *The Television Audience: Patterns of Viewing*, Lexington, Massachusetts, 1975.

[11] P. Menneer, "Audience Appreciation – A Different Story from Audience Numbers", *Journal of the Market Research Society*, vol. 29, n. 3, pp. 241-263.

[12] P. Menneer, op. cit.; e G. J. Goodhardt et al., op. cit.

[13] B. Gunter, "Audience Appreciation: What's the Score?", *Airwaves*, luglio 1990.

[14] P. Menneer, op. cit.

[15] P. Barwise e A. Ehrenberg, "How Much We Like What We Watch", in *Television and Its Audience*, Newbury Park, California, Sage, 1988.

[16] B. Wolf, op. cit.

[17] J.M. Wober e G. Reardon, *Talk of Television – And Like It More*, London, Independent Broacasting Authority, 1989.

[18] P. Menneer, op. cit.

[19] Un'ampia serie di dati sul network Nbc in: H. Stipp, "Research at a Commercial Television Network in the United States", *Medienpsychologie*, vol. 2, n. 2, 1990.

[20] David Poltrack, citato in: B.S. Greenberg e R. Busselle, "Television Quality from the Audience Perspective", *Studies of Broadcasting*, n. 28, 1992, pp. 176-177.

[21] Un'ampia trattazione in S. Ishikawa, op. cit., pp. 9-12.

[22] L'esame di questi aspetti in: I.T. Iwashita, "How to Understand The Characteristics of a Program", *Studies of Broadcasting*, n. 6, 1968.

[23] Per maggiori dettagli si veda: Rai Radiotelevisione Italiana, *Caratteristiche dei programmi televisivi e gradimento del pubblico*, Quaderni del Servizio Opinioni, n. 16, Roma, 1970.

[24] J.M. Wober, *Dimensions of Quality in News*, Independent Television Commission, 1991.

[25] S. Ishikawa, op. cit., p. 12.

²⁶ Un'analisi di questi problemi in: J.M. Wober, *Experience Aweigh*, Independent Broadcasting Authority, 1985.
²⁷ A. Millwood-Hargrave, "Audience Appreciation: What's the Score?", *Airwaves*, luglio 1990.
²⁸ Bbc Broadcasting Research, *The Concept of Quality: Public Perceptions*, rapporto non pubblicato di Moira Bovill, London, 1989.
²⁹ J.M. Wober, *The Assessment of Television Quality. Some Explorations of Methods and Their Results*, Iba Research Department, London, 1990.
³⁰ ibidem.
³¹ J.M. Wober, *The Qualities of Channels and Amounts They Are Viewed*, London, Independent Television Commission, 1992.
³² B. Gunter, J. Clemens e J.M. Wober, *Defining Television Quality Through Audience Reaction Measures*, London, Independent Television Commission, 1992.
³³ Public Broadcasting System, *Qualitative Ratings Report of a National Survey Conducted by Television Audience Assessment, Inc.*, Alexandria, Virginia, 1987.
³⁴ Television Research Centre of Canada, *Media in Canada - A Public Opinion Survey*, Cbc, Toronto, Ontario, 1989.
³⁵ W. Bekker, *Audience Research: Dutch Style*, op. cit.
³⁶ J.M. Wober, *Who Shall Judge?*, London, Independent Television Commission, 1992.
³⁷ J.M. Wober, *The Assessment of Television Quality*, op. cit.
³⁸ Bbc Broadcasting Research, *Quality Programmes and the Audience*, rapporto non pubblicato di Adam MacDonald, London, 1989.
³⁹ P. Alasuutari, "'I'm ashamed to admit it but I have watched *Dallas*': The Moral Hierarchy of Television", *Media, Culture and Society*, vol. 14, 1992, pp. 561-582.
⁴⁰ B.S. Greenberg e R. Busselle, op. cit., pp. 169-183.
⁴¹ S. Ishikawa, op. cit., p.13.
⁴² N. Sharrocks, "Audience Appreciation: What's the Score?", *Airwaves*, luglio 1990.
⁴³ B.S. Greenberg e R. Busselle, op. cit., pp. 158-164.
⁴⁴ B. Wolf, op. cit.
⁴⁵ H.T. Himmelweit, B. Swift e M.E. Jaeger, "The Audience as Critic: A Conceptual Analysis of Television Entertainment", in P. Tannenbaum (a cura di), *The Entertainment Functions of Television*, Hillsdale, New Jersey, Erlbaum, 1980, pp. 67-106.
⁴⁶ S. Ishikawa, op. cit., p. 14.

II.

LE COMUNITÀ PROFESSIONALI
E LE LORO INTERPRETAZIONI DELLA QUALITÀ

1. La mancanza di "regole auree" professionali per la qualità

1.1. Il mondo professionale, il settore degli "addetti ai lavori", non possiede princìpi codificati, né norme comportamentali universalmente riconosciute, per garantire il rispetto e la salvaguardia di uno standard qualitativo dei programmi e della programmazione televisiva. "È incredibile – nota il critico americano Les Brown – come delle persone che lavorano duramente per potersi permettere le migliori automobili e i migliori vestiti, e che si vantano di conoscere i vini più raffinati, si rivelino incapaci di definire ciò che costituisce la qualità nel loro campo [...]. La qualità della vita sanno che cosa è; quella della televisione resta un mistero"[1].

Che la situazione sia quella descritta da Brown, si comincia già a comprenderlo da un'interessante ricerca condotta in America sui "testi sacri" della produzione televisiva usati nelle diverse scuole post-universitarie per la formazione dei futuri operatori del settore[2]. Se si esaminano i contenuti di questi testi (tra i principali ed i più recenti quelli di Millerson; Kindem; Wurtzel e Acker; Burroughs, Wood e Shafer-Gross; Armer; Zettl; Smith[3]), si scopre sorprendentemente che soltanto uno di essi (il testo di Smith) fornisce un quadro valutativo sulla base del quale affronta il tema specifico della qualità televisiva; egli é cioé l'unico che, anziché semplicemente elencare una serie di tecniche necessarie alla produzione televisiva, le discute in una apposita sezione ("Making It Good", farlo bene) alla luce del concetto di "appropriatezza delle scelte" (rispetto agli intenti comunicativi di chi opera) che illumina certamente un aspetto importante della qualità televisiva.

123

Bisogna cercare in un testo critico-pragmatico, quello di Whittaker[4], la proposizione sistematica di una serie di problemi per una corretta valutazione della qualità della produzione televisiva: per ogni aspetto della produzione (specialmente di fiction: *casting*, recitazione, sceneggiatura, costumi e trucco, musica e effetti, allestimento e scene, luci, titoli e ringraziamenti, operazioni di macchina, suono, montaggio, edizione) esso pone alcune domande le cui risposte sono già di per sé degli "automisuratori" di qualità. Ma si tratta di criteri di una qualità quasi "minimale" (nel senso di soglia sotto la quale un programma non è neppure degno di essere chiamato tale), oppure di vaghi parametri di scuola televisiva nordamericana. Ad esempio: "gli attori sono appropriati alle personalità e agli attributi fisici dei personaggi che interpretano?"; oppure: "il trucco tiene egualmente bene nei primi piani e nei piani lunghi?"; oppure: "la scenografia fa da supporto agli attori piuttosto che concorrere con loro per provocare attenzione?"; oppure: "il dialogo è stato reso il più conciso possibile secondo l'assioma 'non dirlo se puoi mostrarlo'?", e così via.

1.2. Una prospettiva interessante per comprendere almeno quali sono i criteri che guidano il processo di perseguimento della qualità dal punto di vista professionale, sarebbe quella di un'analisi comparata degli ormai numerosi premi televisivi internazionali. Ma raramente sono stati codificati dei veri e propri parametri specifici di giudizio, anche nei premi di più longeva e sedimentata stabilità: lo stesso Prix Italia – che quale primo obiettivo si propone di "promuovere la migliore qualità della produzione radiofonica e televisiva" – non va oltre la raccomandazione di scegliere programmi che "riuniscano qualità notevoli e presentino elementi che perfezionino e arricchiscano l'esperienza radiofonica o televisiva"[5].

Limitatamente al contesto americano, una ricerca del genere è stata comunque effettuata da Albers[6], che ha preso in esame dodici premi televisivi, stratificati secondo la loro importanza: quattro per produzioni essenzialmente locali/regionali, sei nazionali e due internazionali.

Sono stati innanzitutto considerati i diversi metodi valutativi usati in ciascun premio, e si è formato uno schema che include tre categorie generali: (a) *elementi di forma*: colonna sonora, fotografia/uso delle telecamere, regia, luci, interpretazione, grafica ed effetti speciali, edizione, testi, scenografia, ritmo e altri elementi del "mestiere"; (b) *criteri di contenuto*: rilevanza (attinenza alla realtà), opportunità, accuratezza, interesse, significatività, profondità, autorevolezza nella materia trattata ecc.; (c) *interazione di forma e contenuto*: qualità artistica, soluzioni creative, tecniche di presentazione, chiarezza del messaggio e altri elementi correlati all'"arte"e alla "creatività". Alla base di questa triade vi è la ovvia considerazione che forma e contenuto, presi separatamente, non sono sufficienti a descrivere la qualità globale di un programma: questo può essere tecnicamente valido (secondo gli standard operativi del "mestiere"), ma avere povertà di contenuto, o viceversa; per cui i due elementi devono anche coesistere e interagire.

Dall'analisi di Albers emerge che, nei dodici premi considerati, il criterio di gran lunga prevalente è quello della forma, che assomma in media il 47 per cento di tutti i criteri usati nell'insieme dei premi (con punte fino al 77 per cento in taluni di essi). Segue l'interazione di forma e contenuto (32 per cento di media, con punte fino al 46 per cento), mentre solo terzo è il criterio del contenuto (21 per cento di media, ma in qualche caso non è neppure considerato). Sommando i criteri che in qualche modo hanno a che fare con la forma (cioè il primo e il secondo) si ha un totale del 79 per cento: per cui si può tranquillamente concordare con Albers che "la stragrande maggioranza dei concorsi richiede ai giudici di valutare soprattutto il *modo* in cui un programma è concepito e realizzato".

Questo non è certamente un fenomeno sorprendente, essendo i premi e i loro giurati espressione in prevalenza delle categorie professionali impegnate nella routine quotidiana del "mestiere": ed è anzi considerato per lo più un criterio appropriato dagli addetti ai lavori, al di là del cinismo negativo che taluni di essi esprimono nei confronti della validità e della serietà dei premi.

1.3. Sempre allo scopo di ricercare qualche "regola aurea" della qualità nel mondo professionale internazionale, dal Giappone giunge un suggerimento metodologico degno di attenzione. Sakae Ishikawa[7], infatti, fa notare che, sui programmi televisivi, si è già sedimentata tutta una serie di studi, valutazioni, commenti espressi da una varietà di fonti tecnico-professionali (ricercatori, critici, operatori televisivi a vari livelli ecc.): ma si tratta di materiali non organizzati, non unificati da standard metodologici per la scelta dei programmi, delle tecniche di analisi, dei soggetti investiti di questi compiti valutativi; inoltre, dalla loro natura per lo più descrittiva questi metodi vengono penalizzati rispetto ai più "scientifici" dati delle rilevazioni di audience, per cui sono sempre stati sottovalutati quali fonti di valutazione attendibile in senso generale (al di là del maggiore o minore successo che abbiano singolarmente riscosso).

Si impone, dunque, una rivalutazione di questi metodi di giudizio, attraverso la mobilitazione di *professionals* dotati di competenza ed esperienza, ai quali richiedere compiti di valutazione svolti su base regolare e con standard comunemente accettati; in questo quadro, i sondaggi sui telespettatori avrebbero un ruolo importante ma non "lasciato nel vuoto". Non si tratta di un'impresa ciclopica: non è necessario, infatti, analizzare la qualità di tutti i programmi di tutte le reti televisive, è sufficiente selezionarne un campione rappresentativo; inoltre, una frequenza annuale o semestrale dei giudizi può essere considerata congrua. Del resto, in molti campi dell'attività creativa (dalla pittura alla musica) sono proprio i professionisti, gli esperti, a fornire quei giudizi qualitativi che sono in grado di dare utili informazioni ai creativi. La televisione non dovrebbe essere un'eccezione.

2. Qualità "made in Usa" e "made in England"

2.1. In attesa che anche il mondo professionale trovi le sue "regole auree" della qualità, può essere utile andare alla scoperta di quello che pensano effettivamente, sull'argomento, coloro che operano dall'interno degli organismi televisivi; ancora più utile ciò diventa se realizzato all'interno dei due contesti – quello americano e quello britannico – che più di ogni altro e da più lunga data hanno elaborato tecniche di creatività e di produzione, spesso in acerrima contrapposizione in quanto espresse alla luce di concezioni diametralmente opposte del prodotto televisivo.

In una ricerca commissionata dal Comitato Peacock (istituito alla metà degli anni Ottanta dal governo britannico in merito al problema del finanziamento della Bbc), Blumler e Nossiter[8] hanno condotto un'indagine parallela tra l'Inghilterra e gli Stati Uniti, intervistando in profondità poco meno di duecento *professionals* (120 inglesi e 75 americani) tra produttori, registi, dirigenti di reti televisive e ricercatori. Nel complesso è curioso notare che, mentre Blumler afferma che esiste una "grammatica universale" della produzione televisiva, la ricerca complessivamente indica che il significato della qualità (cioè di quello che è, o dovrebbe essere, uno degli obiettivi fondamentali) nella produzione televisiva è assai poco universale.

Sul fronte britannico, Nossiter analizza la qualità da due punti di vista: l'eccellenza tecnica e il contenuto. Per quanto riguarda il primo aspetto, una delle sue conclusioni principali è che il significato del termine "valori produttivi" è assai diverso in Gran Bretagna e negli Stati Uniti: qui l'intento principale è la massimizzazione dell'audience attraverso tecniche di produzione sempre più sofisticate (uso delle star, *locations*, metodi di ripresa ecc.), mentre in Gran Bretagna il risultato di audience sarebbe soltanto un inevitabile prodotto secondario della qualità, la quale sarebbe il vero obiettivo principale. In generale, comunque, il dato più rilevante che emerge è che non si evidenzia alcun quadro valutativo omogeneo sul quale misurare l'eccellenza tecnica della produzione televisiva.

Un quadro omogeneo emerge invece, sorprendentemente, a proposito del secondo aspetto trattato, quello dei contenuti, che a prima vista sembrerebbero di natura assai più soggettiva. Dalle interviste di Nossiter risultano almeno tre elementi contenutistici sui quali vi è generale consenso in Gran Bretagna: (a) *chiarezza di obiettivi* da parte della produzione (sulla storia, sui problemi che essa implica, sui problemi che solleva, sui personaggi, sugli effetti che si desidera suscitare nel pubblico); (b) *innovazione* nell'uso del mezzo televisivo (creazione di nuove forme, soluzione di problemi comunicativi in modo da ampliare gli orizzonti conosciuti); (c) *rilevanza del contenuto* per la realtà contemporanea, nel senso che costituisca uno stimolo alla riflessione sui problemi che ci circondano, ma attraverso un approccio "obliquo", senza cioè che il programma si trasformi in un sermone o in un'arringa.

La situazione *nel contesto americano* è descritta da Blumler, il cui saggio (molto negativo) è focalizzato sugli effetti che la pubblicità e la "febbre degli ascolti" producono sulla qualità. Le conclusioni generali di questa ricerca portano Blumler a sostenere che la concentrazione del sistema competitivo americano sugli indici di ascolto agisce in senso restrittivo nei confronti delle "tipologie di qualità" che possono essere perseguite, ed elimina i "richiami alla qualità" nei processi decisionali, almeno come elementi autonomi delle decisioni stesse (il che è chiaramente agli antipodi di ciò che Nossiter afferma a proposito della tv inglese, dove la qualità sarebbe il fine e l'audience solo un prodotto secondario). Blumler lo fa dire direttamente a Grant Tinker, che è stato anche presidente del network Nbc, il quale racconta che una volta, dopo aver visto il "pilota" di un nuovo programma, ha dovuto decidere che non si poteva trasmettere perché era "un po' *troppo buono*".

Secondo lo studioso inglese, i professionisti della televisione americana hanno difficoltà a parlare di criteri di qualità in astratto. La qualità è spesso equiparata ad uno strumento per "accontentare e mantenere una grande audience", ma senza standard tecnici o di contenuto chiaramente articolati. Questo è ad esempio un passo molto significativo della dichiarazione di un dirigente televisivo che si occupa di *entertainment*: "Molti film e programmi televisivi sono sul nulla. Se ti siedi al tavolo con un regista, o un produttore, o uno scrittore di una serie o di un film e gli chiedi: di che cosa parla? perché lo facciamo?, la maggior parte delle risposte sarà del tipo: beh, una bella storia su un ragazzo e una ragazza... e bla bla bla. E tu insisti: ma che cosa cerca di dire? che cosa realmente dicono questi personaggi al pubblico? quali sono i pensieri o i sentimenti che cerchiamo di suscitare, al di là delle risate? Sono le domande più terrorizzanti che puoi fare".

Gli unici "traguardi qualitativi" che Blumler riconosce alla televisione americana sono costituiti dal buon livello dell'*entertainment*, dalla lucida autorevolezza dei telegiornali serali, dalla puntigliosa severità dei *newsmagazines* televisivi, dall'interesse puntuale dei talk-show domenicali dei network principali, dal modo in cui sono trattati temi sociali rilevanti in alcuni film *made-for-television*. Ben poca cosa, in confronto al giudizio generale di mancanza assoluta di standard qualitativi indipendenti dagli indici di ascolto.

Un apprezzamento britannico della televisione americana era invece venuto, due anni prima della ricerca di Blumler e Nossiter, da una serie di saggi promossi dal British Film Institute per analizzare la "televisione di qualità" uscita da una delle più prestigiose case di produzione americane, la Mtm di Grant Tinker. L'attenzione era volta in particolare a una delle serie americane universalmente più apprezzate, *Hill Street Blues,* creata dal "genio" di Steven Bochko: capace, tra l'altro, di affrontare alcuni temi scottanti (come ad esempio la brutalità della polizia) in modo non diretto e pedante, da crociata *liberal,* ma inserendo creativamente la serie negli ambienti che meglio esprimono l'emergere di certi problemi (quella tecnica dell'"obliquità" così cara ai *producers* inglesi) e lasciando a tali ambienti tutta la loro complessità, senza cadere nel rischio di facili schematismi[9]; tutto ciò fa sì che lo spettatore debba "guardare attivamente" il programma e non semplicemente farselo scorrere davanti agli occhi[10].

In realtà, non si trattava di una ri-valutazione generale della televisione americana da parte britannica, quanto piuttosto dell'uso di tradizionali criteri di qualità (che si richiamano alla contrapposizione tra "artistico" e "industriale", anche se entrambi questi termini sono usati per lodare la produzione Mtm), i quali vengono applicati a un ristretto numero di programmi televisivi indubbiamente pregevoli, prodotti da un'unica istituzione commerciale statunitense, vista come "l'eccezione che conferma la regola"[11].

2.2. Una sorta di "risposta" americana alle concezioni della qualità inglese è contenuta in un'approfondita ricerca di Albers[12], che ha intervistato alcuni professionisti del mondo televisivo americano (dirigenti, *producers,* registi, sceneggiatori), appartenenti sia al settore commerciale sia a quello pubblico, e tutti coinvolti ai più alti livelli decisionali. In via generale, lo studioso americano ritiene – contrariamente a quanto sostenuto da Blumler e Nossiter – che questi professionisti sono "del tutto capaci di articolare criteri personali di qualità", anche se nessuno di loro ha un preciso e sistematico quadro valutativo su cui basare il proprio lavoro, e anzi ognuno sembra piuttosto orgoglioso della sua soggettività e unicità. Afferma ad esempio Steven Bochko: "Un sacco di decisioni sono inconscie, e penso che ricadano nel regno del puro talento". E Gerry Abrams, della Hearst Entertainment, aggiunge che questo mestiere è come quello del giudice: "Lo so quando lo vedo". Secondo Albers, inoltre, in generale questi professionisti appaiono interessati alla "qualità", e si danno da fare per ottenerla, ciascuno nel proprio campo: non si tratta insomma di gente preoccupata soltanto di massimizzare i profitti (tesi di Blumler), anche se tutti fanno in qual-

129

che modo riferimento alle pressioni economiche che li vincolano.

Le interviste di Albers prendono proprio lo spunto dai risultati del citato studio di Blumler e Nossiter, e in particolare dall'affermazione secondo cui i produttori americani enfatizzano i cosiddetti "valori produttivi" (cioè, in parole povere, tutto ciò che contribuisce a far salire i costi) a spese della qualità, nella loro ricerca di audience sempre più vaste. Alcuni degli intervistati si sono limitati a dire (come Steve Bochko) che si tratta semplicemente di "nonsense". Altri hanno affermato che la critica degli studiosi britannici è radicata in una sorta di "complesso di inferiorità" dovuto al minore livello di capacità produttiva in Europa, a causa della scarsità di denaro e anche di talenti. Nell'opinione di quasi tutti, alti "valori produttivi" contribuiscono a realizzare una televisione di qualità, anziché abbassarne lo standard: perché il costo di un programma è un mezzo per raggiungere il fine di renderlo credibile, per creare e sostenere l'illusione sulla quale il pubblico basa la sua accettazione o il suo rifiuto del programma stesso. E poco importa se tutto ciò avviene per ragioni di competizione.

Nonostante che nessuno degli intervistati sia riuscito – come si è detto – a strutturare uno specifico sistema valutativo per l'analisi della qualità, dall'insieme dei colloqui sono emerse numerose concordanze, che hanno permesso di formulare cinque grandi categorie di criteri pertinenti alla qualità, che costituiscono le principali "preoccupazioni" del mondo professionale americano. Data l'importanza della ricerca, riteniamo opportuno soffermarci dettagliatamente su questi aspetti.

(a) *Elementi di forma*. Vi è sostanziale accordo tra gli intervistati sul fatto che un'alta professionalità tecnica debba non essere posta in particolare evidenza ma passare quasi inosservata, come elemento implicito ma fondamentale del programma. Sei aree formali sono state discusse in profondità.

Testi. La stesura dei testi è l'area menzionata più frequentemente, come elemento essenziale per la qualità di un programma. Grant Tinker parla degli sceneggiatori della Mtm come dell'"essenza della casa produttrice". David Jacobs, creatore di *Dallas*, afferma che "la televisione appartiene assolutamente a chi scrive". Saper raccontare una storia (la capacità di *storytelling*) sembra dunque essere il punto focale per la qualità di un programma, non solo di fiction.

Montaggio. Il miglior montaggio, ribadiscono i professionisti del settore, è quello che non si nota. Secondo Steven Bochko un montaggio è perfetto quando il montatore segue e "onora" il ritmo che il materiale girato gli detta.

Recitazione degli attori e talento delle personalità televisive. Nella fiction prevale "la logica del comportamento" (Bochko), ma anche "la capacità di immergersi nella situazione" (Harvey Shepard, Warner Brothers Television), e pure "l'abilità di nascondere la recitazione" (Hugh Wilson, Columbia Pictures Television). Negli altri programmi, appare essenziale la cosiddetta "presenza in video", cioè il reciproco rapporto di piacere tra la personalità e la telecamera (Patterson Denny, Wttw di Chicago).

Luci. La migliore luce è quella che non attira attenzione su di sé, che è perciò reale e naturale, che non si scontra con il tono della storia (Bochko).

Fotografia. La qualità della fotografia in televisione ha dimensioni che sono tecniche (equilibrio dei colori, esposizione ecc.) e dimensioni che sono interpretative ed estetiche. L'industria deve presumere che un cameraman professionista disponga delle doti tecniche, ma di certo non tutti lavorano in modo artistico. Una buona fotografia facilita il montaggio; per Jacobs, addirittura, "un buon direttore della fotografia è più importante in televisione che al cinema".

Regia. Un regista televisivo di talento è quello che aggiunge sempre qualcosa alla pagina scritta (Shepard), che dà il suo tocco alla credibilità dell'illusione. A proposito del regista, Bochko ribadisce il suo concetto della "logica di comportamento" degli attori in scena, anche nei minimi particolari: è lui che ne è responsabile, nel bene e nel male

(b) *Elementi di contenuto*. Ne sono emersi due, con particolare evidenza nelle dichiarazioni degli intervistati.

Tema significativo. I professionisti dell'inchiesta di Albers sono apparsi divisi sul valore di questo criterio ai fini della determinazione della qualità. Sei intervistati ritengono che esso sia importante, ma la maggioranza pensa che un programma deve essere unicamente giudicato per i propri meriti, per il fatto che raggiunga i propri fini. Il manager Chuck Larsen sostiene addirittura che la rilevanza sociale di un argomento è talvolta controproducente per il ritorno finanziario; dall'altro lato Grant Tinker ricorda che una

131

buona serie televisiva (come ad esempio *Cheers* o *All in the Family*) è sempre "su qualcosa", e non si riduce semplicemente a mettere in fila battute su battute.

Trattamento "obliquo" del tema. Gli intervistati hanno avanzato numerosi esempi (da *Cagney and Lacey* per il problema del lavoro femminile in un mondo maschilista, a *Knots Landing* per gli abusi sui minori) a dimostrazione del fatto che i temi rilevanti (di importanza sociale, politica ecc.) sono espressi in modo assai più efficace se si evita di presentarli in maniera diretta, semplicistica e "predicatoria".

(c) *Qualità "artistica".* Molti hanno parlato di "miscuglio chimico", di "alchimia" (Bochko), quale ingrediente finale in grado di far sì che "la somma sia maggiore dei suoi addendi". Per Grant Tinker si tratta di "una combinazione di mestiere, fortuna, contenuto, gente giusta e tempo, che porta la tv nel regno dell'arte".

(d) *Rapporto con il pubblico.* Tutti gli intervistati della ricerca di Albers hanno parlato a lungo del loro rapporto con i telespettatori, unanimemente considerato un fattore importantissimo. Sono emersi tre temi in particolare.

L'approccio al telespettatore. Una televisione di qualità rispetta la sua audience, non è cinica (David Jacobs), non si "parla addosso", non cerca il "minimo comune denominatore", non fa mostra di "gettare le perle ai porci" (Zev Braun, *producer*); intrattiene e informa, non fa prediche ma mostra le cose e i fatti, è accurata e di conseguenza suscita l'interesse di molte persone. È interessante notare che sia per la fiction sia per i programmi informativi un elemento comune è considerato una buona combinazione di intrattenimento e di coinvolgimento conoscitivo nei confronti del telespettatore: in particolare, nei programmi di fiction intrattenere è un obbligo, che però non si sposa necessariamente con una totale vacuità dei testi; negli altri programmi, l'intrattenimento fa da supporto all'informazione rendendola interessante, affascinante, mai noiosa o ripetitiva.

La "presa" sul pubblico. Il primo, elementare ma indispensabile effetto è quello di "catturare il telespettatore" e prevenire un rapido cambio di canale, il tutto in pochi secondi: per alcuni è necessario "colpire l'audience con qualcosa di inaspettato" (Grant Tinker, parlando di Bochko e del suo lodatissimo *L.A. Law*); per altri conta la storia più del modo in cui è raccontata. Il problema successivo è quello di mantenere l'audience una volta catturata, nella piena consapevolezza di quanto labile sia la prima presa sul pubblico: qui sono importanti gli alti "valori produttivi", per evitare che le immagini degli spot pubblicitari facciano apparire povere e terribili quelle del programma da essi interrotto (Jacobs); qui sono pure fondamentali la capacità di attrazione dei personaggi e l'interesse "stringente" dell'argomento.

Gli effetti sul pubblico. Colpire il telespettatore con una qualche emozione è stato l'elemento citato da quasi tutti gli intervistati. Ma per molti di essi una buona televisione dovrebbe anche essere capace di far pensare, di guardare alle cose in modo diverso (Tinker), ponendo domande provocatorie senza rispondere a esse (Bochko), aprendo una breccia che si espande anche oltre la durata del programma (Jacobs). E infine un altro gradino di effetti, quello che si riferisce alla reazione concreta del pubblico, alla possibile modificazione del suo comportamento in seguito al programma: molti hanno indicato questo elemento tra i parametri della qualità, sia che esso si estrinsechi semplicemente nello scrivere una lettera ai curatori del programma, sia che esso contribuisca a modificare un'azione individuale o la politica di una città.

(e) *Successo commerciale.* Molti dei professionisti intervistati da Albers hanno posto l'accento sul fatto che la televisione è prima un business e poi un'arte. Le diverse posizioni a questo proposito spaziano da una semplice tolleranza del lato commerciale (specie da parte degli esponenti del settore pubblico americano) all'insistenza su un concetto di qualità definito in termini di successo economico. Ma molti hanno affermato che la loro prima preoccupazione è di produrre programmi dotati di qualità (Bochko: "La televisione è un medium per vendere... ma non mi preoccupo, e faccio quel che faccio nonostante ciò"), anche se la soddisfazione delle esigenze economiche e le pressioni per gli ascolti finiscono per accrescere l'equilibrio della qualità complessiva. Altrimenti – nota Grant Tinker accostando un programma sofisticato come *Hill Street Blues* a uno più popolare come *A-Team* – senza questa misurazione quantitativa vi sarebbe troppa presunzione professionale nello stabilire che cosa sia la qualità per il pubblico. O anche: "La qualità è importante, ma se nessuno la guarda può diventare irrilevante" (Elizabeth Richter, Wttw di Chicago).

133

2.3. Se il mondo professionale americano dedica particolare attenzione agli elementi di forma, alla qualità "artistica", alla presa sul pubblico e al successo commerciale, in Gran Bretagna – come già si è accennato – ci si preoccupa soprattutto del problema dei contenuti, nella ricerca della qualità dei programmi. Ciò emerge con grande evidenza in un rapporto del Broadcasting Research Unit, una istituzione indipendente fondata nel 1980 e finanziata, tra gli altri, da Bbc, Iba, British Film Institute[13]. Commissionato a undici esperti e poi pubblicato anonimo, il rapporto riflette un'impostazione paternalistica (anzi, si potrebbe dire "da padre nobile"), un poco sussiegosa, volutamente "reithiana" (come dicono in Gran Bretagna riferendosi al primo, severo presidente della Bbc, John Reith). Ma si tratta pur sempre di un notevole contributo "filosofico" sulla qualità televisiva, per cui – al di là della maggiore o minore adesione che le sue tesi possono suscitare – anche in questo caso riteniamo opportuno di esaminarne dettagliatamente le principali affermazioni, suddividendole in tre campi di applicazione principali: la politica di offerta, le strutture emittenti, i programmi.

(a) *Qualità nella politica di offerta*. Una televisione di qualità offre una varietà di scelte, una gamma di argomenti e di livelli di approccio che sia costantemente la più ampia possibile; e dovrebbe essere valutata in primo luogo dalla sua capacità di offrire tale globalità di servizi. In altri termini, una rete che offra solo Shakespeare, documentari sulla natura e illuminanti colloqui con il primo ministro non costituirà un "buon servizio", anche se ciascuno di questi programmi è di altissimo livello. Il problema quindi non è tanto che esistano programmi come *Dallas* o *Neighbours*, quanto il fatto che, senza un'organizzazione sensata del palinsesto, la varietà finirà col diminuire: la programmazione deve essere organizzata in modo da garantire a ogni tipo di iniziativa l'accesso a ogni tipo di pubblico.

La collocazione temporale dei programmi non deve essere stabilita unicamente ai fini di massimizzare l'ascolto, e comunque non sempre; ma piuttosto con l'intento di offrire uguali opportunità di soddisfazione al maggior numero possibile di gusti e di interessi, in fasce orarie buone. In altri termini, bisogna evitare che la tendenza ad aggregare grandi masse di pubblico, tipica del mezzo televisivo, finisca con l'eliminare ogni possibilità di scelta veramente alternativa nelle fasce orarie più popolari.

Una programmazione di qualità non valuta aprioristicamente i telespettatori sulla base di quello che presume sia il loro livello intellettuale, ma parte dal presupposto che sia possibile stimolare l'immaginazione di ogni tipo di pubblico, anche se in modi e momenti diversi. In tal senso, essa mira costantemente a rinnovare le formule, piuttosto che a ripeterle; assume rischi, "spinge la barca al largo", estende le frontiere, prende di sorpresa se stessa e il pubblico per quello che riesce a fare di buono. La stagnazione, dunque, la rincorsa delle "formule sicure" così cara a molti *broadacsters*, non costituisce una scelta di qualità: "il trecentesimo episodio della stessa *situation comedy*, infatti, sarà inevitabilmente peggiore del terzo". Ma l'esplorazione del nuovo non deve necessariamente aver luogo con un programma sull'artigianato in Bolivia né con una trasmissione musicale dalle inquadrature iper-sofisticate: una commedia televisiva può, a questo proposito, valere quanto un programma di attualità, con il vantaggio di risultare attraente a un pubblico molto più vasto.

In questa opera, si trarrà incoraggiamento dal fatto che la maggioranza delle persone sono disponibili a sperimentare nuovi generi di programmi e non si accontentano della semplice ripetizione di materiali che già sanno essere di proprio gusto. Ma occorre ricordare che risvegliare facoltà latenti richiede tempo, mentre confermare gli istinti più antichi e il gusto o la conoscenza già esistenti costituisce un processo istantaneo. D'altronde, come possiamo sapere ciò che desideriamo, se non sappiamo ciò che può esserci offerto? La dedizione alla qualità implica allora la distinzione tra sincero e falso populismo: i canali che decidono di trasmettere programmi solo per gli spettatori già acquisiti rinunciano a utilizzare gran parte delle potenzialità di questo mezzo.

In quei settori in cui può essere autosufficiente, ciascun paese dovrebbe fare appello in primo luogo e soprattutto ai propri operatori. Certamente, gli scambi internazionali esisteranno sempre, e i fornitori "globali" di programmi popolari troveranno ovunque un mercato per le loro merci; ma "l'offerta dall'estero dovrebbe avere il ruolo delle spezie, e non del pasto principale". Un dato interessante ed eloquente è che, anche se milioni di persone guardano *Dallas*, *Neighbours* e altri programmi di importazione, gli stessi affermano di preferire i programmi prodotti nell'ambito della loro cultura e società, se sono in grado di offrire analoghi livelli tecnico-produttivi.

Per tutti questi aspetti, la televisione di qualità non appare di certo come qualcosa che le forze del mercato, lasciate completamente a se stesse, siano in grado (o desiderose) di garantire.

(b) *Qualità delle strutture emittenti.* La qualità delle emittenti è di importanza capitale ai fini del mantenimento di standard elevati in televisione. La storia di questo mezzo è ormai lunga abbastanza perché la comunità professionale possieda sicure tradizioni etiche e deontologiche: le tradizioni, tuttavia, necessitano di un'espressione istituzionale, e le istituzioni sono sempre soggette al rischio di corruzione, specie nei loro meccanismi di ricompensa in termini di ricchezza, potere e status. Ecco allora emergere i concetti di "virtù televisiva" e di "coscienza televisiva", elaborati all'interno della comunità professionale e da questa sostenuti: non si tratta ovviamente di qualità individuali, ma del modo corretto di definire "il nostro rapporto con quelle persone con cui condividiamo gli obiettivi e gli standard che ispirano la nostra pratica professionale". Tra l'altro, il fatto di appartenere a una comunità con obiettivi condivisi può rinsaldare l'integrità, così come può farlo la sensazione di operare nell'ambito di saldi e precisi standard professionali, che aiutino a definire le aspettative degli operatori nei confronti dei colleghi. In questo quadro, essere aperti alla critica e al dibattito, e reagire in modo costruttivo alle obiezioni provenienti dall'esterno e dall'interno, contribuisce all'affinamento degli standard e alla loro interiorizzazione da parte degli operatori stessi.

In tale quadro, le qualità necessarie sono essenzialmente "morali" (in senso lato). Tra queste, essere fedeli alla verità, ma dare prova di contegno, di misura, evitando di affrontare un argomento solo nelle sue manifestazioni più estreme e eccentriche, o secondo il proprio esclusivo punto di vista. Avere coraggio (non come motore di scandalo o come imposizione artistica o tecnologica, ma come capacità di mantenere la propria integrità malgrado tutte le tentazioni a fare il contrario) e al tempo stesso rispettare sia i limiti dell'argomento, sia la personalità dei partecipanti al programma, sia le esigenze del pubblico a casa (nel senso di non sottovalutarne l'intelligenza o la sensibilità e di non approfittare del "rispetto aprioristico" che esso dimostra nei confronti di ciò che gli viene offerto tramite il televisore). Essere dunque in contatto con i gusti dei telespettatori, ma nel contempo mantenere la capacità di stimolare la loro immaginazione e "celebrare" la loro diversità.

Infine, occorre ricordare che gli standard di comportamento costituiscono l'espressione concreta della coscienza pubblica, elaborata in modo collettivo e applicata a livello individuale. La qualità implica la presenza percettibile di tali standard nei prodotti culturali che vengono trasmessi via etere. Nella misura in cui ciascuno di noi è un insieme di speranze, paure e rimpianti, industriosità e pigrizia, crudeltà e gentilezza, l'attrattiva di ciascun programma dipenderà dal tono, dall'intensità e dalla discrezione che lo caratterizzano. "In televisione, niente è più facile da conseguire del successo di audience: per ottenerlo basterà riuscire a risvegliare la paura, la crudeltà e l'ottuso manicheismo che albergano in ciascuno di noi. Tali 'presenze oscure', infatti, fanno parte della natura umana. Basterebbe reintrodurre la pena di morte e trasmettere ogni settimana l'esecuzione di un condannato, per relegare programmi come *Eastenders* e *Coronation Street* (serie televisive che sono campioni di audience in Gran Bretagna, n.d.a.) al secondo o terzo posto nelle classifiche degli ascolti".

(c) *La qualità dei programmi: informazione e attualità.* Per quanto riguarda i programmi "fattuali" – notiziari, attualità, rotocalchi televisivi e documentari – lo standard principale è la ricerca di imparzialità. I fatti, quando ci sono, devono essere indagati con sensibilità e responsabilità, trattati con cura, riportati in modo accessibile, inseriti nel loro contesto ("le notizie non appartengono solo al presente, ma hanno anche radici nel passato"); la loro presentazione deve essere onesta, veritiera e lineare, e deve costantemente valutare il peso che assumono sia l'ordine delle notizie sia i diversi codici verbali e visivi, evitando di nascondere le carenze di analisi con abili trucchi (uso di immagini o suoni strazianti, giustapposizione degli eventi ecc.), senza per questo dover rinunciare a migliorare la qualità del programma facendo appello ai diversi sensi del telespettatore.

Le opinioni dovranno venire espresse con equità ed essere sempre accompagnate da punti di vista alternativi, evitando il rischio che siano presentate come idee prevalenti e acquisiscano quindi lo status di fatti. La loro qualità, e quella dei ragionamenti relativi, dovranno essere controllate scrupolosamente, non cedendo alla tendenza così diffusa di confondere l'enunciato con l'enunciazione, il pensiero con la personalità (sensazionale, provocatoria ecc.) di chi lo esprime.

137

L'obiettivo complessivo degli operatori dovrà essere quello di facilitare la comprensione del reale da parte del pubblico, nonché la sua possibilità di farsi un'opinione personale sulle questioni più salienti. Tale risultato sarà raggiunto attraverso un'offerta equilibrata, organizzata secondo criteri che, specie nei confronti dell'autorità, configurano una posizione di "scetticismo indipendente". A tal fine, non dovrà essere soppresso alcun tipo di materiale disponibile, la cui inclusione nel programma possa smentire fatti, asserzioni o analisi presentati nel programma stesso.

È necessario evitare a tutti i costi che, al fine di soddisfare un presunto interesse popolare per la cronaca e per i "casi umani", gli operatori dell'informazione televisiva si lascino intrappolare nei meccanismi perversi del sensazionalismo, del falso dibattito, del dibattito-rissa, al solo scopo di massimizzare l'ascolto. Stabilire una linea di demarcazione è difficile, ma fortunatamente esiste già un criterio largamente applicato: quello dell'"interesse pubblico", dove pubblico non significa "di una (presunta) maggioranza", ma "per il bene del pubblico" (ed è ai responsabili di un programma che spetta l'onere della prova che l'interesse per un "caso umano" corrisponda all'interesse pubblico).

(d) *La qualità dei programmi: fiction.* Nel trattare i programmi di fiction dobbiamo abbandonare il requisito dell'imparzialità. In questo genere, infatti, è spesso più importante *non* essere imparziali, ma offrire un prodotto stimolante che lasci spazio alla controversia, alla sperimentazione e al dissenso. Il responsabile della produzione dovrà però valutare l'integrità dell'intenzione artistica, accertata la quale si può anche correre il rischio di fare errori (l'originalità e la creatività non possono essere tenute "alla frusta").

Al fine di ottenere l'attenzione e la risposta degli spettatori, la fiction drammatica potrà richiedere passione e crudezza, combinate però a rispetto e semplicità: qualità non significa necessariamente scene e costumi preziosi, luci sofisticate e costose colonne sonore originali. La fiction di evasione, invece, dovrà essenzialmente intrattenere, ma anche dar prova di rispetto nei confronti delle persone coinvolte, evitando di "considerare il mondo e i suoi abitanti come poco più che materie prime con cui fare i programmi"; nonché possedere inventiva, senso dell'umorismo e arguzia, in piena libertà rispetto agli "ordini gerarchici superiori" (siano essi interni al sistema o provenienti da ambiti politici, finanziari, commerciali).

(e) *La qualità nell'informazione e nella fiction per quanto riguarda sesso e violenza*. I temi, così particolari e importanti, del sesso e della violenza devono essere affrontati con un obiettivo in mente: la comprensione di noi stessi. La qualità, ancora una volta, non presuppone la negazione della realtà, bensì il suo trattamento con intenti di apertura, veridicità e equilibrio; con capacità di rispondere ai cambiamenti del gusto e delle "maniere" (cioè di quello che in ciascuna epoca viene considerato "accettabile"), evitando però di cadere nello sfruttamento, nel falso estetismo, nell'artefatto.

L'uso di materiale scioccante può essere giustificato "se serve ad aprirci gli occhi" su ciò che succede nel mondo, sollecitando la nostra reazione e comprensione. È importante evitare turbamenti o danni non necessari agli spettatori, ma a questo proposito l'ultima parola dovrà spettare ai reponsabili della produzione e a quelli dell'emittente, non a una autorità esterna: la libertà di espressione è un assioma della democrazia, e l'onere della prova ricade in questo caso su coloro che vogliono limitarla.

NOTE BIBLIOGRAFICHE

[1] L. Brown, "A Quantity of Quality", *Channels*, giugno 1987.

[2] R. Albers, "Quality in Television from the Perspective of the Professional Program Maker", *Studies of Broadcasting*, n. 28, 1992, pp. 8-9.

[3] Si fa qui riferimento a: G. Millerson, *The Technique of Television Production*, London e Boston, Focal Press, 1985 (undicesima edizione); G. Kindem, *The Moving Image: Production Principles and Practices*, Glenview, Illinois, Scott Foresman and Company, 1987; A. Wurtzel e S.R. Acker, *Television Production*, New York, McGraw-Hill, 1989 (terza edizione); T.D. Burrows, D.N. Wood e L.S. Gross, *Television Production Disciplines and Techniques*, Dubuque, Iowa, Wm. C. Brown Publishers, 1989; A.A. Armer, *Directing Television and Film*, Belmont, California, Wadsworth Publishing Company, 1990 (econda edizione); H. Zettl, *Sight Sound Motion - Applied Media Aesthetics*, Belmont, California, Wadsworth Publishing Company, 1990 (seconda edizione); D.L. Smith, *Video Communication: Structuring Content for Maximum Effectiveness*, Belmont, California, Wadsworth Publishing Company, 1991.

[4] R. Whittaker (a cura di), "Production Critique Criteria: Judging the Complete Production", *Video Field Production*, Mountain View, California, Pepperdine University/Mayfield Publishing Co., gennaio 1991, vol. 2, n. 6-7.

[5] Regolamento del Prix Italia, Roma, Rai, 1993.

[6] R. Albers, op. cit., pp. 15-27.

[7] S. Ishikawa, "The Assessment of Quality in Broadcasting: Research in Japan", *Studies of Broadcasting*, n. 27, 1991, pp. 15-17.

[8] Si fa riferimento principalmente a due testi: J.G. Blumler, T.J. Nossiter e M. Brynin, "Broadcasting Finance and Programme Quality: An International Review", *Research on the Range and Quality of Broadcasting Services*, London, Her Majesty's Stationery Office, 1986; e J.G. Blumler, "Television in the United States: Funding Sources and Programming Consequences", *Research on the Range and Quality of Broadcasting Services*, London, Her Majesty's Stationery Office, 1986.

[9] P. Kerr, "The Making of (the) Mtm (Show)", in J. Feuer, P. Kerr e T. Vahimagi (a cura di), *Mtm "Quality Television"*, London, Bfi Publishing, 1984, pp. 61-98.

[10] S. Jenkins, "Hill Street Blues", in J. Feuer, P. Kerr e T. Vahimagi, op. cit., pp. 183-199.

[11] K.C. Schrøder, "Cultural Quality: Search for a Phantom? A Reception Perspective on Judgements of Cultural Value", in M. Skovmand e K.C. Schrøder (a cura di), *Media Cultures - Reappraising Transnational Media*, London e New York, Routledge, 1992, p. 201.

[12] R. Albers, op. cit., pp. 33-59.

[13] Broadcasting Research Unit, *Quality in Television - Programmes, Programme-makers, Systems*, London e Paris, John Libbey, 1989.

III.

VERSO UNA CONCEZIONE GLOBALE
E SISTEMATICA DELLA QUALITÀ IN TV

1. I molteplici aspetti del problema-qualità

1.1. Finora ci siamo occupati di due specifici aspetti del problema della qualità: la qualità dei programmi e della programmazione così come viene "giudicata" dai telespettatori attraverso i loro comportamenti di ascolto e le loro valutazioni esplicite; e la qualità della produzione e dell'emissione così come viene interpretata dalla comunità professionale (o meglio, dalle diverse "scuole di pensiero" che la rappresentano di qua e di là dall'Oceano).

Ciò era necessario proprio per conoscere le molte sfaccettature di quello che è il carattere essenziale della qualità e che noi abbiamo messo in risalto fin dalle prime pagine di questo volume: la sua non riducibilità a un criterio prevalente di "fare" o di consumare televisione, a un "principio dominante" migliore o più forte di altri, dal momento che – ricordiamolo – essa non esprime un valore assoluto ma un valore relazionale: identificato questo da una serie di standard, ancorati a una serie di norme, le quali a loro volta sono legate a dei valori fondamentali caratterizzanti una certa società o un certo gruppo.

Ora dobbiamo vedere se, partendo dagli elementi sparsi che abbiamo fin qui raccolto, con uno sforzo creativo e organizzativo allo stesso tempo, sia possibile giungere a una concezione globale e sistematica della qualità televisiva; una concezione che – sempre tenendo fermo il valore relativo e non assoluto della qualità – cerchi di abbracciare tutti gli aspetti che compongono l'attività televisiva: quindi non solo la qualità dei programmi (il tema, come si è visto, più tradizionale e dibattuto in materia), ma anche la qualità delle strategie di offerta delle emittenti, nonché la strutturazione qualita-

141

tiva delle emittenti stesse e la qualità politico-normativa dei sistemi televisivi.

1.2. Ma prima di affrontare questo gradino finale nella costruzione del rapporto tra televisione e qualità, dobbiamo ancora esaminare un altro aspetto del nostro tema. Finora abbiamo parlato, semplicemente e genericamente, di "qualità", dando a questo termine una (implicita) *valenza essenzialmente etico-estetica*. Ora si tratta di prendere in considerazione anche un'altra dimensione, quella che potremmo definire *spazio-temporale*, la quale si esprime attraverso la "diversificazione" dell'offerta televisiva (*range, diversity* nella terminologia inglese), cioè attraverso una variabile di atteggiamenti e comportamenti comunicativi che ha nella molteplicità e nel pluralismo le sue caratteristiche principali. Soltanto dall'insieme di queste due componenti (appunto, etico-estetica e spazio-temporale) noi potremo ottenere quel concetto di qualità più ampio e sistematico che è il nostro obiettivo: l'una e l'altra, da sole, non sono sufficienti a garantire che il sistema, nel suo complesso, sia un sistema di qualità.

Va detto che talvolta la diversificazione è stata identificata *sic et simpliciter* con la qualità (di un palinsesto, di un'emittente, di un sistema televisivo nel suo complesso). Ma in realtà, tra qualità dell'offerta e diversificazione dell'offerta – già non coincidenti, come si è visto, nella loro natura – esiste una differenza metodologica fondamentale. La qualità può essere solo "riconosciuta", e in via provvisoria, sulla base di giudizi così soggettivi da essere potenzialmente conflittuali (Warnock[1] puntualizza che la qualità "non può essere specificata precisamente in anticipo", dal momento che "la buona televisione è creativa, e deve essere sempre in grado di sorprenderci"). L'ampiezza, la diversificazione dell'offerta è invece sempre valutabile attraverso una misurazione con criteri empirici (ore dedicate alle diverse tipologie e categorie di programmi, e di conseguenza risorse investite in esse ecc.) che permettono di calcolarla precisamente: sia all'interno di un singolo canale (è la cosiddetta *diversificazione "verticale"*), sia nel complesso delle emittenti di un sistema (*diversificazione "orizzontale"*).

2. La diversificazione dell'offerta come elemento di qualità

2.1. Questa dimensione spazio-temporale della qualità può avvalersi di un ampio filone di studi americani, che ha concentrato la propria attenzione proprio su tale concetto, misurandolo con un "indice di diversificazione" (*Di, diversity index*) sul quale si sono esercitate schiere di metodologi e di statistici proponendo via via soluzioni diverse (indice di Dominick e Pearce, "entropia relativa", indice di Herfindahl ecc.). Bisogna peraltro ammettere che i risultati non sono stati all'altezza degli sforzi profusi: come nota Litman[2], mentre in superficie si è trovato un accordo abbastanza generalizzato sulla natura di ciò che chiamiamo diversificazione/varietà, la sua concreta misurazione è mutata notevolmente, così come è mutato il suo ipotizzato rapporto con le strutture del mercato e il comportamento del consumatore, al punto che essa rimane un concetto piuttosto confuso e frainteso.

La domanda di fondo cui si cerca di dare risposta è, in realtà, molto semplice: in un sistema televisivo, una maggiore pluralità di fonti garantisce una maggiore diversificazione dell'offerta? Si tratta, in altre parole, di determinare quel fenomeno che Greenberg e Barnett[3] battezzarono come "elasticità della diversificazione", secondo cui, appunto, da una modificazione nel numero dei canali disponibili scaturisce una proporzionale modificazione nella diversità della programmazione e, di conseguenza, nelle possibilità di scelta del pubblico. Una prima risposta positiva provenne nel 1968 da uno studio di Land[4] su un mercato locale, dove l'aumento da una a sei delle stazioni commerciali presenti risultò aver portato a un incremento del 20 per cento nell'indice di diversificazione (sia pur con progressi sempre minori ad ogni successiva "entrata"). Questi risultati furono confermati e ampliati nel 1971 da Levin[5], con una ricerca su 88 mercati locali americani e 279 stazioni, dalla quale emerse anche un nuovo aspetto molto importante: e cioè che l'introduzione di una emittente *educational* sul mercato portava a una crescita dell'indice molto superiore rispetto a quella prodotta dall'ingresso di una stazione commerciale (a causa della "naturale" propensione di quest'ultima a duplicare semplicemente i generi di programmi già esistenti e più forti, provocando meno diversificazione).

Questi risultati, di per sé non certo rivoluzionari, si inserivano però in un acceso dibattito teorico sviluppatosi negli Stati Uniti su monopolio vs. pluralismo delle fonti emittenti nei singoli mercati. I sostenitori del monopolio si ricollegavano all'influente posizione di Steiner[6], risalente all'inizio degli anni Cinquanta: nel suo modello teorico, ancora riferito all'industria radiofonica ma trasferibile a quella televisiva, questo studioso sosteneva che il pubblico preferisce spegnere l'apparecchio quando la sua "prima scelta" non è disponibile; e che, soprattutto, la competizione tra diverse emittenti forza le stesse a duplicare i generi e le formule trainanti, piuttosto che introdurre scelte per le minoranze; mentre un monopolista che controlla tutti i canali non ha alcun interesse a duplicare i generi e le formule, perché la sua convenienza sta nell'offrire sempre a tutti gli strati di pubblico la loro "prima scelta".

Mentre le citate ricerche di Land e Levin avevano chiaramente contraddetto la teoria monopolista di Steiner, questa riceveva un "aiuto" indiretto da uno studio di Noll, Peck e McGowan del 1973, dal quale emergeva che l'ingresso sul mercato di una nuova emittente non garantisce di per sé una maggiore diversificazione, proprio a causa di quella tendenza delle stazioni commerciali a massimizzare l'ascolto duplicando le "forme sicure", piuttosto che sperimentare diversi generi di programmi[7]. La ricerca in questione è peraltro di dubbia rilevanza paradigmatica, per avere metodologicamente inserito tra i parametri della "varietà della programmazione" non solo criteri certi quali il numero delle scelte praticabili dal telespettatore e quello dei generi dei programmi offerti, ma anche un parametro del tutto opinabile (e assai difficilmente misurabile in modo scientificamente sicuro) rappresentato dal "tono" del programma (riferito all'effetto sociale del programma stesso e, in caso di telegiornali o simili, alla sua obiettività).

Un'opposizione frontale alla posizione monopolista di Steiner è partita invece alla metà degli anni Settanta da altri tre studiosi americani, Owen, Beebe e Manning[8]. Essi hanno innanzitutto contestato l'asserzione secondo cui il telespettatore (per Steiner il radioascoltatore) spegne l'apparecchio quando la sua prima scelta non è disponibile: nelle situazioni reali di ascolto, spegnere l'apparecchio è proprio l'"ultima alternativa", quando si sono sperimentate molte altre opzioni e restano soltanto quelle che egli giudica del tutto inaccettabili. Abbattuto questo presupposto, si comprende allora che un monopolista può tranquillamente mandare in onda programmi di prima, seconda, o terza scelta perché tra questi il pubblico finirà per trovare una qualche soddisfazione, mentre una molteplicità di reti concorrenti fa sì che ognuna debba tendere sempre a fornire programmi di prima scelta, dal momento che altri possono farlo, sottraendole pubblico attuale e potenziale.

Ma questa situazione teorica ottimale, "da laboratorio", non è certamente riscontrabile nella realtà. In essa – oltre alle strutture di mercato (monopolio/concorrenza) e ai fattori tecnologici che determinano il numero di canali disponibili – agisce infatti una variabile relativa al metodo di finanziamento delle emittenti, che appare estremamente limitativa nei confronti della diversificazione: è la variabile della pubblicità, che sposta l'ago della bilancia dalla sovranità delle opzioni del pubblico agli utili degli investitori pubblicitari, favorendo una programmazione "media" tarata solo sulla fascia maggioritaria dell'ascolto (vedremo, quando analizzeremo in dettaglio il contesto americano, quanto tale fenomeno influenzi ancor oggi questo mercato; per non parlare degli effetti che esso ha avuto a carico dei sistemi europei apertisi all'emittenza privata). Di qui un suggerimento degli stessi Owen, Beebe e Manning (che non può non apparire coraggioso e quasi "profetico", essendo datato 1974) di favorire, oltre all'aumento delle emittenti, lo sviluppo di sistemi "a pagamento diretto" che possono appunto ridurre il pernicioso effetto omogeneizzante della pubblicità.

2.2. Tutti gli studi fin qui citati si riferivano a situazioni di mercato locale, sia pur estendibili nella loro paradigmaticità. Un altro importante filone di ricerca americana sulla diversificazione della programmazione è quello che si riferisce alle strutture e ai comportamenti di mercato dei grandi network. Come sottolinea Litman[9], l'attenzione critica di questi studi è stata rivolta a capire se si è registrata una tendenza limitativa della diversificazione, via via che i tre network (in un periodo che comprende all'incirca trent'anni, dal 1953 al 1982) perfezionavano il loro tacito "cartello" di mercato. Anche in questo caso, si tratta di una situazione che può perfettamente illuminare quella che si presenta in altri contesti, alle prese con lo stesso fenomeno di concentrazione delle fonti emittenti in pochi "potentati".

Alla base di questo filone di ricerca vi è certamente lo studio del 1976 di Dominick e Pearce[10], che hanno costruito diversi indici basati sulla classificazione degli show presentati ogni stagione (dal 1953 al 1974) nel *prime-time* dei tre network: in particolare l'indice di concentrazione (che misura il ricadere degli show nelle tre categorie più "gettonate", su un totale di quattordici evidenziate) e l'indice di omogeneità (che ci rivela quanto i network si rassomiglino all'interno di ciascuna categoria e nell'insieme di esse). I due studiosi hanno dimostrato che entrambi gli indici sono cresciuti nel tempo, confermando così l'ipotesi di una incidenza negativa del "cartello" monopolistico sull'ampiezza della diversificazione. In questo quadro, Dominick e Pearce sono stati anche i primi a evidenziare il fenomeno dei "cicli di programmazione", all'interno dei quali, per un certo numero di anni, i network si copiano reciprocamente i programmi di maggior successo, passando attraverso le fasi dell'innovazione, dell'imitazione e infine della "sazietà": il tutto, ovviamente, a scapito della sperimentazione e della reale varietà.

La robustezza della ricerca di Dominick e Pearce è stata testata nel 1979 da Litman[11], che ha preso in considerazione un periodo di tempo durante il quale il "cartello" dei network è apparso instabile a causa di una forte competitività sul mercato, dovuta a un improvviso rimescolamento delle quote azionarie dei tre stessi network che si era verificato nella stagione 1975-76. L'ipotesi prevedeva che una tale intensa concorrenza avesse stimolato una grande sperimentazione e diversificazione di programmi, così come il precedente periodo di stabilità aveva avuto una funzione narcotizzante. I risultati hanno confermato l'ipotesi, in quanto è stata rilevata – nei quattro anni successivi al "terremoto" – una forte diminuzione dell'indice di concentrazione dei programmi, e quindi un aumento della loro effettiva varietà all'interno di ciascun palinsesto (diversificazione "verticale"); in questo trend, i network avevano pure sperimentato nuove forme di programmazione, limitando le repliche. Ed era ovviamente aumentata anche la varietà "orizzontale", cioè il numero medio di scelte praticabili dal telespettatore in ogni fascia oraria, incluso quel "monolite" di formule ripetitive che è il *prime-time*.

Una conferma ulteriore e definitiva a queste ipotesi, anche se effettuata con un metodo che lascia qualche dubbio[12], è venuta da uno studio del 1985 di Wakshlag e Adams[13], che hanno posto sotto osservazione l'intero periodo di trent'anni (dal 1953 al 1982) di dominio dei network, rilevando in effetti una caduta progressiva della varietà della programmazione, con l'unica eccezione della seconda

146

metà degli anni Settanta, cioè proprio nel periodo di accesa rivalità evidenziato da Litman. Un ulteriore elemento di meditazione – nuovo rispetto ai precedenti studi – è costituito dal fatto che Wakshlag e Adams hanno notato un rapido crollo della varietà a partire dal 1971, crollo che essi associano all'imposizione delle cosiddette Prime-Time Access Rules da parte della Federal Communications Commission: il che significherebbe che un eccesso di normativa in un sistema deprime la diversificazione effettiva dell'offerta.

In questo scenario, che cosa ha significato l'avvento della tv cavo, che ha moltiplicato enormemente i canali disponibili per il telespettatore americano e che ha basato la sua appetibilità proprio sulla diversificazione dell'offerta? Se lo sono chiesti DeJong e Bates[14] in un recente studio (datato 1991) nel quale, seguendo la guida dei già citati studi di Levin, hanno sottoposto ad analisi 326 sistemi via cavo in tre periodi (1976, 1981, 1986). I due studiosi hanno accertato che la "capacità per canale" è pressoché raddoppiata in dieci anni, e che sia la diversificazione "assoluta" (espressa dal numero di tipi diversi di canali via cavo effettivamente offerti da un sistema, rispetto a quelli disponibili in generale) sia la diversificazione "relativa" (espressa dal numero di tipi diversi di canali offerti, in rapporto alla capacità del sistema) hanno mostrato significativi aumenti. Peraltro, il tasso di crescita della diversificazione "relativa" non ha tenuto il passo con l'aumento tecnologico del numero dei canali: il che indica la prevalenza di un qualche meccanismo di ripetitività e di omogeneizzazione nell'offerta di nuovi canali. Inoltre, e conclusivamente, secondo i due studiosi "il sistema via cavo medio offre in realtà meno della metà del suo potenziale di diversificazione".

2.3. Il fronte europeo degli studi sulla diversificazione dei sistemi non è certamente ampio e ricco come quello americano. La diatriba "monopolio vs. pluralismo" delle fonti, infatti, non si è mai collocata, come in America, entro la palpitante realtà del mercato, ma ha sempre goduto dello scudo protettivo che le forniva la ben determinata scelta della televisione come servizio dello stato (quando non del governo), la quale trovava la sua giustificazione ideologica nel concetto di "interesse pubblico" e la sua radice tecnologica nella reale scarsità delle frequenze nazionali utilizzabili.

Non è un caso che le poche ricerche in materia provengano dalla

Gran Bretagna, l'unica grande nazione europea in cui il servizio pubblico è stato, fin dagli anni Cinquanta, affiancato dall'emittenza privata (anche se questa è incorporata, come ben noto, entro una istituzione di controllo pubblica). Riguardo al criterio della diversificazione "verticale", nell'ambito dei lavori del Comitato Peacock, Nossiter[15] lo ha analizzato nella programmazione televisiva britannica a distanza di dieci anni, nel 1975 e nel 1985; e lo stesso Nossiter, con Blumler e Brynin[16], ha sviluppato anche una ricerca comparativa analizzando i palinsesti del *prime-time* di 13 canali in sette nazioni europee, nell'ottobre del 1985. Ma in nessuno dei due studi si usano indici numerici analitici e sintetici per "misurare" la varietà dell'offerta, giungendo solo a osservazioni descrittive del tipo: i canali britannici offrono una varietà di programmi estesa quanto quella di qualsiasi altro sistema televisivo esaminato; oppure: "in entrambi i periodi la Bbc ha offerto più varietà di programmi", "nel 1975 la varietà di offerta della Itv è stata particolarmente ristretta" ecc.

Nello scenario britannico, il problema di un nuova diversificazione delle scelte del telespettatore si è presentato con particolare evidenza quando, nel 1982, all'unico canale commerciale ne è stato aggiunto un altro, il celebre Channel 4. Wober e Kilpatrick[17] hanno analizzato i palinsensti britannici in sei periodi diversi (febbraio e agosto 1976, 1982 e 1986) proprio per stabilire quanto l'aggiunta di questo nuovo canale avesse arricchito la gamma a disposizione dei telespettatori in termini di tipologie di programmi. Dalla ricerca è emerso che le scelte teoriche a disposizione dell'audience erano sì sensibilmente aumentate, ma erano aumentati – e in misura leggermente maggiore – anche gli "scontri" tra generi uguali o simili, per cui la percentuale di scelte effettivamente praticabili era in realtà diminuita, sia pur in modo quasi insignificante.

In conversazioni private[18], Wober ha indicato una strada molto interessante per rendere questa ricerca più complessa e più utile per un giudizio sulla qualità dei vari canali televisivi in termini di scelte offerte al telespettatore, e quindi sul pluralismo effettivo del sistema nel suo complesso. La proposta è la seguente: calcoliamo nel totale degli n palinsesti attuali il numero delle "scelte effettivamente praticabili", dopodiché sottraiamo un canale per volta e procediamo allo stesso calcolo per $n - 1$ canali. Alla fine sapremo quali sono i canali la cui assenza produrrà il maggior calo di scelte praticabili, cioè quali sono i canali che garantiscono al pubblico le più ampie possibilità di scelta in termini di generi di programmi; e, viceversa, sapremo quali sono i canali la cui eliminazione produce il minor detrimento per il reale pluralismo del sistema. Ovviamente, questo calcolo numerico delle possibilità di scelta deve essere "aggiustato" ai diversi sistemi televisivi cui si applica, per prendere in considerazione le differenti norme che in taluni casi vincolano alcune o tutte le emittenti del sistema stesso e che falserebbero (ove non contemplate) i risultati finali.

2.4 Ma questo tipo di intervento scientifico non ci svelerebbe ancora tutto quello che si nasconde nel pluralismo, nella diversificazione dei sistemi televisivi. Laddove non vi siano costrizioni particolari (come invece avveniva nella fase monopolistica del modello europeo), la diversificazione dell'offerta è infatti una variabile di mercato, e come tale obbedisce alla dialettica della legge di correlazione tra la domanda e l'offerta. Bisogna allora guardare – come ci suggerisce Barry Litman[19] – non soltanto al livello *teoricamente massimo* di diversificazione dell'offerta (come si è fatto quando si è guardato con entusiasmo alla proliferazione dei canali e delle emittenti), ma al livello *ottimale per la domanda*, corrispondente quest'ultimo a quanto ragionevolmente può essere consumato dall'utente in un ammontare limitato di tempo e (considerando anche i sistemi a pagamento) di denaro disponibile.

Lo stesso Litman suggerisce, per comprendere puntualmente tutti questi livelli di diversificazione dei sistemi televisivi, la costruzione di una serie di modelli interdipendenti di comportamenti di mercato, sui quali misurare tale variabile. Questi modelli dovrebbero comprendere i seguenti aspetti: (a) come lo stato o le imprese private effettuano le loro scelte riguardo al numero ottimale dei canali televisivi; (b) come le emittenti decidono quali siano i generi/formule ottimali per ciascuno di questi canali, nonché il "mix" tra ampiezza (di generi/formule offerti nell'insieme dei canali) e profondità (di generi/formule all'interno di ciascun canale); (c) come i consumatori determinano il proprio discrezionale ammontare di tempo e di reddito disponibile per il consumo televisivo; (d) come i consumatori scelgono il proprio "mix" personale di ampiezza e profondità tra i vari canali disponibili, e come essi distribuiscono le loro scelte nel tempo disponibile per la visione; (e) come la "qualità" di queste opzioni disponibili coincide con la "quantità" delle scelte praticate[20].

Percorsi di ricerca di questo genere (di cui fino a oggi si hanno soltanto prime applicazioni parziali[21]) sembrano particolarmente adatti per fornire finalmente indicazioni attendibili nella nuova fase che, dall'inizio degli anni Ottanta, stanno vivendo quasi tutti i sistemi europei, e cioè la fase "mista" pubblico/privato. La preoccupazione di base, relativa a questi nostri sistemi, è chiara: garantire il pluralismo delle fonti, contrastando le tendenze oligopolistiche del mercato. Anche le "sensazioni" che si recepiscono dal tumultuoso sviluppo cui assistiamo, sono chiare: come è stato notato, infatti, "contro tutte le previsioni della teoria liberale, nel nuovo mercato dei media il pluralismo e la concorrenza non sembrano in grado di differenziare l'offerta, né di migliorare la qualità dei prodotti, né di ridurre i costi"[22]; e basta accendere un televisore in qualsiasi città per constatare che ovunque in Europa (e in Italia con particolare violenza) l'avvento delle nuove fonti private ha addirittura omogeneizzato l'offerta e l'ha incanalata su pochi generi "forti" (per colpa di quello che Blumler chiama il "pregiudizio quantitativo"[23]) per lo più di evasione (in ossequio al "pregiudizio edonistico"). Ma – ora più che mai, in una fase che sembra preludere all'assestamento definitivo dei sistemi europei – occorre dare spessore scientifico a tali "sensazioni" ampliando e strutturando questo filone di ricerca sulla diversificazione: si potrà così comprendere davvero chi e in che modo deve rimanere sul mercato, per garantire il suo effettivo pluralismo.

3. Uno schema multidimensionale per valutare la qualità

3.1. Con le considerazioni svolte a proposito della diversificazione (la dimensione spazio-temporale della qualità), possiamo dire di aver "chiuso il cerchio" che avevamo aperto discutendo gli aspetti etico-estetici legati ai giudizi qualitativi dei telespettatori e alle regole operative delle diverse comunità professionali che agiscono nel campo della televisione. Ora – come abbiamo promesso all'inizio di questo capitolo – cerchiamo di capire se il tutto è sintetizzabile in uno schema che risulti credibile (e possibile) a ciascuna delle componenti del sistema televisivo.

Già nell'Introduzione, avevamo citato e apprezzato uno studio internazionale promosso dall'ente di stato giapponese Nhk, nel quale si evidenzia una dimensione diversa – più complessa, più articolata, più aderente alla realtà televisiva attuale – della qualità. Vi si identificano infatti tre *livelli "oggettivi"* su cui misurarla, in analogia alle dimensioni "macro", "media" e "micro" (società, organizzazioni, individuo) tipiche delle scienze umane e sociali. Questi tre livelli sono: il sistema televisivo (locale, regionale, nazionale, internazionale); gli apparati istituzionali (enti pubblici, network privati, vari canali e stazioni) con la loro offerta di programmazione; e i programmi (nel senso di singole entità, o di entità raccolte nelle diverse possibili specificazioni di generi e fasce orarie tipici del palinsesto). Inoltre, viene messa in rilievo anche la complessità delle *dimensioni "soggettive"* della qualità: non vi figurano solo il "tribunale" della critica e le "giurie" dei *professionals*, ma anche il pubblico; o meglio, i pubblici sempre più vari e differenziati che compongono il lato ricevente della comunicazione nelle nostre società avanzate e complesse.

3.2. Vorremmo mantenere le acquisizioni della ricerca giapponese, e su di esse elaborare un *nostro schema* capace di recepire i principali elementi che abbiamo messo in luce nelle pagine precedenti.

(a) Le fondamenta di questo schema sono – come ormai è certamente chiaro – i molteplici *livelli mediali* che lo compongono. Allo stadio più elementare figurano i programmi (informazione, evasione, cultura), per i quali valgono le considerazioni che abbiamo svolto quando abbiamo diffusamente parlato delle regole professionali e dei giudizi dei telespettatori. Gli elementi di valutazione spaziano dai "valori produttivi" (costi in rapporto alla resa spettacolare) alle procedure di creatività, dalla politica di produzione propria a quella degli acquisti (nazionali e internazionali), dalle caratteristiche etico-stilistiche (obiettività, informatività, comprensibilità) alle funzioni di utilità e gratificazione.

A un secondo livello mediale compaiono le strategie d'offerta (i palinstesti dei *broad casters*, i menù della tv a pagamento), circa le quali valgono criteri di diversificazione (verticale), di equilibrio, di dinamismo, e così via. Il gradino successivo è quello delle emittenti, per le quali cominciano a comparire criteri valutativi piuttosto com-

151

plessi: strategie finanziarie, politiche di alleanze, azioni di marketing e di *corporate image* ecc.. Infine, il livello del sistema televisivo nel suo complesso, che viene valutato essenzialmente, come si è visto, in termini di pluralismo (diversificazione orizzontale) e di regole per garantirlo (legislazione anti-trust, ad esempio).

(b) Il sistema televisivo è, a sua volta, il primo gradino di un diverso comparto dello schema: quello che potremmo definire dei *livelli sociopolitici*. Lo compongono, oltre al sistema televisivo, la società civile e lo stato. La società civile è in grado di rapportare i criteri interni al sistema con i principali valori che la fondano e la animano (stabilendo ad esempio quali sono i livelli di affollamento pubblicitario accettabili, pur nel rispetto delle esigenze di impresa). Allo stato, invece, spettano compiti di intervento più o meno estesi a seconda dei vari paesi, ma che certamente includono funzioni come la ripartizione delle frequenze e dei supporti tecnologici (etere, cavo, satelliti) e il controllo delle condizioni per lo svolgimento della libera concorrenza.

(c) Esiste infine una terza dimensione dello schema, quella che riguarda gli *attori sociali* coinvolti. Si tratta – anche questo ormai dovrebbe essere chiaro – di una molteplicità di soggetti. Dei telespettatori e dei *professionals* abbiamo a lungo parlato, per cui ci limitiamo a ricordare che è quanto mai auspicabile un approfondimento e una sistematizzazione delle loro fondamentali attività valutative. Dei critici televisivi tratterà diffusamente Fausto Colombo nel suo saggio (contenuto nella terza parte di questo volume), ma è ovvio che anch'essi fanno parte di questo livello. Così come ne fanno parte gli esperti/studiosi, anche se abbiamo visto che finora, sul tema della qualità, il livello di elaborazione teorica non ha certamente tenuto il passo dell'evoluzione materiale del mezzo televisivo.

Soltanto una società che sappia tenere sotto controllo tutti questi livelli e aspetti ed elementi (o almeno la maggior parte di essi) può ambire a raggiungere un obiettivo di equilibrio, di razionalità, di *qualità vera*. Non esistono, non possono esistere (o sono comunque simulacri ingannevoli) *qualità parziali*: in un sistema sperequato e bloccato nelle sue fonti emittenti, ad esempio, l'innovazione e la sperimentazione saranno sempre penalizzate, "vasi di coccio" tra "vasi di ferro"; e se non si persegue una reale diversificazione a livello di palinsesti, è inutile lamentarsi della scarsa qualità dei singoli programmi; e così via. La qualità è dunque un *sistema complesso*, che necessita di impostazioni e decisioni complesse, ma non impossibili. Questa è davvero la sfida suprema dei tardi anni Novanta e del dopo-Duemila.

NOTE BIBLIOGRAFICHE

[1] Baroness Warnock, "Quality and Standards in Broadcasting", in N. Miller, C. Norris e J. Hughes (a cura di), *Broadcasting Standards: Quality or Control?*, Manchester, Manchester Monographs, University of Manchester, 1990, pp. 3-24.

[2] B.L. Litman, "Economic Aspects of Program Quality: The Case for Diversity", *Studies of Broadcasting*, n. 28, 1992, pp. 121-122.

[3] E. Greenberg e H. Barnett, "Television Program Diversity – New Evidence and Old Theories", *American Economic Review*, maggio 1971, pp. 89-93.

[4] H. Land, *Television and the Wired City*, Washington, D.C., Herman Land, 1968.

[5] H.J. Levin, "Program Duplication, Diversity and Effective Viewer Choices: Some Empirical Findings", *American Economic Review*, maggio 1971, pp. 81-93. La ricerca è stata poi confermata e ampliata in: H.J. Levin, *Fact and Fantasy in Television Regulation: An Economic Study of Policy Alternatives*, New York, Russell Sage Foundation, 1980, capitolo terzo.

[6] P.O. Steiner, "Program Patterns and Preferences and the Workability of Competition in Radio Broadcasting", *Quarterly Journal of Economics*, maggio 1952, pp. 194-223.

[7] R.G. Noll, M.J. Peck e J.J. McGowan, *Economic Aspects of Television Regulation*, Washington, D.C., Brookings, 1973.

[8] B.M. Owen, J.H. Beebe e W.G.Jr. Manning, *Television Economics*, Lexington, Massachusetts, Lexington, 1974.

[9] B.R.Litman, op. cit., p. 126.

[10] J.R. Dominick e M.C. Pearce, "Trends in Network Prime-Time Programming, 1953-1974", *Journal of Communication*, inverno 1976, pp. 70-80.

[11] B.R. Litman, "The Television Networks, Competition, and Program Diversity", *Journal of Broadcasting*, autunno 1979, pp. 393-409.

[12] Il dubbio è sollevato da: B.R. Litman, "Economic Aspects of Program Quality", op. cit., p. 127.

[13] J. Wakshlag e W. Adams, "Trends in Program Variety and the Prime Time Access Rule", *Journal of Broadcasting and Electronic Media*, inverno 1985, pp. 23-24.

[14] A. DeJong e B. Bates, "Channel Diversity in Cable Television", *Journal of Broadcasting and Electronic Media*, primavera 1991, pp. 159-166.

[15] T.J. Nossiter, "British Television: A Mixed Economy", in: Centre for Television Research (University of Leeds), *Research on the Range and Quality of Broadcasting Services*, London, Her Majesty's Stationery Office, 1986, pp. 1-71.

[16] T. Leggatt , "Identifying the Undefinable: An Essay on Approaches to Assessing Quality in Television in U.K.", *Studies of Broadcasting*, n. 27, marzo 1991, p. 124.

[17] J.M. Wober e E. Kilkpatrick, *The Cost of Choice: A Calculus of Programme Want, Variety and Waste*, London, Independent Broadcasting Authority, 1988.

[18] J.M. Wober, conversazione con l'autore, London, 1993.

[19] B.R. Litman, "Economic Aspects of Program Quality", op. cit., p. 148.

[20] ibidem, p. 134.

[21] Si fa qui riferimento alla tipologia di ricerca intrapresa dal Servizio Verifica

Qualitativa Programmi Trasmessi (Vqpt) della Rai, in cui si procede a un confronto tra l'offerta delle reti e il rispetto dei gusti e delle preferenze del pubblico, nonché a un'analisi delle sovrapposizioni, e quindi degli "scontri", tra generi uguali nei palinsesti delle sei principali reti nazionali. Si veda: P. Dorfles (a cura di), *Atlante della radio e della televisione 1992*, Torino, Nuova Eri, 1992.

[22] D. Zolo, introduzione al convegno *Potere, televisione e vita quotidiana*, organizzato dall'Istituto Gramsci toscano, Firenze, 22-24 gennaio 1993.

[23] J.G. Blumler, "In Pursuit of Programme Range and Quality", *Studies of Broadcasting*, n. 27, marzo 1991, pp. 194-196.

ALCUNI POSSIBILI PERCORSI
PER UN CORRETTO RAPPORTO
TELEVISIONE/QUALITA'

Questa terza parte del volume recepisce i contributi di due collaboratori della *Ricerca internazionale sui modelli della qualità televisiva*, Fausto Colombo e Augusto Preta[*], che si sono particolarmente segnalati per la vastità e l'originalità dell'impegno. Essi presentano contenuti diversi (l'uno, i mercati della qualità nel quadro dei modelli televisivi internazionali; l'altro, i problemi relativi alla qualità televisiva nello scenario italiano), ma sono accomunati dal fatto che entrambi indicano dei possibili percorsi verso una "ricostruzione di senso" nel rapporto tra televisione e qualità.

Con tali intenti, il capitolo I – scritto da Augusto Preta – passa in rassegna la modellistica del sistema televisivo internazionale nelle sue componenti storiche ed evolutive, affrontando il problema della qualità sia nella classica televisione generalista o "di flusso", sia nelle più recenti modalità espressive e distributive legate all'avvento di una televisione mirata alle esigenze di pubblici specifici (e concretizzate nelle varie forme di "tv a pagamento").

Il capitolo II – che si deve a Fausto Colombo – costituisce un "punto della situazione" imprescindibile per comprendere che cosa sia avvenuto in questi anni nel sistema italiano, e come sia possibile porvi un qualche rimedio. Si analizzano dapprima i diversi modi in cui si è (o non si è) tentato di rispondere alla sfida della qualità, per poi passare in rassegna i principali "tribunali della qualità" (responsabili televisivi, ricercatori istituzionali, critici) attivi nel nostro paese, e chiedersi infine quali siano le opzioni disponibili per produrre e distribuire qualità in Italia.

(*) Fausto Colombo è ricercatore presso l'Università Cattolica di Milano; Augusto Preta è titolare della società di ricerca Italmedia.

159

I.

I MERCATI DELLA QUALITÀ
IN UN'EPOCA DI TRASFORMAZIONE
(*di Augusto Preta*)

1. Il valore del prodotto nel mercato televisivo

1.1. Il problema della creatività, all'interno delle costrizioni e dei limiti posti da un sistema, è una costante nello studio della produzione audiovisiva. La teoria dell'autore, con riferimento al modello forte del cinema hollywoodiano, individua nella figura del regista capace di "firmare" le proprie opere l'elemento di distinzione rispetto agli standard produttivi dell'industria cinematografica. Come ricorda Michel Foucault, "il nome dell'autore definisce l'esistenza di certi gruppi di discorso e fa riferimento allo statuto di questo discorso nell'ambito di una società e di una cultura [...]. Esso riguarda solo certi testi ad esclusione di altri"[1].

Più di recente, come è noto, il campo di applicazione di questa teoria è stato allargato nel cinema ad altri soggetti oltre al regista (ad esempio il produttore, in particolari circostanze), mentre per quanto concerne la televisione la teoria dell'autore è stata utilizzata, soprattutto nel mondo anglosassone, per definire la produzione di qualità con riferimento a due delle funzioni ricordate da Foucault: la diversità di certi programmi dal flusso anonimo e indifferenziato del discorso televisivo; la loro classificazione come un corpus omogeneo ed eccezionale rispetto al contesto di riferimento[2].

In questa prospettiva il testo, il programma, assume pertanto le caratteristiche di prodotto di qualità non in astratto come valore in sé, ma in relazione alle condizioni generali di funzionamento del sistema entro cui agisce. Questo significa che, ad esempio, nel modello commerciale americano l'esistenza di una produzione di qualità non può in alcun modo prescindere dalla struttura e dalle modalità di funzionamento del sistema stesso, per cui il prodotto, seppur eccezionale e diverso rispetto allo standard medio, è sottoposto alle stesse regole e condizioni di esistenza di tutti gli altri prodotti, e quindi, nella logica complessiva del sistema, funzionale alle finalità in esso perseguite (nel nostro caso, come vedremo meglio in seguito, la vendita del pubblico ai pubblicitari). L'individuazione di un contesto comporta dunque, per la teoria dell'autore, la relativa autonomia del testo dalle sue condizioni di produzione.

In questo senso, sul versante della produzione televisiva, emerge una sorprendente affinità tra analisi economica e teoria dell'autore. Anche nella prima infatti il prodotto di qualità, come del resto qualunque altra tipologia di prodotto, è dipendente dalla struttura complessiva del sistema, cioè in concreto dal modo in cui nel mercato s'instaura il rapporto tra domanda e offerta. In base alla configurazione del mercato, e solo in rapporto a esso, diviene pertanto possibile determinare gli elementi costitutivi e le differenze tra i singoli prodotti: anche in questo caso dunque il prodotto non esiste in sé, ma in rapporto a uno specifico contesto.

In sintesi: l'individuazione del contesto e dei meccanismi che presiedono al suo funzionamento rappresenta il presupposto indispensabile per l'analisi della produzione televisiva (inclusa quella di qualità) in termini di mercato.

1.2. Prima di procedere in questa direzione è necessaria tuttavia un'ulteriore precisazione. Storicamente lo sviluppo del *broadcasting*, cioè della radio e della televisione, presenta caratteristiche di marcata differenziazione rispetto agli altri media, proprio e soprattutto sul versante della produzione. Questa infatti nasce in maniera del tutto subordinata rispetto alla diffusione degli apparecchi, come semplice strumento per incentivarne la vendita. Non a caso, già nella prima fase dello sviluppo della radiofonia, le compagnie di distribuzione avevano cercato di distinguere nettamente le due attività: "Essendo la nostra una compagnia telefonica – si legge in un documento della At&t del 1922 – non era suo compito quello di fornire i programmi. Era l'utente che doveva venire da noi. Chiunque avesse un messaggio da indirizzare al mondo o desiderasse intrattenere gli altri doveva solo venire da noi e pagare di tasca sua per il servizio che noi gli prestavamo, come avrebbe fatto se fosse entrato in una qualunque cabina telefonica. L'unica differenza era che, invece di telefonare ad una singola persona, telefonava al mondo intero"[3]. In seguito al fallimento del progetto di "cabina telefonica" la At&t fu costretta a rivedere la sua decisione di non produrre i programmi, anche se all'inizio utilizzò artisti improvvisati, scelti per lo più tra il personale dell'azienda. La produzione venne realizzata in ogni caso solo per rendere tecnicamente possibile, e quindi ricca di attrattive economiche, la distribuzione.

Diversamente dunque dagli altri mezzi di comunicazione, la radio e la televisione furono, al loro nascere, sistemi concepiti per la trasmissione e la ricezione come processi astratti, senza predefinizione dei contenuti. Questo fenomeno, come ricorda Raymond Williams, spiega non solo perché l'offerta degli apparecchi anticipò la domanda, ma anche perché "questi mezzi di comunicazione precedettero il loro contenuto"[4]. In sostanza, nel momento in cui la produzione nasceva e si sviluppava in maniera del tutto subordinata alle logiche della distribuzione, fu quest'ultima a determinare di fatto il modello di riferimento. Ciò ha comportato tra l'altro che, proprio in ragione di questa sua specificità, la televisione in particolare si sia storicamente affermata secondo caratteristiche di originalità e di separatezza rispetto agli altri media.

Da questo punto di vista, l'elemento di differenziazione più evidente è rappresentato dalla difficoltà di individuare nella comunicazione televisiva un rapporto diretto tra prodotto offerto e prezzo. L'assenza di questa relazione – strettamente collegata alla mancata predefinizione dei contenuti e quindi del tipo di offerta – ha certamente favorito il caratterizzarsi della televisione come flusso. Nella comunicazione di flusso infatti il prodotto (programma) ha un peso marginale rispetto ad altri fattori condizionanti l'offerta (canale, orario, programmazione concorrente). In questo modo, pertanto, anche nel modello comunicativo la televisione basata sul flusso ripropone quella *strumentalità della produzione* (rispetto alla distribuzione o comunque agli obiettivi primari perseguiti dall'emittente) che rappresenta, come già sottolineato, una delle sue caratteristiche originali e storicamente peculiari.

1.3. Tutto ciò ha conseguenze importanti ai fini del nostro discorso. La più rilevante è data dalla difficoltà di valutare in termini di mercato la qualità televisiva all'interno di sistemi strutturati per il perseguimento di finalità diverse da quelle tradizionali della vendita diretta dei prodotti (come avviene invece, ad esempio, nel mercato editoriale). In altre parole, l'assenza di un rapporto diretto tra costi e ricavi rende estremamente complessa nella comunicazione (e nell'economia) di flusso la determinazione del valore dei singoli prodotti, e quindi, a maggior ragione, la definizione delle diverse caratteristiche di ciascuno, tra cui la distinzione, fondamentale nel nostro caso, tra prodotto medio e prodotto di qualità.

Ciò emerge con maggiore chiarezza analizzando i due modelli televisivi ancora oggi largamente prevalenti e collegati entrambi alla comunicazione di flusso: il servizio pubblico e la tv commerciale.

2. I due modelli classici della televisione "di flusso"

2.1. Nel modello classico del servizio pubblico europeo, i caratteri di separatezza e di originalità della radio-televisione rispetto agli altri media emergono con evidenza fin dalle origini. La scarsità delle frequenze utilizzabili rese infatti necessaria in tutti i paesi europei una regolamentazione per evitare le interferenze e per garantirne l'uso nell'interesse nazionale.

Muovendo dunque da esigenze di tipo tecnico (la scarsità delle frequenze), in realtà però il modello che si affermò fu fortemente ispirato da istanze formative e pedagogiche, come risulta dalle dichiarazioni programmatiche del primo direttore generale della Bbc, John Reith: "Il *broadcasting* [...] dev'essere gestito come servizio pubblico ben definito da precisi standard. Ciò vuole dire che non può essere usato unicamente per finalità d'intrattenimento. Impiegare uno strumento così grande e universale solo per intrattenimento costituisce non solo un'abdicazione di responsabilità, ma anche un insulto all'intelligenza del pubblico. Il *broadcasting* dovrebbe portare il meglio della cultura e della conoscenza umana nel maggior numero possibile di case e nella più ampia quantità"[5].

In queste affermazioni del 1926 erano già prefigurati i compiti del servizio pubblico: una radio (e in seguito una televisione) "trasparenti", in grado di offrire anche "al contadino nelle campagne e all'operaio nel suo squallido alloggio" la trasmissione dei grandi avvenimenti culturali. I modelli di riferimento erano le riprese dei concerti di musica classica, le rappresentazioni teatrali del West

163

End londinese, i programmi educativi e i dibattiti[6]: il *broadcasting* dunque veniva ipotizzato come contenitore di altrui forme artistico-culturali considerate eccellenti, piuttosto che come medium culturale capace di elaborare autonomi linguaggi e modelli di comunicazione. E a chi lo rimproverava di non tener conto delle esigenze del pubblico, Reith rispondeva: "Spesso, è vero, siamo accusati di dare al pubblico ciò di cui noi pensiamo abbia bisogno e non ciò che vuole, ma pochi sanno ciò che il pubblico vuole realmente e pochi conoscono ciò di cui necessita [...]. In ogni caso è sempre meglio sopravvalutare le sue capacità piuttosto che sottovalutarle".

In questo contesto nasce dunque e prende forma compiuta il concetto di servizio pubblico, con la triade di funzioni – informare, educare, divertire – alla quale si ispireranno per circa mezzo secolo, con rare eccezioni, gli enti radiotelevisivi dell'Europa Occidentale. In realtà, però, la trasparenza e l'apertura alle altre forme artistiche, capisaldi della concezione reithiana, si scontrano fin dall'inizio con le necessità di controllo e di orientamento dell'audience che il servizio pubblico deve comunque assicurare. Questo comporta, nella pratica, la definizione di un modello (anche produttivo) autarchico, chiuso in se stesso, l'unico in grado di garantire il perseguimento di quelle finalità pedagogiche e formative, che avrebbero potuto invece essere ostacolate dalla contaminazione con gli altri media, operanti nell'ambito dell'industria culturale: per poter conseguire gli scopi sociali che giustificano la sua esistenza, il servizio pubblico viene dunque posto al di fuori del circuito commerciale, non in posizione conflittuale, bensì di totale estraneità a esso.

Rispetto al modello economico di riferimento, ciò significa in primo luogo la scelta obbligata del regime di monopolio. Questo si fonda sul concetto teorico della *indivisibilità* del prodotto televisivo: ciò che rende indivisibile il prodotto televisivo sarebbe, secondo la concezione classica, il suo caratterizzarsi come *bene pubblico*, il quale, per il solo fatto di essere messo a disposizione di un individuo, è a disposizione di tutti[7]. Infatti, mentre generalmente il consumo di beni (ad esempio un dentifricio, o un libro) impedisce ad altri di poter usufruire della stessa merce o servizio, ciò non avviene per un programma televisivo, in quanto l'utilizzazione che ne fa una persona non preclude in alcun modo agli altri di usufruirne. Anche nel caso del programma televisivo si può dunque parlare di costo marginale del bene pubblico uguale a zero. Ciò significa che il suo costo di produzione e distribuzione è identico, qualunque sia la dimensione dell'audience.

In questo modo, anche sul piano economico viene sottolineata la diversità della televisione rispetto agli altri comparti dell'industria culturale. Non esistendo nel monopolio radiotelevisivo un rapporto diretto tra domanda e offerta, potendo quest'ultima prescindere dalla prima, la definizione del prezzo del bene pubblico (programma) risulta pertanto indipendente dalle regole del mercato. La soluzione adottata in quasi tutti i casi, collegata al pagamento di un tributo sul possesso dell'apparecchio (canone), appare senz'altro la più coerente rispetto al modello considerato.

Verificheremo più avanti quali conseguenze una concezione del servizio pubblico, come quella che abbiamo appena delineato, abbia avuto sulla struttura della programmazione e in particolare, ai fini del nostro discorso, sulla televisione di qualità. Ma prima è opportuno analizzare in chiave comparativa, come si è detto, anche l'altro modello collegato alla comunicazione di flusso: la tv commerciale.

2.2. Pur collocata all'interno dello stesso contesto di riferimento, quello della televisione generalista, la tv commerciale esprime delle istanze del tutto alternative al servizio pubblico. Laddove quest'ultimo infatti tende a favorire una tipologia dell'offerta ampia e diversificata, basata sulla pluralità di generi derivati da altri media, la prima invece privilegia linguaggi e modelli di comunicazione autonomi, ancorché limitati nelle varianti tipologiche (telefilm e fiction seriale in genere, intrattenimento leggero). E mentre il servizio pubblico, mantenendo ben chiare le caratteristiche di separatezza e di originalità rispetto agli altri media, non entra – come abbiamo visto – in rapporto concorrenziale con essi, la tv commerciale esprime invece una conflittualità diretta e particolarmente aggressiva nei confronti degli altri media. Tutto questo trova una puntuale spiegazione se si analizza il diverso contesto di riferimento in cui ciò avviene.

La tv commerciale nasce e si sviluppa negli Stati Uniti, su basi diverse dal modello europeo. Negli Usa infatti la televisione, pur conservando degli elementi di forte differenziazione rispetto agli altri media, dati proprio dal suo caratterizzarsi come flusso, entra immediatamente a far parte dell'industria culturale, sottoposta anch'essa alle sollecitazioni provenienti dal circuito delle merci. Mancando (o essendo meno vincolante, data l'ampiezza del territorio) un presupposto di ordine tecnologico come quello della limitatezza delle frequenze, la televisione americana si struttura quindi secondo meccanismi più compatibili con le logiche del mercato.

Tutto ciò determina importanti conseguenze ai fini della nostra analisi, meritevoli di ulteriore riflessione. Da un lato infatti, in quanto espressione della comunicazione di flusso, l'impossibilità di instaurare una relazione diretta tra prodotto offerto e prezzo rimane un segno distintivo non solo del servizio pubblico ma anche della tv commerciale. D'altro canto, però, la sua collocazione all'interno delle strutture di mercato impone alla tv commerciale il perseguimento di quelle esigenze di profitto cui è finalizzata in ogni caso la propria attività.

All'interno di questi due ambiti, a prima vista opposti e contraddittori, si muove dunque la tv commerciale. Perché possano coesistere, permettendole così di operare, è però necessaria la sussistenza di almeno due requisiti: l'accesso universale e generalizzato ai programmi (come nel servizio pubblico); l'organizzazione della programmazione rivolta a massimizzare gli ascolti per ogni singolo segmento offerto (il che conduce a un palinsesto basato sul "minimo comun denominatore", proprio per poter attrarre in ogni momento il maggior numero di telespettatori).

In questo modo vengono pertanto definiti i presupposti affinché il meccanismo della domanda e dell'offerta possa essere ripristinato anche nella tv commerciale, ma secondo criteri diversi da quelli prevalenti nel mercato dei media. Infatti, non potendosi istaurare nella tv di flusso una relazione diretta tra prodotto e utente (telespettatore), quest'ultimo da soggetto si trasforma in oggetto della transazione economica, diventando la merce di scambio – in un secondo mercato, quello pubblicitario – tra il *broadcaster* che offre lo spazio di programmazione in cui inserire lo spot e l'inserzionista pubblicitario che lo acquista.

Questa situazione viene efficacemente sintetizzata dalla formula: "La tv commerciale vende pubblico ai pubblicitari"[8]. In altri termini, ciò che si acquista non è il programma, ma la visibilità del pubblico da parte dell'inserzionista: nella tv commerciale, infatti, i programmi non costituiscono più la merce, bensì sono un fattore di produzione della merce. Articolando ulteriormente la situazione, si può dire che "il prodotto della tv commerciale è l'audience (dei break pubblicitari), i clienti sono le imprese inserzioniste, e lo scambio economico è denaro delle imprese (in investimenti pubblicitari) contro ascolti"[9]. Tutto ciò configura un mercato in cui il prodotto (programma) è un *bene strumentale* rispetto alla visibilità dell'audience, che costituisce il prodotto finale.

La maggiore conseguenza in termini produttivi consiste nel fatto che si afferma nella tv commerciale una concezione del prodotto del tutto condizionata al soddisfacimento delle esigenze dell'inserzionista pubblicitario, essendo subordinati a queste non tanto i contenuti quanto la struttura stessa dei programmi. In questo senso la programmazione si orienta verso generi specifici e originari, in cui il fattore pubblicitario – lo spot o la sponsorizzazione – diventa addirittura elemento costitutivo del programma, come avviene nella *fiction* seriale o nei programmi contenitore.

2.3. Ancora una volta – e per concludere queste prime osservazioni – va sottolineato come la natura strumentale del prodotto (e quindi dell'offerta) si raccordi perfettamente con il modello teorico della televisione generalista legato alla comunicazione di flusso, di cui la tv commerciale, come del resto il servizio pubblico, costituisce parte integrante. In questo modello il prodotto televisivo non esiste "per sé", ma solo in funzione (insieme agli altri programmi) della capacità di assicurare il soddisfacimento delle finalità di ordine economico o pedagogico che l'emittente intende perseguire in relazione alla propria natura (tv commerciale o servizio pubblico). È in questo contesto dunque che il rapporto tra qualità televisiva e mercato può essere finalmente e correttamente affrontato.

3. Condizioni e mutazioni del criterio della qualità

3.1. In termini di mercato, la qualità va sempre definita in rapporto a un contesto di riferimento e al *plus* che all'interno di quel contesto un bene o un servizio può offrire rispetto al complesso dell'offerta. Nella televisione generalista, il carattere strumentale della produzione, fattore di differenziazione anche in chiave economica rispetto agli altri media, aggiunge però un ulteriore elemento di complicazione alla definizione del prodotto di qualità. Infatti nella comunicazione di flusso la relatività del quadro di riferimento non riguarda soltanto il singolo prodotto, ma l'intera offerta, orientata al raggiungimento di finalità "altre", alle quali anche le esigenze del pubblico (domanda) vanno comunque subordinate.

Tutto questo comporta maggiori difficoltà nell'individuazione delle diverse tipologie e dei diversi standard di prodotto, rispetto alle situazioni convenzionali nelle quali l'esistenza di un rapporto diretto tra domanda e offerta consente l'indicazione di un prezzo, che definisce, in rapporto agli altri prodotti con caratteristiche analoghe, il valore di quel bene sul mercato. In assenza, come nel nostro caso, di parametri ben definiti, e comunemente accettati, la relatività del concetto di qualità televisiva appare pertanto un'ulteriore conseguenza del carattere strumentale del prodotto nella tv generalista.

Questa doverosa premessa di ordine metodologico non va in ogni caso interpretata come negazione della presenza di una produzione e di una programmazione di qualità nella comunicazione di flusso. Anzi, non c'è dubbio che nella storia del servizio pubblico in Europa innumerevoli siano stati gli esempi di programmi di qualità apprezzati e ammirati a livello nazionale e internazionale. Quello che va sottolineato invece è che la qualità televisiva, criterio ispiratore e costitutivo del servizio pubblico europeo, viene concepita sempre e comunque in opposizione al mercato. In questo senso le affermazioni di Reith mantengono la loro attualità sino alla fine degli anni Settanta (rottura dei monopoli e *deregulation*), rappresentando per lungo tempo un criterio distintivo e una barriera ideologica molto forte nei confronti dei rischi di un'omologazione verso il basso, collegata alla temuta invasione dei programmi "commerciali" americani (in particolare i telefilm).

Nella concezione reithiana (peraltro ancora non del tutto superata all'interno degli apparati pubblici), la qualità televisiva viene considerata alternativa al mercato, in quanto ritenuta un valore assoluto, non suscettibile di alcuna mediazione o limitazione. Si tratta di una concezione idealista ed elitaria, che affida all'apparato televisivo stesso il compito di definire e diffondere la qualità, che può – anzi deve – prescindere dai gusti e dalle esigenze del pubblico se questi appaiono in contrasto con essa. In questo modo l'idea della qualità nel servizio pubblico travalica la stessa teoria dell'autore, che nell'affermare la relativa autonomia del testo dalle condizioni di produzione riconosce implicitamente dei limiti entro cui la produzione artistica si trova a operare. Nel servizio pubblico la qualità, pur collegata a parametri estetici, assume in realtà forti connotazioni etiche e pedagogiche, collegate alla "missione" del medium televisivo, diretta all'elevamento culturale del telespettatore, e che non può quindi appiattirsi sull'esistente ma che, dovendo orientare il consumo, può e deve in definitiva prescindere da esso.

3.2. Per quanto riguarda la tv commerciale, l'assenza di una relazione diretta tra domanda e offerta non impedisce comunque l'instaurarsi del rapporto tra qualità televisiva e mercato. Anzi, vale esattamente l'inverso: e cioè che, a differenza del servizio pubblico, nel modello commerciale la qualità non esiste in astratto come valore in sé, ma solo in relazione al proprio contesto di riferimento. Questo significa – come abbiamo già accennato in precedenza – che l'esistenza di una produzione di qualità non può in alcun modo prescindere dalla struttura e dalle modalità di funzionamento del sistema e quindi deve essere funzionale, nella logica complessiva del sistema stesso, alle finalità in esso perseguite. In altri termini, anche il prodotto di qualità nella tv commerciale è sottoposto alle stesse regole che valgono per tutti gli altri prodotti: perché un programma esista, infatti, è necessario che soddisfi comunque le esigenze primarie del *broadcaster*, che sono quelle di "massimizzare" gli ascolti, così da favorire la visibilità dell'audience-merce venduta all'inserzionista pubblicitario.

Una volta assicurate le condizioni di esistenza, uguali per tutti, il prodotto di qualità può essere definito, in rapporto allo standard medio dell'offerta, secondo parametri che ricordano la due funzioni di Foucault citate in precedenza: la diversità dei programmi dal flusso anonimo e indifferenziato del discorso televisivo; la loro classificazione come un corpus omogeneo ed eccezionale rispetto al contesto di riferimento. Ne discendono due caratteri distintivi della qualità nella tv commerciale, sui quali conviene concentrare ora la nostra attenzione: la *relatività* e l'*accessorietà*.

La relatività comporta la collocazione o meno della qualità televisiva all'interno di un determinato quadro di riferimento. Le sue caratteristiche sono dunque palesemente diverse dalla qualità intesa come valore assoluto del servizio pubblico. Si tratta in sostanza di due concezioni distinte nell'ambito di due modelli diversi. Ne consegue che la qualità dell'una non può essere confusa o identificata con la qualità dell'altro.

L'accessorietà implica invece la non essenzialità della qualità televisiva all'interno dei palinsesti della tv commerciale. Questa è una conseguenza del carattere strumentale della produzione, derivante dall'assenza di un rapporto diretto tra domanda e offerta. Si tratta di un limite obiettivo di tutta la comunicazione di flusso, ma condizionante più di ogni altro il discorso sulla qualità televisiva nel modello commerciale. Questo non esclude, come più volte sottolineato, la presenza di una produzione di qualità, tanto è vero che vi sono periodi e situazioni nei quali la qualità può diventare addirittura elemento costitutivo di tutta la programmazione.

Ciò è avvenuto ad esempio negli Stati Uniti all'inizio degli anni Settanta. Allora infatti i network si resero conto che offrire ai pubblicitari una programmazione rivolta al pubblico colto, raffinato e benestante delle aree metropolitane era più conveniente rispetto alla programmazione diretta al pubblico tradizionalista, conservatore e meno consumista della provincia americana, al quale fino a quel momento era destinata in prevalenza la programmazione (il western infatti era il genere più diffuso). Iniziò allora un'epoca nuova, definita della *relevance* (rilevanza, importanza), collegata ai problemi e alle tematiche dell'urbanizzazione. È il periodo, questo, che segna la nascita di *situation-comedies* dal forte impatto sociale e dissacratore, come *All in the Family*, *Mary Tyler Moore Show* e *M.a.s.h.*; e che segnala eccellenti società di produzione come la Mtm, da allora considerata un vero e proprio "marchio di fabbrica" per la qualità televisiva.

Ma in ogni caso, ciò che va sottolineato è come la presenza di questi prodotti nella programmazione sia sempre legata ad aspetti congiunturali, spesso esterni, tali da non garantire loro una collocazione certa nel palinsesto: essi sono cioè in grado di condizionare l'offerta televisiva in misura superiore al gradimento dei programmi decretato dal pubblico. È per questo che, sottoposta alle regole del mercato pubblicitario, e quindi a una forma indiretta di finanziamento dei programmi, la tv commerciale non può fare della qualità la propria bandiera, ma considerarla solo un elemento accessorio, talora occasionale ed episodico, anche se non necessariamente marginale e ininfluente nella logica complessiva del sistema.

3.3. La trattazione del modello collegato alla comunicazione di flusso non potrebbe considerarsi esaurita se non dessimo conto a questo punto anche di alcune esperienze innovative e, più in generale, dell'evoluzione della tv generalista avvenuta, soprattutto in Europa, nel corso dell'ultimo decennio.

Come è noto, alla fine degli anni Settanta l'emergere di forti interessi economici attorno alla televisione determina le condizioni per una trasformazione dei sistemi televisivi. Questo processo è favorito dall'innovazione tecnologica che, ponendo le condizioni per una maggiore disponibilità di canali, crea le premesse per la delegittimazione dei monopoli pubblici radiotelevisivi, che proprio sulla limitatezza delle frequenze fondavano la loro principale ragion d'essere.

La nascita e l'affermazione di nuovi canali e di nuovi mezzi di distribuzione (cavo, satellite, vcr), e la conseguente rottura dei monopoli, s'inseriscono all'interno di un mutamento culturale molto profondo dell'intero tessuto sociale. In questo senso, gli anni Ottanta rappresentano un punto di svolta fondamentale, in quanto in questo periodo si verifica la saldatura ideologica, come è stato acutamente osservato, dei tre livelli fondamentali della struttura sociale: il ritorno al privato sul piano individuale; l'ideologia dell'impresa e della competizione su quello economico; la crisi dello stato assistenziale su quello politico[10].

In questo contesto entrano in crisi anche le stesse idee guida, di ordine politico, etico e pedagogico, che avevano condizionato in precedenza lo sviluppo del mezzo televisivo. "La libertà d'espressione e il pluralismo non sono più concepiti come dei diritti minacciati, che devono quindi essere protetti e garantiti nello spazio limitato del servizio pubblico, ma, appunto, devono essere considerati come libertà. Dal punto di vista politico il problema non è più quello di garantire un luogo – la televisione pubblica – per l'esercizio della libertà di espressione e il pluralismo, ma di lasciare che essa si manifesti tramite una diversità di mezzi e di supporti. In questa logica [...] il confronto e la concorrenza sono in grado di accentuare gli spazi di libertà e di pluralismo più e meglio del monopolio"[11].

La trasformazione radicale che s'impone riguarda pertanto il passaggio da una logica tutta basata sull'offerta (il modello rheitiano del "dare al pubblico ciò di cui ha bisogno"), a una incentrata sulla

171

domanda, che tenga conto in primo luogo dei gusti e delle aspettative del pubblico. Tende ad affermarsi quindi in questa nuova prospettiva il principio della *sovranità del consumatore*, concetto di natura economica, ma con evidenti connotazioni ideologiche, più aderenti al mutato clima sociale. Il presupposto di fondo è la presenza di una pluralità di offerta proveniente da numerose fonti alternative. In tale situazione, si ritiene che le esigenze del pubblico siano meglio soddisfatte tanto maggiore è la possibilità di scelta, in quanto "gli utenti sono i migliori e ultimi giudici del loro stesso interesse"[12].

A subire i contraccolpi più forti e immediati di questa nuova situazione è naturalmente il servizio pubblico, il cui ruolo e la cui identità vengono messi per primi in discussione. In particolare, le maggiori riserve s'incentrano sul canone, e cioè sul ricorso a una forma di finanziamento giustificabile in regime di monopolio, ma sempre meno comprensibile, e quindi impopolare agli occhi del pubblico, in una situazione di concorrenza e di pluralità dell'offerta.

3.4. In questo processo di rapida e profonda trasformazione del sistema televisivo possono essere distinte due fasi. Nella prima, il mutato clima sociale, creando le condizioni per la crisi dei servizi pubblici, favorisce decisamente l'affermazione dell'altro modello collegato alla comunicazione di flusso: la tv commerciale. In particolare la pubblicità, nel momento in cui s'impone ovunque come principale fonte d'entrata, soppiantando il canone, finisce per subordinare alle esigenze del mercato pubblicitario non solo i canali privati, ma il sistema televisivo nel suo complesso. In questo senso anche la programmazione dei servizi pubblici, sottoposta agli stimoli della concorrenza, appare sempre più condizionata – a prescindere dalle risorse utilizzate – da una logica di massimizzazione dell'audience e di ricerca degli indici di ascolto.

D'altro canto però (seconda fase), lo stesso modello commerciale, così come è strutturato, non sembra più in grado di rispondere in maniera esauriente e complessiva alle richieste poste dal nuovo assetto sociale. Se è vero infatti che la sovranità del consumatore diventa il criterio distintivo a cui l'offerta deve conformarsi, il suo meccanismo d'identificazione nella tv commerciale appare inadeguato. Da questo punto di vista, l'assenza di un rapporto diretto tra domanda e offerta rappresenta l'ostacolo più grande alla definizione di una programmazione orientata sulla domanda, e quindi in grado di soddisfare in primo luogo le esigenze del pubblico. In un sistema finanziato dalla pubblicità, infatti, l'unico modo con cui il pubblico può esprimere in maniera evidente le sue preferenze è quello di guardare o meno un programma. Questo non significa, nonostante l'opinione diffusa (non solo dai e nei pubblicitari), che la programmazione della tv commerciale sia necessariamente quella più vicina ai gusti del pubblico.

La commercializzazione di un programma in un sistema sostenuto dalla pubblicità implica infatti che tale programma debba attirare una sufficiente audience in modo da indurre i pubblicitari a investire la somma necessaria a sostenerne il costo per realizzarlo. Tutto ciò può significare che alcuni programmi intensamente domandati, ma non molto popolari, potrebbero non essere trasmessi. Un esempio, che potremmo definire di scuola, ci aiuta a comprendere in concreto ciò che concettualmente a questo punto dovrebbe essere considerato ormai acquisito[13]. Un varietà popolare con un'audience di 10 milioni di telespettatori sarà programmato di preferenza, in una tv commerciale, rispetto a un programma artistico-culturale che attrae, poniamo, 5 milioni di telespettatori. Ma supponiamo che l'apprezzamento per il varietà sia piuttosto basso, nel senso che l'utente sarebbe disposto a pagare mediamente 10 lire per vedere il programma, mentre il favore per il programma artistico è tale che gli utenti sono disposti a pagare 5 volte tanto. Ne consegue che, per ciò riguarda il varietà, il pubblico è disposto a pagare 100 milioni, mentre per il programma artistico 250 milioni. Quindi, in un sistema finanziato dalla pubblicità, la programmazione non riflette sempre le vere preferenze del pubblico, interpretate invece meglio dalla sua volontà e propensione a pagare.

L'inadeguatezza palesata dal modello commerciale nel rispondere alle richieste di trasformazione del sistema, fondate sul principio della sovranità del consumatore, sembrano pertanto destinate a mettere in crisi non solo il modello del servizio pubblico, ma la tv generalista nel suo complesso. In particolare, proprio su una questione fondamentale come quella della qualità televisiva, il modello generalista non sembra più in grado di fornire da solo proposte convincenti.

L'ultimo tentativo in questa direzione, e certamente uno dei più ammirati, può essere considerato quello di Channel 4. Il quarto canale inglese è stato sì il frutto di dibattiti e compromessi protrattisi per lungo tempo; ma, giudicato a posteriori, esso rimane comunque un esempio di lungimirante progettualità rispetto al periodo in cui fu ideato (fine anni Settanta), anche se la sua data di attuazione (novembre 1982) ha finito per esporlo maggiormente ai rischi di un sistema in rapida trasformazione. La novità e l'originalità di Channel 4 consistono soprattutto nella sua caratterizzazione quale *tv commerciale di qualità*: una qualità che non si presentava più come un criterio "imposto dall'alto" dall'apparato televisivo, ma che doveva invece tener conto delle scelte e delle preferenze dei telespettatori, intesi però non come pubblico omogeneo e indifferenziato, bensì come un pluralità di pubblici distinti, cui doveva rivolgersi in maniera specifica e diretta la programmazione.

In questo senso l'offerta di qualità di Channel 4 – innovazione nei programmi, ampliamento dell'offerta, spazio per la sperimentazione – venne inserita per la prima volta all'interno di logiche di mercato (quello pubblicitario) e collegata al raggiungimento di un'audience significativa (10% del totale). La consapevolezza però dell'inadeguatezza del modello commerciale rispetto alla definizione di un sistema orientato sulla domanda impose al contempo la scelta di un meccanismo ibrido di finanziamento, che affidava al terzo canale della Independent Television (l'organismo commerciale britannico) la vendita degli spazi pubblicitari di Channel 4, garantendogli comunque le risorse necessarie al suo funzionamento, a prescindere dal perseguimento dell'obiettivo di audience.

Sottraendo il quarto canale a un rapporto troppo diretto con il mercato, si confermava dunque l'idea che un meccanismo di finanziamento come quello pubblicitario non può garantire fino in fondo il soddisfacimento dei gusti e delle preferenze del pubblico: conclusione ancor più valida in rapporto alla domanda di qualità. Nonostante la continua messa in discussione di questo criterio di assegnazione delle risorse, e per ultima l'indicazione nella nuova legge (in vigore a partire dal 1993) di una vendita diretta degli spazi da parte della Corporation Channel 4, il modello non appare sostanzialmente mutato: continua infatti a sussistere la presenza di un organismo esterno di garanzia (il terzo canale Itv), nel caso in cui queste risorse non siano sufficienti a mantenere in vita Channel 4.

4. La tv a pagamento e i nuovi confini della qualità

4.1. Se dunque la sovranità del consumatore nella varietà e pluralità dell'offerta diventa il principio informatore in base al quale il nuovo sistema dei media tende a strutturarsi, appare chiara, accanto alla parzialità e incompletezza dei modelli preesistenti, la necessità di individuare e sviluppare nuove tipologie d'offerta.

Questa esigenza vale in particolare per la televisione di qualità, che presuppone, nell'ambito di un'offerta più ampia, un atteggiamento consapevole e selettivo del telespettatore, in grado di indicare delle preferenze e manifestare delle scelte, il cui diretto soddisfacimento rappresenta comunque un elemento qualificante rispetto alla strumentalità dell'offerta generalista. In questa prospettiva, rese possibili dallo sviluppo tecnologico, si sono diffuse negli ultimi anni nuove forme di comunicazione televisiva, riconducibili a un unico modello: la tv a pagamento.

Ciò che le caratterizza è la presenza di un rapporto diretto tra domanda e offerta, definito da un prezzo, per cui l'utente paga ciò che riceve. Si tratta nella maggior parte dei casi di canali mirati, rivolti a un'utenza selezionata, nei quali l'elemento negoziale tra emittente e utente si sostituisce alle logiche dell'accesso generalizzato e indifferenziato e della sostanziale gratuità del servizio, tipiche della comunicazione di flusso. In questo modo, accanto ai modelli tradizionali, si sono andati diffondendo nuovi servizi "di qualità", che giustificano l'esborso di denaro.

Il concetto di qualità che tende ad affermarsi nella tv a pagamento è certamente il più coerente con il principio della sovranità del consumatore. Se le preferenze del pubblico in questo modello sono date, come abbiamo visto, dalla sua volontà di pagare, non c'è dubbio che su questo criterio si fonda anche il meccanismo di finanziamento della tv a pagamento. Ciò che entra in gioco in realtà è il concetto di *surplus del consumatore*[14], e cioè la cifra teorica risultante dal rapporto tra ciò che si è disposti a pagare – valore percepito – e il prezzo di mercato del bene stesso. Perché questo criterio si instauri anche nel mercato televisivo, è necessario che l'emittente sia in grado di fornire un *plus* rispetto all'offerta (gratuita) della tv generalista. È nell'individuazione di questo *plus* che può essere definita correttamente la qualità nella tv a pagamento.

4.2. Abbiamo visto in precedenza come la qualità televisiva assuma connotazioni diverse in rapporto al differente contesto di riferimento. In questo senso abbiamo rilevato come i criteri di identificazione della qualità nel servizio pubblico in regime di monopolio siano diversi da quelli della tv commerciale. In realtà, però, entrambi sono strettamente dipendenti dai contenuti e dai modi di produzione dei programmi, trascurando altri fattori, che assumono invece notevole importanza nella tv a pagamento.

Già sul piano stesso dei contenuti e dei generi, tre sono in particolare gli aspetti che favoriscono la diffusione della tv a pagamento e la sostituzione del telespettatore all'inserzionista pubblicitario: (a) la diffusione dei film in anteprima rispetto alla normale programmazione televisiva e la loro diffusione senza alcuna interruzione pubblicitaria; (b) la ripresa diretta e in esclusiva di grandi eventi popolari (incontri sportivi, concerti ecc.); (c) l'esistenza di programmi il cui costo contatto non sarebbe conveniente dal punto di vista pubblicitario, ma fortemente apprezzati da un numero limitato di spettatori, come i documentari, i programmi d'arte, cultura e musica, le trasmissioni sugli sport minori.

A questi vanno aggiunti due fattori indipendenti dalla tipologia dei programmi: (d) il senso di appartenenza a un club ristretto da parte degli abbonati, collegato all'idea di status privilegiato rispetto al resto dei telespettatori; (e) l'esigenza dei canali a pagamento di essere all'avanguardia nell'evoluzione tecnologica (standard di trasmissione, attrezzature di ricezione ecc.), in modo da poter conservare quell'immagine di modernità e innovazione, molto importante agli occhi degli abbonati.

Ciò che va sottolineato dunque è che, mentre nella tv a pagamento l'insieme dei cinque fattori definisce l'offerta televisiva di qualità, solo al terzo possono essere applicati (e parzialmente) gli stessi criteri utilizzati per la comunicazione di flusso. Nei primi due, infatti, il *plus* rispetto alla tv generalista è costituito da vantaggi di ordine temporale (esclusiva e anteprima), collegati, per quanto riguarda i film, all'integrità della visione in assenza di interruzioni pubblicitarie (vantaggio più sensibile in rapporto alle emittenti commerciali). Negli ultimi due, invece, il *plus* si fonda sulla capacità della tv a pagamento di offrire un'immagine di sé innovativa e stimolante, tale da aggregare pubblici mirati, disposti a pagare un prezzo, non elevato, per godere dei privilegi di servizi più qualificati.

4.3. È dunque l'insieme di questi fattori (non tutti necessariamente compresenti) che consente l'instaurarsi di un rapporto diretto tra domanda e offerta, per cui l'utente paga per il prodotto o il servizio che riceve: rapporto che però non si instaura automaticamente in tutte le tipologie di offerta della tv a pagamento.

Ciò avviene certamente nella *pay-per-view* ("pagare per vedere"), in cui l'utente paga esclusivamente per il programma selezionato, a prescindere dal resto dell'offerta dell'emittente. In questo caso il meccanismo negoziale è analogo a quello del cinema o degli spettacoli dal vivo, per cui si paga un prezzo per la visione di un prodotto o di uno spettacolo scelto tra tanti, con l'unica differenza della visione diretta a domicilio.

Diverso invece è il discorso per quanto riguarda la *pay-tv*, modello tecnologicamente meno sofisticato rispetto alla *ppv*, ma attualmente molto più diffuso (la *ppv* infatti è quasi totalmente assente in Europa, mentre sta appena cominciando a decollare negli Usa). La *pay-tv* è una forma di abbonamento periodico (generalmente su base mensile), e ciò che si paga non è il prodotto, il programma, ma la disponibilità dei programmi, l'accesso selezionato al canale. La transazione economica tra utente ed emittente non riguarda dunque il singolo prodotto, ma coinvolge il complesso della programmazione.

Inoltre, a complicare ulteriormente la situazione, va sottolineata l'esistenza, all'interno della stessa *pay-tv*, di una pluralità di sistemi con caratteristiche tra loro differenti. Per semplicità d'analisi, possiamo limitarci ai casi-limite della programmazione mista (prototipo il francese Canal Plus) e di quella monotematica (con variante multicanale, come i due canali cinematografici del gruppo inglese Sky). Nella prima ipotesi l'offerta è plurigenere, anche se ha come elementi qualificanti il film e lo sport; e viene dato ampio spazio alla programmazione in chiaro (4-5 ore al giorno), favorendo in tal modo l'accesso a una risorsa sussidiaria come la pubblicità. Il secondo caso si basa invece su un unico tipo di offerta e punta quindi più decisamente al mercato degli abbonamenti, limitando il più possibile la programmazione in chiaro.

Tenuto conto di tutti questi aspetti, va dunque rilevata la natura non univoca della *pay-tv*, evidenziata in primo luogo dal ruolo ricoperto dal prodotto, non oggetto finale della transazione, ma bene strumentale rispetto alle finalità da perseguire (nella fattispecie la sottoscrizione dell'abbonamento). La differenza con la strumentalità della tv generalista è comunque altrettanto marcata, dal momento che questa nella *pay-tv* si riflette in ogni caso nello stesso mercato dell'utente, del consumatore che, in ultima analisi, è colui che paga il prezzo per usufruire del servizio.

A tutto ciò bisogna poi aggiungere, per evitare rigidi schematismi non aderenti alla realtà analizzata, come queste stesse conclusioni vadano in ogni caso rapportate alle situazioni concrete. Da questo punto di vista, non c'è dubbio che il canale monotematico presenti una maggiore coerenza con il modello sopra delineato, rispetto alla programmazione mista, le cui caratteristiche la collocano in una posizione certamente meno distante dalla comunicazione di flusso e in particolare dalla tv commerciale, di quanto non siano le altre forme di tv a pagamento.

4.4. In definitiva, dal quadro sin qui delineato, quel che sembra emergere con chiarezza è la tendenza a una differenziazione sempre più ampia dell'offerta televisiva, ormai non più riferibile al solo modello generalista. Ciò comporta l'affermarsi di due diversi mercati: uno collegato alla comunicazione di flusso e dipendente in prevalenza dalla pubblicità (tv generalista); l'altro basato sul rapporto diretto tra domanda e offerta e finanziato principalmente dall'utente-consumatore (tv a pagamento).

Questo secondo modello, più in sintonia con il mutato clima sociale (di cui il principio della sovranità del consumatore rappresenta uno dei punti cardine), dovrebbe da un lato portare all'erosione di quote di ascolto della tv generalista, seguendo una tendenza peraltro già emersa negli Stati Uniti; dall'altro, assecondato dallo sviluppo tecnologico, incentivare la crescita, all'interno della tv a pagamento, di quelle modalità di comunicazione maggiormente strutturate sul rapporto diretto tra domanda e offerta. In tal senso una forma di pagamento al consumo come la *pay-per-view* sembra rappresentare la naturale evoluzione di questo processo.

In questo nuovo contesto, il prodotto di qualità appare in grado di svolgere nel complesso un ruolo più significativo rispetto al passato. Infatti, la probabile riduzione del suo peso specifico all'interno della tv generalista, connessa al prevedibile ridimensionamento di questo modello (nel quale il prodotto di qualità mantiene, come tutti gli altri programmi, le caratteristiche di bene strumentale), dovrebbe essere ampiamente compensata dalla sensibile crescita della tv a pagamento, di cui costituisce requisito essenziale, in quanto *plus* rispetto alla generalità dell'offerta televisiva.

Va d'altra parte precisato, al fine di eliminare qualsiasi equivoco, come non si intenda in alcun modo sostenere, sulla base di queste considerazioni, che l'affermazione della qualità televisiva possa essere collegata alla fine del modello generalista, sostituito integralmente da quello a pagamento. Anzi, ciò porterebbe esattamente all'esito opposto, poiché gli stessi criteri che definiscono la qualità nel mercato televisivo presuppongono la compresenza e la competitività tra le diverse modalità di offerta, a garanzia e a tutela non solo della qualità, ma più in generale delle esigenze, dei gusti e delle possibilità di scelta del telespettatore.

NOTE BIBLIOGRAFICHE

[1] M. Foucault, "What Is an Author?", *Screen*, primavera 1979, p.19.

[2] J. Feuer, P. Kerr e T. Vahimagi (a cura di), *MTM "Quality Television"*, London, Bfi Publishing, 1984, p. 33.

[3] E. Barnouw, *Tube of Plenty*, New York, Oxford University Press, 1975; trad. it.: *Il canale dell'opulenza*, Torino, Eri, 1981, p. 46.

[4] R. Williams, *Television – Technology and Cultural Form*, London, Fontana/Collins, 1974; trad. it.: *Televisione – Tecnologia e forma culturale*, Bari, De Donato, 1981, p. 61.

[5] La citazione è tratta da F. Pinto, "Separatezza della televisione e industria culturale", in G. Barlozzetti (a cura di), *Il Palinsesto*, Milano, Franco Angeli, 1986, p. 149.

[6] J. Root , *Open the Box*, London, Comedia, 1986, p. 74.

[7] R.G. Picard, *Media Economics*, London, Sage, 1989, p. 65.

[8] A proposito di questo concetto, ripreso e sviluppato successivamente da altri autori, si veda in particolare: D. Smythe, "Communication: Blindspot of Western Marxism", *Canadian Journal of Political and Social Theory*, n.1, 1977.

[9] C. Momigliano, "Il punto di vista della televisione commerciale", *Rapporto sullo stato dell'informazione in Italia*, in *Vita Italiana*, Roma, Presidenza del Consiglio dei Ministri, 1990, p. 46.

[10] G. Richeri, "I mezzi, le identità della televisione pubblica", in *Problemi dell'informazione*, anno XVI, n.3, sett. 1981, p. 347.

[11] ibidem., p. 347.

[12] A. Peacock, *Report of the Committee on Financing the BBC*, London, Her Majesty's Stationary Office, 1986.

[13] L'esempio è liberamente tratto dallo stesso *Rapporto Peacock*.

[14] Un'ampia trattazione di questo tema in: C. Sartori, *La grande sorella – Il mondo cambiato dalla televisione*, Milano, Mondadori, 1989, pp. 281-287.

LE SFIDE, I "TRIBUNALI", LE OPZIONI
PER UNA TV DI QUALITÀ
ALLA LUCE DELLO SCENARIO ITALIANO
(di Fausto Colombo)

1. Il "sole della Qualità"

"Il sole della Qualità non gira intorno ai soggetti e agli oggetti della nostra esistenza. Non si limita a illuminarli passivamente. Non è loro subordinato in alcun modo. È lui che li ha *creati*. Ed è a *lui* che essi sono subordinati!"[1] Così Fedro, lo sfortunato protagonista di *Lo zen e l'arte della manutenzione della motocicletta* di Robert Pirsig, giunge a definire la propria ossessione, in un tratto felice della sua tormentata esistenza.

Curiosamente, Fedro arriva alla definizione della qualità a partire dall'analisi del suo contrario, la *squareness*: "La *squareness* può essere descritta, in modo succinto ma esauriente, come l'incapacità di vedere la qualità prima che essa venga definita intellettualmente. [...] Quel che resta da analizzare non è dunque la qualità, ma quelle particolari condizioni di pensiero dette *squareness* che a volte ci impediscono di vederla"[2]. E ancora: "Di solito gli *squares* [...] a causa dei loro pregiudizi, danno poca importanza alla qualità, cioè alla realtà preintellettuale. [...] Non cercano neanche di scoprire se non sia per caso diversa dalla concezione intellettuale che ne hanno loro. Invece è proprio diversa. Quando cominci a udire il suono della qualità, a vedere quel muro coreano, quella realtà non intellettuale nella sua forma pura, ti vien voglia di piantarla con tutte quelle parole, perché cominci finalmente ad accorgerti che le parole sono sempre altrove"[3].

C'è dunque, secondo Pirsig-Fedro, una qualità come sostanza delle cose, che solo durante i processi di esperienza e di conoscenza si va scomponendo in due forme di qualità empirica: quella *classica*, data dalle relazioni e dalla coerenza, e quella *romantica*, data dall'unità e dall'immediatezza. Si potrebbe partire da qui, da questa suggestiva lettura della qualità come fondamento del mondo, per parlare della qualità televisiva. Sarebbe possibile, allora, cercare di mostrare che esistono una visione classica e una romantica della tv: la prima riguarda la funzionalità televisiva, le sue ragioni, i suoi scopi economici, politici e sociali, i suoi risultati visibili; la seconda la capacità televisiva di fare opinione, di creare emozioni, di mobilitare consensi o dissensi immediati (spesso al di là o addirittura contro i riscontri numerici o le compatibilità economiche). Poi, probabilmente, ci si troverebbe ad ammettere che comunque tutta la televisione sta dalla parte della qualità classica, perché da lì viene la tecnologia, da quel pensiero moderno e cartesiano che scompone il soggetto dall'oggetto, il visibile dal vedente, lo spettacolo dal (tele)spettatore.

Ma c'è un altro discorso – più urgente – che deve essere fatto, proprio a partire da Pirsig e dal suo affascinante libro: quello delle condizioni in base alle quali è possibile riconoscere la qualità, o più modestamente la qualità di qualcosa, foss'anche della televisione. Vale la pena di chiedersi se per caso si può dare un nome alla *squareness* di chi giustifica l'esistente come l'unica forma possibile di televisione, e anche di chi riconosce l'insufficienza del presente senza riuscire a prospettare soluzioni per il futuro.

2. Quattro modi di rispondere alla sfida della qualità

2.1. Per svolgere un compito come quello indicato, occorre innanzitutto domandarsi se esistono definizioni della qualità televisiva, e quali sono. In effetti – anche se il dibattito sull'argomento, nella sua versione puntuale, è decisamente recente[4] – la questione si è posta continuamente soprattutto agli operatori della tv, sia nel periodo paleotelevisivo che successivamente al passaggio alla neotelevisione, con una pluralità di risposte che possono essere riassunte in quattro modalità significative, almeno per quanto concerne il campo della televisione generalista, escludendo cioè le pur significative (ma troppo recenti nel nostro paese) esperienze della *pay-tv*.

La prima risposta è fornita implicitamente all'interno della concezione tradizionale dei media, per cui un medium di massa non fa che divulgare la cultura "alta", peraltro riducendone il livello durante il processo di democratizzazione. In questa chiave naturalmente non si potrebbe propriamente parlare di qualità, ma solo di operazioni mimetiche, comunque di bassa spettacolarità.

Una seconda versione della stessa posizione, più tipica degli operatori dei media – soprattutto di quelli televisivi della prima fase del monopolio – sostiene invece la possibilità della tv di essere strumento della cultura alta, ma solo a patto di farsi altoparlante di contenuti tipici della *high culture* (come il teatro, o la letteratura non di consumo). Nonostante la neotelevisione italiana del sistema misto sembri in una fase totalmente diversa, sacche teoriche di questo tipo esistono anche tra gli odierni operatori dei media. Così, per elevare il rango di una trasmissione si parla di arte, o di un libro; più raramente si costruiscono interi programmi sull'idea base di promuovere oggetti culturali alti o veicoli di cultura alta (per esempio certi libri o certi autori, come avviene per *Babele*, o i libri di per sé, come nel caso di una fortunata trasmissione di qualche anno fa, *Parola mia*).

Naturalmente l'idea nasconde la convinzione che il problema della qualità televisiva consista nei contenuti, e che la migliore garanzia per la qualità dei contenuti sia quella di non essere televisivi. Come si è già accennato, si potrebbero trovare "padri" e "nonni" di questa posizione non soltanto nei primi dirigenti e intellettuali televisivi italiani, ma anche più a monte, fra i sostenitori accesi e perplessi della tragica vittoria della *low culture* nel processo di mediatizzazione dell'Occidente[5]. L'unica possibilità di resistenza all'inevitabile abbassamento del livello culturale generale sarebbe dunque la contaminazione di un mezzo tipicamente *low* con contenuti tipicamente *high*.

2.2. Una seconda posizione è quella di chi crede che la televisione si realizzi come mezzo svolgendo il proprio compito sociale, spesso inteso come potere esplicativo rispetto al mondo.

In questo caso la qualità è determinata dalla fedeltà della tv al suo compito, che naturalmente può essere definito in modi diversi. Possiamo di nuovo richiamare la cesura fra paleo e neotelevisione per chiarire questo punto: finché la tv è stata in Italia mezzo monopolistico e governativo, usato con stile paternalistico e con fini prevalentemente "sociali" (informare, acculturare, divertire erano funzioni che l'istituzione "doveva" al cittadino, in una caratteristica forma di quel mecenatismo pubblico da parte di istituzioni intermedie, così ben descritto da Williams[6]), il modello dei suoi programmi contemplava ad esempio un'informazione fortemente istituzionale, pretenziosamente oggettiva, e persino i suoi conduttori "ventriloqui" potevano essere spiegati con l'idea stessa di istituzione politica, certo assai differente da quella attuale.

Oggi, cambiate le cose nel paese come nella televisione (una tv pubblica non più governativa ma sotto il controllo del Parlamento e duramente segnata da una lottizzazione che fatica a morire; una tv privata fortemente concorrenziale rispetto alla tv pubblica su quello che pare diventato il comune terreno della caccia all'audience), cambia l'informazione sia nel formato tipico del telegiornale, sia soprattutto nell'avvento di una presenza chiassosa e "piazzarola", dove ciò che conta non è dar voce alle istituzioni, ma alla "gente" della strada, con la creazione di autentici fenomeni di media-realtà[7]. Eppure, lo scopo non cambia: è un'idea della funzione della tv come voce, come luogo in cui si svolge un compito sociale che determina tanto l'uno quanto l'altro modello di programma. Da questo punto di vista, dunque, l'antica *TvSette* e le più recenti *Samarcanda* o *Il rosso e il nero* possono essere pensate come dominate dalla medesima ossessione, solo in momenti diversi della vicenda televisiva nazionale.

Questa informazione ha e avrà sempre dei guai: ma non perché (o nel caso in cui) abbia ragione o torto; più semplicemente perché la sua idea di missione sociale (una missione tutta mediatica) comporta dei radicalismi, e soprattutto comporta la discesa sul terreno dell'interpretazione, del conflitto fra posizioni ideologiche, fra individuo e collettività. E più i rischi aumentano, più l'idea di missione sociale si rafforza fino al martirio, al conflitto con un presunto potere avvertito o additato come estraneo, e invece assai vicino proprio alla televisione con cui entra in conflitto: perché l'idea di funzione sociale rimane un'idea pensabile soltanto dentro l'istituzione, e la televisione invocata come strumento paternalistico o liberatorio è pur sempre una televisione-soggetto che parla e che vuole convincere, che intende proporre interpretazioni della realtà insieme riduttive e verosimili, ragionevoli e provocatorie.

2.3. Una terza posizione interessante è quella che potremmo definire della democrazia di mercato. Questa posizione vede al suo interno personaggi e idee assai differenti fra loro, che oggi comunque sembrano in Italia trovarsi tutti sotto la bandiera delle rilevazioni Auditel.

Il ragionamento, nel suo complesso, può essere sintetizzato così: le rilevazioni Auditel assegnano, tramite la verifica del consumo, un valore alle trasmissioni. Da questo punto di vista, stanti le leggi del mercato, l'Auditel è strumento di rilevazione della qualità del prodotto. A questo punto, l'argomentazione prende due vie assai differenti, a seconda della matrice ideale (o ideologica) dei suoi sostenitori. C'è una prima versione che potremmo chiamare "mercantile", e che non differisce sostanzialmente dalle più comuni e diffuse argomentazioni sulla natura del mercato e sulle sue leggi: l'azienda emittente mette sul libero mercato del telecomando dei programmi-merce. Il pubblico è libero di accettarli o rifiutarli: in ogni caso il suo consumo ha una ricaduta sull'offerta, e quindi è una garanzia di funzionamento del sistema e anche di potere per gli utenti (che sembrano poter determinare gli andamenti della produzione, oltre che il successo dei prodotti). Condizionare questo complesso meccanismo significa attentare al libero mercato e alle sue leggi, e quindi, indirettamente, alla democraticità del sistema.

La seconda versione è più sofisticata, e anche molto intrigante. Suona più o meno così: la società contemporanea ha visto il trionfo definitivo del mercato culturale. Questo particolare mercato differisce dagli altri per il fatto che, seppure soggetto alle medesime leggi, costruisce pur sempre un patrimonio culturale, collabora a determinare stili di vita, gusti e così via. Inoltre, con la democratizzazione di massa che tende a compiersi in misura sempre più massiccia (seppure imperfetta, di solito, secondo i sostenitori di questa posizione, fra cui – per esempio – il direttore della terza rete Rai Angelo Guglielmi[8]), i tradizionali criteri di determinazione del valore culturale mutano definitivamente. Saltata la rilevanza delle istituzioni moderne, come l'università, e in genere ampiamente modificatosi il ruolo degli intellettuali, il valore culturale entra nel democratico gioco del gusto di massa, perfettamente rilevabile attraverso strumenti quali l'Auditel. Questa seconda versione differisce radicalmente dalla prima in quanto non si limita ad assegnare ai sistemi di rilevazione campionaria e statistica dell'ascolto un ruolo di determinazione della qualità mercantile del prodotto televisivo, ma si spinge fino ad assegnare a essi il ruolo di determinazione del valore culturale.

La formulazione di una critica compiuta di queste posizioni richiederebbe molto spazio. Ci si limiterà qui a due osservazioni, relative ad altrettanti possibili punti di discussione.

La prima osservazione riguarda la corrispondenza fra mercato televisivo e mercato tradizionale. Ogniqualvolta si afferma un'equazione del genere si rimuove una differenza saliente e profonda: quella per cui i mercati tradizionali si orientano a partire dal consumo effettivamente compiuto per determinare il ritorno della domanda sull'offerta, mentre il mercato televisivo si muove sulla base di campionature statistiche, in una logica in cui il pubblico è una variabile secondaria dell'investimento produttivo, rispetto al quale sono piuttosto centrali la capacità di raccolta pubblicitaria (effettuata spesso a "pacchetti" consistenti e quindi preventivi alla messa in onda) e quella che vorrei chiamare l'"immagine del consumo", ossia l'effetto di ritorno in termini di immagine che l'emittente, l'inserzionista o i gruppi politici possono ottenere dalla messa in onda per il semplice fatto che questa è avvenuta. Tutto ciò, si badi, non contrasta soltanto con il mercato tradizionale di merci *hard*, ma anche con quello di altri media come i giornali o il cinema, rispetto ai quali la verifica del consumo si svolge secondo il semplice conteggio delle copie o dei biglietti venduti.

La seconda osservazione riguarda invece l'idea di una "democrazia della qualità culturale". Questa idea sembra incorrere necessariamente in una contraddizione: o si ammette che ogni tipo di prodotto che riscuote successo ha intrinsecamente una qualità, oppure si accetta l'idea che anche nel mercato culturale di massa esistono (forse in maniera meno visibile di prima, ma comunque con una funzione altrettanto significativa) agenzie che hanno o si arrogano il compito di attribuire qualità a un prodotto in modo almeno parzialmente indipendente dal consumo. La prima affermazione è possibile soltanto dando al termine qualità un senso molto ampio, che va dall'utilità al valore estetico; il che tuttavia renderebbe assai difficile spiegare perché allora alcuni prodotti premiati dalle rilevazioni (un varietà come *Crème Caramel* o come *Saluti e baci*, ad esempio) non abbiano alcuna considerazione neppure nei sostenitori della qualità culturale di massa. La seconda affermazione, viceversa, finisce per far rientrare dalla finestra l'idea di istituzione-garante che si era voluto cacciare dalla porta. Si vuol dire insomma che l'intellettuale, indagando sui motivi per cui una trasmissione, che egli considera già di qualità, ha successo, può individuare la formula in base alla quale il pubblico ha assegnato valore a quel tipo di prodotto. Ma forse, al di là della discussione, vale la pena di richiamare a proposito di queste posizioni di democrazia di mercato una citazione del vecchio Borges che può spaventare politicamente, ma che contiene qualcosa di irresistibile: "Diffido della democrazia, questo curioso abuso della statistica"[9].

2.4. Un quarto punto di vista sulla qualità televisiva è quello che potremmo definire l'"idea dello specifico". Anche qui, è subito necessaria qualche precisazione. Nessuno in realtà si imbarcherebbe, a proposito della televisione, nello stesso tipo di dibattito che infiammò i cinefili (soprattutto quelli che frequentavano i cineforum) a proposito dei film. Quando si parla di "specifico" televisivo non si intende dunque un problema di linguaggio (nel senso propriamente semiotico del termine), e neppure un problema di funzione (che abbiamo già analizzato): si vuole invece riferirsi al mix tipicamente mediatico che considera la televisione sulla base delle sue caratteristiche strutturali, o dei suoi contenuti dominanti. Cercherò di chiarire con due esempi.

Appartiene ai ricordi personali di chi scrive una conferenza di qualche anno fa tenuta da Beniamino Placido, allora da poco divenuto critico televisivo della *Repubblica*, in cui venivano riassunte e sostanzialmente accolte alcune osservazioni di Maurizio Costanzo sulla tv, e in particolare una: "La televisione è piccola". Costanzo voleva dire – o almeno così intendeva nel suo discorso Placido – che il piccolo schermo è una caratteristica strutturale della televisione, che condiziona a fondo le sue modalità di espressione, rendendo inutili i grandi paesaggi, i grandi spazi, ed elevando invece a elementi eminentemente significativi i particolari, i tic dei soggetti intervistati, qualunque piccolo elemento, una volta isolato dal contesto e portato a significare il tutto. Può darsi che – nel ricordo – si sia un po' travisato il discorso, ma l'esempio può funzionare benissimo: secondo una concezione (perfettamente legittima) del genere, una buona televisione sfrutterà sapientemente le caratteristiche del mezzo, e non si farà affascinare da oggetti o eventi apparentemente significativi, e in realtà incompatibili con le ridotte proporzioni del televisore.

Condotto avanti su questa china, il ragionamento porterebbe lontano: per esempio a riflettere sulla capacità di condizionamento della spettacolarità non televisiva degli eventi che il medium tv è in grado di esercitare. I giornalisti sportivi sottolineano di tanto in tanto che in tv si capisce meglio – nel calcio – il gioco a uomo del gioco a zona; chi ha assistito a una partita in alta definizione sa bene che in quel formato il ragionamento potrebbe benissimo essere invertito. Ciò che conta, comunque, è che, da un lato, analizzando le caratteristiche del medium si potrebbero fare sorprendenti scoperte sulle trasformazioni di una certa realtà, dall'altro è difficile pensare a caratteristiche strutturali del medium che non coinvolgano il particolare livello di sviluppo tecnologico, e che quindi non evochino – più che strutture permanenti – limiti "storici" della tecnologia.

Il secondo esempio che intendo proporre è quello di *Blob,* la trasmissione di spezzoni diversi della programmazione quotidiana rimontati secondo una logica "eizensteiniana", in cui Enrico Ghezzi ha probabilmente concentrato la propria visione del mezzo televisivo. *Blob* rappresenta, davvero, un caso emblematico di trasmissione in cui emerge l'idea di specifico televisivo. In primo luogo si tratta di un programma *della* televisione, soggetto quindi alla routine produttiva del mezzo, inserito nel palinsesto, incaricato della cattura di un target piuttosto differenziato. In secondo luogo, il programma è realizzato *con* la televisione: gli spezzoni provengono appunto dall'ordinaria messa in onda, e la logica del montaggio richiama superficialmente l'andamento dello *zapping* (senza l'informe matassa dell'odierna programmazione televisiva quotidiana potremmo avere *Schegge,* ma non *Blob*) Infine, il programma di Ghezzi (e Marco Giusti) è *sulla* televisione, nel senso che esprime un giudizio sulla tv, sui suoi personaggi, costruisce un discorso sull'intero mondo al di là dello schermo, con i suoi protagonisti e le sue vittime. Ora, la semplice descrizione di questa complessità[10] non dice ancora nulla su *Blob* se non ci si sofferma sull'uso piuttosto diffuso del programma come concentrato di tv: molte persone utilizzano esplicitamente la trasmissione come surrogato televisivo, come metadone del piccolo schermo. Al di là della diffusione di questa funzione, essa pare segnalare bene il dato saliente: proprio perché programma *della, con la* e *sulla* televisione, *Blob* è *la televi-*

sione, ne materializza cioè la situazione attuale e lo statuto della programmazione.

Se si pensa alla straordinaria capacità dei programmi e dei personaggi televisivi di parlarsi addosso, di rimandare l'uno all'altro in un gioco di citazioni e di polemiche, di imitarsi e di differenziarsi continuamente, si vede bene che l'originalità della trasmissione della Terza Rete è proprio nell'assunzione esplicita, radicale e polemica di questo stato di fatto, che potremmo definire con gli autori del programma in questo modo: *la televisione è un Blob*, inteso questa volta come il vivo, repellente liquido onnivoro del celebre film omonimo.

Tuttavia, come si vede, c'è un'ambiguità di fondo nel programma: il giudizio sulla tv è nella stessa struttura della trasmissione; ma insieme la trasmissione si pone, nel suo rispecchiamento deformato e critico, come un programma di qualità, proprio nella sua attività di citazione e *pastiche*. È un paradosso tipico delle avanguardie, che qui interessa perché materializza un secondo modo di intendere lo specifico come guida alla qualità televisiva: il rispecchiamento – ritenuto esteticamente valido – della natura televisiva intesa come gioco (eticamente? politicamente?) negativo.

2.5. Con la descrizione del quarto punto di vista sulla qualità, ci si vuole illudere di aver dimostrato, o almeno di aver illustrato esaurientemente la convinzione che nella programmazione televisiva esistano allo stato implicito diverse concezioni di "qualità". Alcune di queste sono contraddittorie fra loro (la televisione commerciale, per esempio, potrà abbracciare al suo interno programmi che rispondono all'idea di specifico televisivo, ma non un'informazione ispirata alla logica del compito istituzionale, tipica invece del servizio pubblico); altre possono benissimo integrarsi e contaminarsi (l'idea della tv come mero strumento *low* della *high culture* può ritrovarsi a braccetto dell'idea dell'audience come indice qualitativo nei programmi, per esempio in certe trasmissioni di divulgazione spettacolare). Quel che conta, comunque, è che esse costruiscono di fatto un terreno su cui ogni questione teorica finisce per inserirsi.

Tuttavia, è lecito dubitare che su questo terreno sia possibile trovare una strada qualunque che porti fuori dalle secche del problema. Perché – il lettore lo riconoscerà – un problema c'è, visto che le varie concezioni della qualità sono così diverse fra loro, eppure convivono nella programmazione del medesimo sistema televisivo, spesso in operatori di analoga formazione, o impegnati nei medesimi settori. Dobbiamo allora pensare della qualità quello che Kant scriveva ironicamente del gusto nella sua terza *Critica*: che cioè esso vive della contraddizione fra la presenza di gusti diversi e la pretesa di ciascuno di questi di aspirare alla totalità e alla definitività? O è possibile almeno inserire questo quadro poliedrico in una struttura interpretativa (che tra l'altro è l'unica struttura di pensiero in grado di dare un giudizio sulla questione della presenza o dell'assenza della televisione di qualità in Italia)?

Proviamo a gettare di nuovo uno sguardo alle differenti valutazioni sulla qualità televisiva che si è tentato di descrivere, e che sono in realtà accomunate da almeno due fattori.

In primo luogo esse si configurano come sistemi di giudizio: ciò significa che postulano criteri generali e quindi punti di vista assiologici sulla televisione (più che sui programmi). Così, per i sostenitori della tv come medium divulgativo, un programma è di qualità se è trasparente rispetto ai contenuti culturali che cerca di trasmettere; nella concezione che attribuisce alla tv una funzione informativa o interpretativa (comunque conoscitiva rispetto al mondo) è di qualità una trasmissione che accresce il sapere dello spettatore o la sua capacità di giudizio; in un'ottica di democrazia di mercato, è di qualità il programma premiato dal maggior successo; infine, nella visione che privilegia lo "specifico" televisivo, la qualità è assicurata dall'occorrenza in un lavoro dei caratteri "tipici" del "televisivo". Come chiameremo queste formule valutative, questi sistemi assiologici?

Cominciamo con il dire che non possono essere ritenuti modelli estetici; non fanno mai – in effetti – riferimento al gusto[11]. Anche il modello che abbiamo chiamato della "democrazia di mercato", che pure invoca il pubblico, non fa affatto riferimento al giudizio dell'audience, ma solo alla sua presenza, al suo atto di visione.

Potremmo fare un "salto mortale" in direzione del mondo aziendale, e chiederci per esempio se questi modelli assomigliano ai sistemi di valutazione e progettazione della "qualità totale", che mette l'utente al centro di un sistema di beni e servizi il cui aspetto saliente deve essere la soddisfazione dell'utente medesimo. Non sarà difficile vedere che anche qui i modelli che abbiamo cercato di descrivere si collocano su un piano completamente diverso.

Potremmo infine chiederci se il modo in cui il pubblico ragiona chiama in causa qualcuno dei nostri modelli assiologici. E qui, forse, avremmo la sorpresa più amara, perché quello che sappiamo degli utenti di neotelevisione a proposito della loro fruizione distratta, delle motivazioni allo *zapping*, persino delle abitudini di consumo (grazie all'applicazione delle indagini psicografiche alle ricognizioni dell'Auditel) ci dice che lo spettatore sceglie il proprio piatto su un menu tutto immediato, facendosi guidare da bisogni molto vari e da criteri variabili, nonché da contrattazioni e da aspettative per nulla riconducibili unicamente all'uno o all'altro dei modelli descritti.

Questo punto può sembrare controverso, soprattutto se si presta orecchio alle chiacchiere di tanti operatori televisivi, presentatori di scarsa cultura e dubbio talento che invocano "la gente" come testimone del proprio successo e della propria capacità di comprensione dei meccanismi del mercato. Eppure non c'è alcuna controversia: basta osservare per una volta con occhio sereno i dati sui non-fruitori di televisione, oppure sui fruitori "parziali", che magari utilizzano il televisore come terminale, come monitor di videogiochi o di videoregistratori; basta guardare quel mondo da vicino, per accorgersi della dimensione di impotenza che caratterizza la televisione e molti dei suoi falsi profeti. Oppure si cominci a fare caso agli andamenti della propaganda politica televisiva rispetto ai risultati elettorali, dove spesso è punito chi più suona la grancassa. Oppure ancora si vada a controllare il grado di fiducia degli spettatori affezionati a questo o a quel conduttore al di fuori della fruizione televisiva, al momento delle scelte di vita. Sono operazioni semplici, che dicono molto, ma che spesso ci si astiene dal compiere.

Comunque sia, emerge chiaramente l'aspetto vagamente improprio dei modelli descritti per la definizione della qualità televisiva: essi non sono paragonabili a quelli estetici, né a quelli propri della cultura aziendale moderna, e nemmeno a quelli del pubblico, o almeno di larga parte del pubblico potenziale della televisione. Qui allora si evidenzia la seconda peculiarità dei modelli proposti: non soltanto essi si configurano come sistemi assiologici, ma sono definiti dai soggetti che se ne fanno portatori. In altre parole, per comprenderne il funzionamento e la capacità di influenza sul mercato occorre capire chi esprime i giudizi di qualità sulla televisione, non come persona ma come categoria istituzionale. È chiaro infatti che

191

tutti i giudizi di qualità che si è cercato di portare alla luce nel dibattito e nella programmazione televisiva non sono affatto giudizi *ex post*: il loro scopo non è prendere atto di ciò che è stato messo in onda, ma al contrario impostare il futuro della programmazione lungo questa o quella linea direttrice. In questo senso, proprio i soggetti sociali che si esprimono come garanti della qualità televisiva giocano nel mercato il fondamentale ruolo di decisori della programmazione.

È insomma delle istituzioni culturali che parliamo, quando discutiamo della qualità di un medium industriale come la televisione, ed è dunque giusto che si analizzi in primo luogo quali sono le istituzioni che con i loro giudizi agiscono direttamente sulla determinazione dell'idea stessa di qualità dei programmi. Come è accaduto con la nascita del mercato dell'arte, le opere nascono e vivono in un circuito, di cui fanno parte soggetti depositari del ruolo particolare di interpreti della qualità. L'Impressionismo è esistito anche perché qualche avveduto mercante ha investito su di esso; i grandi film del passato e del presente non sono pensabili senza intelligenti imprenditori; anche i programmi televisivi portano con sé il pesante parere dei propri mediatori. Il pubblico, quello, viene dopo. E la sua voce è forse meno ascoltata di quanto non ci si voglia far credere.

La domanda su cui si basa questo intervento non sarà più allora: "Che cos'è la qualità televisiva?"; e nemmeno: "Esiste in Italia una qualità televisiva?"; quanto piuttosto: "Chi e con quali strumenti giudica in Italia della qualità di un prodotto televisivo, o della televisione nel suo complesso?" Questa sembra la vera questione: il che non significa, naturalmente, che sia possibile fornire una risposta, ma solo che vale la pena di provarci.

3.   I "tribunali della qualità"

3.1. Se è chiara la prospettiva che abbiamo cercato di illustrare, l'analisi dei soggetti socialmente legittimati a formulare giudizi vincolanti di qualità dovrebbe essere in grado di svelare i meccanismi di determinazione dei programmi su cui si investe qualitativamente. Poiché il mercato televisivo ha alcune peculiarità che lo allontanano radicalmente da ogni altra forma di mercato (non c'è una verifica diretta del rapporto fra offerta e consumo, ma soltanto una verifica statistica; il prezzo non è determinato dal rapporto domanda-offerta), il ruolo dei soggetti istituzionali nella valutazione della qualità del prodotto-programma diventa essenziale. Per esempio, potremmo dire che anche una audience contenuta può essere ritenuta soddisfacente se il target raggiunto è esattamente quello voluto dallo sponsor di un programma; o che persino la semplice messa in onda di un brutto programma, con scarsa audience e senza particolari risultati in termini di target, può paradossalmente risultare soddisfacente se appaga un committente in termini di voluminosità della rassegna stampa...

Alla base dei sistemi di giudizio ci sono dunque soggetti mossi da bisogni e criteri: questi bisogni e criteri – è bene chiarirlo subito – non sono in grado di produrre programmi, bensì soltanto di selezionare fra le proposte e le possibilità. Tuttavia, in un mondo ad alti costi di produzione e quindi di investimento come quello televisivo, la selezione preventiva gioca un ruolo essenziale e determinante. Se un programma è di qualità, insomma, questa qualità non è generata dai "tribunali della qualità". Ma se un tribunale della qualità non lo consente, nessun programma di qualità può andare in onda, e nemmeno essere realizzato.

Con un po' di semplificazione, ci si occuperà ora di tre importanti soggetti istituzionali dei sistemi assiologici sulla qualità televisiva: i responsabili della produzione e messa in onda dei programmi, i ricercatori istituzionali, i critici.

3.2. Il primo settore, quello della produzione e della messa in onda, si rivela subito assai complesso. Dovremmo immediatamente citare come suoi esponenti i responsabili di rete, poi i vari livelli decisionali più bassi, fino ai "programmisti-registi", senza dimenticare tuttavia gli ideatori di programmi legati alle reti da contratti più o meno in esclusiva, o i registi e i conduttori che di fatto ormai hanno consolidato una propria immagine, attorno alla quale si organizzano i programmi cui partecipano.

Ma la lista sarebbe ancora piuttosto manchevole. Non dovremmo infatti dimenticare tutto il vasto mondo della sponsorizzazione, o meglio della promo-sponsorizzazione: quel mondo, per intenderci, che media tra le potenzialità di investimento di alcune grandi realtà economiche e le possibilità di costruzione di manifestazioni o di programmi ad hoc. Una rassegna esaustiva in questo senso porterebbe via tutto lo spazio a disposizione di questo intervento, e dovrebbe estendersi fino alla verifica del ruolo delle istituzioni politiche, a volte piuttosto pesante e incisivo soprattutto per quanto concerne l'informazione[12]; e al ruolo delle grandi sinergie editoriali, che spesso sono in grado di determinare flussi e riflussi di contenuti e argomenti, e quindi in ultima istanza anche di programmi o parti di programmi (si pensi in questo campo all'universo delle pubblicazioni per bambini legate dal *merchandising* ai *cartoons* o ad altre forme mediali).

Questa completa elencazione è dunque un compito al momento troppo vasto, e converrà rimandarla ad altra occasione. Eppure vi è almeno un problema che deve essere considerato centrale rispetto alla galassia di cui stiamo parlando. Com'è noto, il mondo della produzione televisiva in Italia è stato dominato per lungo tempo dall'immagine di un dovere sociale della tv: i primi dirigenti della Rai, i primi intellettuali chiamati a prestarvi la loro opera, partecipavano tutti (magari con motivazioni soggettive e punti di vista personali affatto diversi) alla missione televisiva di servizio sociale[13]. La riforma del 1975, con cui il nuovo assetto del sistema televisivo veniva tratteggiato ancora in un'ottica di monopolio pubblico, si trovò com'è noto a fare i conti con l'esplosione dell'emittenza commerciale, cui era sostanzialmente impreparata. Comincia di lì, dunque, la fase in cui il massiccio ingresso di capitali attraverso la pubblicità modifica una volta per tutte l'intero panorama italiano del *broadcasting*, avviandolo verso l'attuale oligopolio imperfetto, che la legge Mammì si è limitata a regolare. Questa fase appena descritta è stata caratterizzata da una frenetica caccia all'audience che ha coinvolto anche il servizio pubblico, modificando gran parte delle intuizioni della riforma del '75 (a cominciare dal ruolo, rapidamente mutato, della Terza Rete). Nella descrizione che spesso si fa del sistema televisivo italiano, si continua a parlare anche a proposito dei primi anni Novanta di un prolungamento di questa fase. Il parere che si vuole qui esprimere è che questa interpretazione è del tutto errata, e basata su una lettura superficiale e riduttiva di quanto è accaduto nella seconda metà degli anni Ottanta.

In effetti, il primo punto nodale da affrontare è la questione del massiccio afflusso di capitali attraverso la pubblicità. Com'è noto, questo afflusso fu in larga parte determinato da due cause: da un lato, il lungo digiuno forzato determinato dalla stretta normativa che aveva impedito – in regime di monopolio – un ingresso libero della promozione commerciale sul video; dall'altro, la ripresa degli investimenti pubblicitari generali che si legava alla ripresa economica seguita alla recessione internazionale che coinvolse pesantemente anche il nostro Paese. Comunque sia, l'esplosione della raccolta pubblicitaria televisiva determinò il successo di Silvio Berlusconi, e anche una modifica radicale del mondo italiano della pubblicità, che attraversò una fase di grande produttività e creatività. Ora, credo non si debba mai dimenticare che il boom pubblicitario televisivo ha avuto anche qualche lato oscuro.

In primo luogo, esso si è sviluppato in modo anomalo rispetto a quanto è accaduto e accade in altri paesi occidentali, con la concetrazione degli investimenti sul medium più massivo, a dispetto di strumenti più mirati. E questo a dispetto delle voci che, in maniera spesso documentata e perfettamente ragionevole, mostravano la necessità di osservare con maggior attenzione il ruolo fondamentale di altri mezzi più puntuali nella capacità di promozione.

Come ogni boom, inoltre, anche quello pubblicitario ha generato professionalità incerte, trasportate più dalla ricca domanda di addetti e di idee che da una formazione ragionevolmente completa e documentata. E ciò che è accaduto alla pubblicità è accaduto anche alla televisione italiana, assediata dal complesso dell'audience, e vittima di molti miraggi sulle ragioni di un'esplosione di ascolto (tra l'altro misurata in questa fase con nuovi metodi di rilevazione che hanno portato al *meter*) in gran parte causata dall'entusiasmo per la moltiplicazione di un'offerta di programmi fino ad allora eterodeterminata dai vincoli monopolistici. Così le campagne acquisti più faraoniche, come quella celebre che Berlusconi condusse per strappare alla Rai Baudo, Carrà e Bonaccorti (cioè i tre più gettonati conduttori televisivi del momento), hanno dato risultati deludenti. Certo, allora le emittenti commerciali giocavano una partita impari, prive com'erano della "diretta" (anche se è vero che esse erano almeno messe in condizione di continuare a giocare, grazie a una moratoria legale da molti vista con sospetto): ma è incontestabile che gli investimenti in materiale umano si muovevano con una certa ipersemplificazione che la dice lunga su come la conoscenza dei nuovi meccanismi televisivi fosse ancora imperfetta e vagamente grezza...

Mercato gonfiato a dismisura, dunque, quello televisivo: occorreva produrre di più, catturare un'audience quanto più vasta possibile, lavorare in fretta, perfezionare nuovi meccanismi di rilevazione e adeguamento dei programmi. Accanto a queste motivazioni, poi, continuavano a funzionare (e se possibile si rafforzavano) le logiche della lottizzazione e dei favoritismi politici, che portavano alla ribalta personaggi magari non ineccepibili dal punto di vista professionale, ma sì da quello della fedeltà a questo o a quel potentato.

Sarebbe ingeneroso, naturalmente, dimenticare quanto di buono è stato fatto, le produzioni a volte innovative, i finanziamenti al cinema di altissima qualità. Ma non è questo il punto. Quello che occorre osservare è che nella fase di espansione del mercato televisivo italiano è nata una categoria nuova di responsabili della programmazione scarsamente temprata, propensa a valutare la qualità dei prodotti televisivi su due versanti principali: da un lato la quantità dell'audience raccolta, dall'altro il gradimento da parte del committente o dell'inserzionista.

Sul piano dei conduttori, si è poi consolidata una rete di nuovi e vecchi *anchor-men* e *anchor-women* assolutamente inossidabile a qualunque tipo di critica, asserragliata dietro lo scudo dei propri successi quantitativi. Questi conduttori hanno in molti casi spinto il proprio ruolo oltre la televisione vera e propria, diventando promotori o partecipi di iniziative commerciali o comunicative di varia natura, in cui spendono il proprio successo in luogo della competenza e della cultura altrui. La visione che questi personaggi – così importanti nell'universo televisivo del nostro paese per la loro capacità di far passare proposte e convogliare investimenti – hanno del mondo televisivo è ormai puramente autoreferenziale: è il loro gusto che giustifica le loro scelte e viceversa, senza che le autentiche opzioni di programmazione dei network si impegnino a intervenire.

Il paradosso degli ultimi anni può essere descritto a partire da questo fenomeno piuttosto caratteristico della "professionalità" televisiva italiana. Nuovi bisogni emergono all'orizzonte; si osservano i primi segni di una disaffezione alla televisione tipica di un consumo comunicativo più maturo; la nuova recessione ha in parte contratto gli investimenti pubblicitari imponendo al mondo delle agenzie una brusca sterzata. Eppure i quadri della televisione italiana sono sembrati passare indenni, almeno fino all'ultimissima fase, da questa bufera: la logica dell'audience o del consenso del committente continuano a imperare. Le realtà nuove (che pure esistono) sono spesso confinate a margine, o si impongono a prezzo di un adeguamento alla media della programmazione.

Le aziende cominciano a chiedere programmi più mirati; la stessa evoluzione delle rilevazioni Auditel va nella direzione di un ampliamento di interessi e di un più analitico spettro dei consumi. Ma le prime serate continuano a essere occupate da faraonici "polpettoni" chissà quanto seguiti con attenzione, chissà quanto in grado di creare in qualcuno degli spettatori propensione al consumo dei prodotti inevitabilmente sponsorizzati. Non si apprezza, al di fuori di alcuni casi sempre più rari (*Cinico-Tv*, per fare un meritevole esempio), alcuna ricerca o sperimentazione televisiva.

Ora, nessuno nega il diritto di esistenza alle trasmissioni massive; semplicente bisogna comprendere che in un sistema che sempre più tende al prosumerismo, ossia alla costruzione di proposte di consumo su misura per l'utente, l'idea di una televisione puramente massiva è inquietante. Se ne esce d'altronde soltanto con una diversa logica istituzionale: con l'obbligo di finanziare la sperimentazione e la produzione d'avanguardia, con l'investimento nelle forze giovani, a rischio di qualche danaro perduto[14]. Fino agli anni Settanta la Rai ha certamente finanziato la sperimentazione[15]. Nell'ultima fase pare che l'investimento al di fuori della produzione massiva sia andato più che altro verso le tecnologie del satellite e dell'alta definizione.

Eppure c'è tutto un mondo di "operatori dell'elettronica", di videoartisti e *videomakers* italiani, che potrebbero dare – come accade in alcuni paesi europei – contributi non indifferenti proprio nella direzione di una differenziazione qualitativa della programmazione. Evidentemente, però, al di fuori di un quadro normativo che preveda istituzionalmente la ricerca come bene culturale di un paese; al di fuori di una professionalità un po' diversa da quella attualmente dominante, è difficile anche solo pensare a un investimento in qualità. Ogni sperimentazione, ogni autorialità è un caso isolato, fortuito e fortunato. Questo è il quadro, per desolante che sia.

3.3. Passando ad analizzare il panorama della ricerca istituzionale sulla televisione, è possibile distinguere abbastanza agevolmente due campi: quello della ricerca che chiamerei "conoscitiva", finalizzata cioè in primo luogo alla comprensione attraverso l'analisi della programmazione e dei programmi; e quello della ricerca "operativa", il cui ruolo precipuo consiste nel fornire indicazioni sulla futura produzione e programmazione.

Il primo tipo di indagine sarà ovviamente costituito soprattutto da analisi del contenuto, analisi semiotiche, osservazioni partecipate sui luoghi della produzione e della programmazione; il secondo tipo da analisi motivazionali, psicografie, test di ricordo e gradimento, letture interpretative finalizzate dei dati Auditel.

Anche qui, è impensabile una ricognizione dettagliata su un universo vasto e complesso. Ci si limiterà dunque a svolgere due ordini di osservazioni, l'uno di natura storica, l'altro – per così dire – strutturale.

Il primo ordine di considerazioni riguarda lo sviluppo successivo in Italia di tre tipi di attenzioni prevalenti.

Nella fase paleotelevisiva dominò il campo la ricerca sugli indici di ascolto e di gradimento: si trattava di una ricerca svolta all'interno della Rai, e accompagnata da studi di commissioni esterne sugli effetti e sulla comprensibilità dei programmi (i cui esiti trovavano posto sui Quaderni del Servizio Opinioni). Si trattava, come si vede, di un'attenzione teorica che utilizzava metodi tipici dell'analisi operativa, ma per scopi conoscitivi. In effetti il ruolo dell'emittente di stato era un ruolo sociale, e quindi la ricerca entrava a pieno titolo nella verifica dell'adeguamento agli scopi. Il "ritorno" degli esiti delle indagini sulla programmazione era tuttavia piuttosto scarso: come è stato da più parti osservato, la logica Rai era di tipo paternalistico. Dunque le verifiche servivano più a vagliare il livello dell'uditorio che a adeguare la programmazione, costruita su parametri piuttosto rigidi.

La fase successiva alla riforma è invece segnata in Italia dalla forte e significativa presenza del Servizio Verifica Programmi Trasmessi della Rai (poi Servizio Verifica Qualitativa Programmi Trasmessi, Vqpt). Nato con la riforma del 1975 come braccio della Commissione parlamentare di vigilanza, per controllare l'obiettività e il pluralismo dell'informazione, il Servizio cominciò ben presto ad associare alla propria indagine istituzionale il finanziamento di una serie di ricerche a un'ampia gamma di realtà accademiche italiane. Queste ricerche furono inizialmente concentrate sull'informazione televisiva, indagata attraverso lo strumento dell'analisi di contenuto; poi via via si estesero all'intrattenimento e in genere a tutta la programmazione, utilizzando in misura sempre più massiccia lo strumento della semiotica, e soprattutto della pragmatica. Si tratta, in questo caso, di una ricerca di tipo prevalentemente conoscitivo, basata su metodi tipici dell'indagine conoscitiva, e infatti non a caso assegnata di solito a realtà accademiche, ben liete di applicare i propri modelli teorici a realtà particolari come i programmi televisivi[16].

La terza fase necessita di una breve introduzione. Com'è noto, il lavoro dell'Auditel fornisce alle emittenti una quantità straordinaria di materiale "grezzo", che consiste principalmente nei dati d'ascolto per minuto dei programmi messi in onda sui network che aderiscono alla medesima Auditel, ma che da qualche tempo contiene informazioni interessantissime sulla composizione sociodemografica del pubblico, e quindi sui *targets* specifici delle trasmissioni. Questo materiale, comune a tutti i network interessati, rende possibile progettare una ricerca in qualche modo "di secondo grado", che cioè incrocia i dati di ascolto con la struttura del programma, i suoi vari momenti forti e deboli, la presenza o l'assenza di ospiti, e così via.

È proprio questo il tipo di ricerca che pare caratterizzare la terza fase: la Fininvest fa svolgere infatti a propri uffici specializzati un lavoro quotidiano di analisi incrociata che ha un'immediata ricaduta sulla programmazione, determinando modifiche anche sostanziali nelle trasmissioni seriali, con la comparsa o la scomparsa di presenze, o anche con la trasformazione della struttura e della sostanza dei programmi (fino alla loro soppressione, nei casi più drammatici). Il fatto più interessante è comunque relativo allo strumento utilizzato: si tratta infatti di un metodo che deve molto alle ricerche linguistiche, e che conferma la recente tendenza della semiotica (soprattutto pragmatica) a intrecciarsi con il marketing nell'analisi e nella progettazione di proposte di consumo. Abbiamo dunque – con un significativo rovesciamento della situazione tipica della prima fase – una ricerca condotta con metodi propri dell'indagine conoscitiva, ma finalizzata a propositi operativi.

L'evoluzione (che ho tratteggiato in maniera volutamente semplificata, non tenendo conto di filoni di indagine e di riflessione più intrecciati e ramificati, e soprattutto della sovrapposizione fra le fasi e i momenti) mi pare significativa perché mostra come la naturale tendenza a una ricerca operativa (peraltro dominante soprattutto nel campo della grande emitenza commerciale) abbia assunto nel nostro paese un andamento del tutto particolare. Da un lato, infatti, essa ha ereditato strumentazioni tipiche di fasi precedenti, nate in altri assetti complessivi del sistema, al di fuori del regime concorrenziale, in un'ottica di monopolio, o comunque di centralità del servizio pubblico inteso come dovere sociale. Dall'altro, essa si applica principalmente ai meccanismi di costruzione dei programmi in chiave per così dire sintattica: serve insomma ottimamente per dire cosa funziona e non funziona in una trasmissione, ma non per spiegare perché quell'elemento funziona o no, oppure per inventare soluzioni alternative (e infatti le soluzioni alternative vengono di solito scelte in una gamma di esperienze già effettuate con successo). Detto in altri termini, questo tipo di ricerca, perfettamente legittima, non può nemmeno lontanamente essere pensata come sufficiente alla produzione di innovazione: non solo non è funzionale a essa, ma nemmeno può essere utilizzata con quello scopo. Soprattutto, indagini di questo genere si muovono nella previsione e nell'aggiustamento di un successo in termini di pura audience, e non possono essere inquadrate in un processo di progettazione e di sperimentazione del nuovo.

Un secondo aspetto del discorso riguarda le metodologie utilizzate dalla ricerca in quanto tali. Chi scrive fa parte – è bene dirlo subito – dei molti che si sono battuti a favore dell'introduzione della semiotica nel campo degli strumenti di analisi dei media, e pensa ancora che le scienze del linguaggio offrano contributi essenziali alla comprensione di determinati meccanismi dei media e dei loro prodotti. È tuttavia necessario osservare che l'evoluzione della semiotica in direzione della pragmatica (ossia dell'attenzione alle condizioni dello scambio comunicativo in quanto già predisposte dal testo), incrociata con le nuove necessità della ricerca televisiva, ha prodotto in qualche caso dei curiosi effetti; ci si soffermerà qui su due di essi, che chiameremo il primato del testo e il conservatorismo analitico.

Cominciamo dal primato del testo. La semiotica pragmatica dell'audiovisivo ha naturalmente e meritoriamente centrato sul testo la propria attenzione, superando infinite e abbastanza sterili discussioni sulla lingua cinematografica o televisiva, sulle "unità minime di significazione", persino sulle strutture narrative specifiche. Ma il problema non è qui. La pragmatica si è posta – come abbiamo appena ricordato – il problema di verificare le condizioni dello scambio presenti nel testo, e quindi di costruire la mappa dei soggetti simbolici che predispongono (in un libro come in un film, in un quadro come in una trasmissione televisiva) i concreti scambi comunicativi. Ora, in diverse analisi semiotiche italiane sulla televisione, il discorso tende a slittare pericolosamente dalla descrizione dei meccanismi impliciti del testo ai meccanisni reali dello scambio, che invece possono essere analizzati soltanto a partire da verifiche di altra natura.

Questo slittamento ha due motivazioni fondamentali: da un lato, esprime la sacrosanta tensione degli studiosi a formulare ipotesi anche al di là dei loro modelli, verso la concretezza della fruizione; dall'altro, consente una comoda e totalmente asettica (oltre che naturalmente del tutto infondata) previsione dei comportamenti di consumo. I quali comportamenti – è bene sottolinearlo – sono tanto più liberi e imprevedibili in quanto la fruizione televisiva avviene in una "diretta quotidiana" ben diversa dalla ritualità festiva del medium cinematografico[17]. Detto in altre parole, la semiotica della televisione gioca una partita assai difficile quando cerca di descrivere modelli di patteggiamento comunicativo limitandosi all'attenzione al programma: una partita difficile e affascinante, in cui non è affatto detto che le modellizzazioni risultanti dall'analisi abbiano qualche attinenza con i reali modelli di comportamento degli spettatori.

Per quanto concerne il conservatorismo analitico, basterà osservare che, per una molteplicità di ragioni complesse e intrecciate, ha ormai preso il sopravvento in Italia una pratica di analisi che potremmo definire anti-ideologica, nel senso che non partecipa di quella funzione di svelamento politico che pure informa tanta ricerca sui media fin dalle origini, e che oggi è del tutto dominante, in diverse forme, in molti paesi europei e negli Stati Uniti, per limitarsi all'Occidente (si pensi all'evoluzione dei Cultural Studies o alla pratica della critica femminista). Non è certo intenzione di chi scrive tessere elogi sperticati di una critica ideologica a volte eccessiva o abbacinata dalle proprie precomprensioni. Certo però, dall'epoca della fine di quella che è stata chiamata "critica strutturale"[18], non si rileva più nel nostro paese una teoria attenta alle condizioni sociopolitiche della produzione televisiva: in altre parole, una teoria che non si limiti ad analizzare l'esistente, ma si ponga alle basi delle condizioni di possibilità dell'esistente stesso, per tentarne una critica radicale. Questa "teoria militante" – per usare il termine nella nobile accezione di Walzer[19] – avrebbe certo i suoi difetti, ma farebbe da utile contraltare a quel "conservatorismo analitico" che porta invece a privilegiare il presente non solo come oggetto di fatto, ma anche come unico oggetto possibile dell'analisi. Anche qui, come si vede, il sottosistema "ricerca" del sistema "televisione italiana" non mostra significative propensioni al nuovo.

3.4. Il terzo "tribunale della qualità" è costituito dalla critica televisiva. Nel parlarne, oggi, si è aiutati provvidenzialmente da un prezioso volume di Elena Dagrada, che per conto della Vqpt ne ha ricostruito con accuratezza la storia, insieme al dibattito su di essa[20]. Proprio il rimando al volume di Dagrada consente di evitare in questa sede una lunga ricognizione attraverso le varie fasi attraversate dalla critica televisiva. Ci si limiterà dunque ad alcune considerazioni, relative al suo particolare statuto e ad alcuni aspetti della situazione attuale.

Si può partire da un interessante intervento del 1972 di Umberto Eco, riportato da Dagrada[21]: Eco vi si soffermava sul particolare statuto della critica nella società industriale, rilevando che la funzione orientativa del critico nei confronti del pubblico rispetto a opere predisposte per l'acquisto ha una genesi coeva a quella delle prime Gazzette inglesi del Settecento. Dunque, un certo tipo di critica nasce con la società industriale, e si rafforza nella sua funzione sociale con l'affermarsi del mercato culturale.

Rispetto a questo quadro, tuttavia, Eco notava alcune distonie fra la critica televisiva e l'"altra" critica orientativa (letteraria, cinematografica, teatrale, pittorica e così via): la trasmissione tv – sosteneva – è irripetibile, e sta sempre a monte della scrittura critica (di qui l'impossibilità paradossale di svolgere una funzione di orientamento ai consumi); gli oggetti sono molteplici fino al limite dell'infinitezza; il concetto di autorialità svanisce di fronte alla complessità della produzione, ancora maggiore di quella cinematografica; lo strumento di approccio dovrebbe necessariamente essere interdisciplinare, e così via. Dunque, per riassumere in una battuta la natura della critica televisiva secondo Eco, essa è insieme tipica e anomala rispetto all'universo della critica orientativa caratteristica della società industriale.

Un primo sguardo alle osservazioni appena citate (e ad altre che qui interessano meno, e alla cui lettura comunque si rimanda) offre l'impressione che Eco abbia visto lontano, fatte salve le inevitabili mancanze rispetto a eventi tecnologici successivi, come l'avvento e la diffusione del videoregistratore (che rendono "ripetibile" l'evento televisivo, ma che soprattutto lo fanno entrare in un più vasto universo di oggetti elettronici fruibili nelle case in tempi e modi scelti dall'utente: film, documentari, videogiochi, menu di banche dati ecc.). Tuttavia l'impressione è che il quadro tratteggiato allora da Eco sia strutturalmente, e non solo episodicamente, insufficiente, quando disegna un mercato culturale in cui la televisione viene descritta come elemento distonico, invece di essere letta come la punta più avanzata di un sistema complesso e ramificato destinato a mettere a punto in maniera via via sempre più precisa i propri meccanismi di funzionamento.

In altre parole, quello che non emerge dal vecchio testo di Eco (che comunque rimane uno dei tentativi più seri e compiuti di definire un oggetto rimasto sempre piuttosto misterioso) è che la pratica critica costituisce un elemento saliente del mercato culturale non tanto per la sua funzione, quanto piuttosto per la sua natura di metadiscorso a sua volta scomponibile, riutilizzabile, aggregabile al proprio discorso-oggetto.

Per chiarire questo punto, è necessario porre attenzione al fatto incontestabile che il mercato della comunicazione tende a produrre e a mettere in circuito oggetti fra loro scambiabili e accorpabili. Non a caso Hollywood ha sempre sfruttato autori e opere letterarie per le proprie realizzazioni cinematografiche; non a caso, ancora, il mercato editoriale tende ad appropriarsi delle potenzialità dell'*homevideo*. Questa operazione di trasversalizzazione dell'offerta (e quindi di complessificazione del consumo) riguarda anche la critica come oggetto. È noto che la discussione critica entra nel gioco del lancio di un prodotto e anche nella sua definizione di ruolo. È piuttosto ingenuo racchiudere questo uso nella semplice "funzione orientativa", che presuppone per la critica sui media di massa una soggettività completamente "altra" e contrapposta rispetto a quella dei media i cui prodotti vengono giudicati. In realtà, come sappiamo bene, esistono modi di pilotare la critica; esistono casi in cui la critica negativa svolge paradossalmente funzione di lancio; esistono esempi di assorbimento della funzione critica da parte dei media stessi che dovrebbero esserne oggetto.

In questo senso la recensione diventa davvero una delle merci offerte sul mercato culturale; come le altre merci essa viene offerta in un set di prodotti variamente concatenati (programmi, libri, film); come altre merci essa può venire consumata nei modi più diversi, in buona parte indipendentemente dalle intenzioni soggettive dell'autore. Da questo punto di vista, come si dovrebbe ormai intuire, il fatto che la critica avvenga prima o dopo una trasmissione non è così importante, perché essa fa certamente parte di una complessa costruzione di immagine di personaggi, stili, offerte, e questo in un gioco dalle possibilità e dalle mosse così numericamente rilevanti da rendere impossibile qualunque previsione a priori di quali saranno le strategie seguite e le conseguenze reali di ogni operazione.

Le citazioni critiche sulle quarte di copertina dei *best-sellers*, o quelle nei *trailers* filmici sono molto vicine – nella realtà – alle burbanzose dichiarazioni dei personaggi televisivi che si arrogano il potere di rispondere in diretta ai loro recensori; esse sono tese a dimostrare che c'è una coerenza dell'offerta televisiva con l'offerta di altri media come i giornali; testimoniano la propria esistenza attraverso il ricorso tipicamente veridittivo ad altre comunicazioni. Dicono in altre parole: "Esistiamo, poiché si parla di noi".

Ci si trova dunque di fronte a un paradosso insanabile: la critica ha come propria caratteristica un giudizio orientativo sui prodotti televisivi; ma per le caratteristiche dell'offerta culturale avanzata essa si trova a far parte di un gioco più vasto dei media di cui risulta essere una pedina. Evidentemente questa contraddizione finisce per creare una discrepanza assai forte fra l'autorappresentazione del critico e la sua reale funzione all'interno dell'offerta televisiva e paratelevisiva.

Possiamo a questo punto citare – per non restare nel vago – due esempi veramente significativi ed emblematici di questa contraddizione: Aldo Grasso, critico del *Corriere della Sera* e Beniamino Placido, fino all'aprile 1993 critico della *Repubblica*. I rispettivi stili critici sono assai diversi fra loro: Grasso è più attento agli aspetti tecnico-espressivi, ma anche alle voci che circolano attorno a un programma come ambiente naturale; Placido discuteva piuttosto dei programmi come di un piccolo mondo che compare dietro la finestra che dà su un salotto. Vi sono poi naturalmente differenze generazionali e personali, ma anche alcune significative convergenze: la prima può essere definita come "atteggiamento morale", inteso quale irrinunciabile punto di vista sul dover-essere delle cose, su alcuni valori forti intesi come necessari alla convivenza, e quindi anche alla pratica comunicativa; la seconda, altrettanto significativa, è data dal patrimonio culturale tradizionale che entrambi mostrano esplicitamente di possedere in un gioco di citazioni (cui Placido ha fatto qualche volta autoriferimento ironico). Un'altra comune caratteristica è la consapevolezza dell'"alterità" della critica, che fa sì che Placido abbia rifiutato di comparire in televisione durante il periodo del suo incarico, e Grasso vi compaia solo episodicamente e comunque per interventi brevi e relativi alla sua area di competenza.

Bene, l'estraneità al mondo televisivo non ha impedito loro di essere investiti dall'onda di quello stesso mondo, in un gioco a volte pesante, a volte sottile, ma sempre significativo. Potremmo cominciare dal già citato uso dei personaggi televisivi di rispondere dai media ai critici: la risposta può avvenire dal video (e spesso avviene); ma in qualche caso è addirittura prevista dagli stessi giornali, come è avvenuto per il supplemento settimanale *Sette* del *Corriere della Sera*, in cui a una lettera aperta di Grasso rispondeva (generalmente con improperi e contumelie di scarso buon gusto) il personaggio di turno. Un'altra modalità di investimento del critico da parte dei media è quello per cui personaggi televisivi gli si rivolgono direttamente per consigli o osservazioni: il volume già più volte citato di Dagrada riporta – fra le altre – una testimonianza di Fede su un consiglio chiesto a Placido. Comunque sia, i pareri del critico vengono spesso fatti propri dagli ideatori dei programmi, in un gioco di correzione che mostra quanta sia la considerazione del suo parere presso gli addetti ai lavori (ma, si badi, soprattutto perché questo parere è pubblico, è visibile, fa parte del gioco). Infine, l'industria editoriale usa sapientemente il ruolo del critico per i propri scopi: lo ha fatto a proposito della *Storia della televisione italiana* di Grasso, chiedendo una prefazione a Placido e avviando poi (sull'*Espresso*) un discorso sui due critici e sulle loro differenze: un modo di lanciare libri, giornali, e così via.

Ma – si potrebbe obiettare – che cosa si può pretendere altrimenti dal critico televisivo? Che cosa gli si può chiedere oltre all'impegno a recensire onestamente, a dire il proprio parere senza farsi condizionare dalle pressioni e dagli insulti, o – peggio – dalle moine degli addetti ai lavori? Forse niente, finché si pensa a un critico perfettamente inserito nel sistema dei media, che vede quello che passa in televisione (e non, per esempio, quello che non passa, per censura, per incuria, o semplicemente per ignoranza dei programmatori). Forse niente, finché si accetta che il mercato culturale debba darsi da solo le proprie regole, rispettando finché gli fa comodo quelle del mercato *tout-court* e seguendo per il resto le necessità di questo o di quel personaggio.

Rimane però il fatto che la differenza vera fra la "buona" critica televisiva e la "buona" critica artistica, teatrale o cinematografica è che quest'ultima esercita ancora o dovrebbe esercitare (in parte pilotata dall'industria, in parte *motu proprio*) la funzione di ricerca del nuovo, di scoperta di talenti non ancora emersi alla ribalta: una funzione che necessariamente sfugge a chi può essere attento per statuto solo ai programmi che vengono di fatto trasmessi, e rimane fuori dalle forme di ricerca e sperimentazione che si giocano negli studi video di gruppi artistici, o in altri paesi, per fare un esempio.

Pare dunque che anche il terzo "tribunale della qualità" televisiva, la critica, svolga una funzione di osservazione dell'esistente, e non possa certo porsi come indicatore del nuovo e dell'emergente.

4. Produrre qualità

Si è giunti così alla dirittura d'arrivo del discorso. Il quale discorso è andato ruotando attorno alla necessità di tradurre una domanda troppo presuntuosa ("Che cos'è la qualità televisiva?") in una decisamente più abbordabile, anche se probabilmente meno affascinante ("Quali soggetti sociali giudicano la qualità televisiva in Italia?").

Per compiere una riduzione del genere si è accolta l'idea di fondo che in una situazione di mercato culturale avanzato esistono istituzioni che definiscono la qualità, e che con le loro definizioni contribuiscono a determinare l'andamento complessivo dell'offerta.

Dal quadro non dovrebbe essere naturalmente emarginato il pubblico come giudice qualitativo: ma qua e là si è cercato di dimostrare che il pubblico non è affatto centrale come gli apparati televisivi tendono a sostenere. E comunque appare chiaro a qualunque persona dotata di buon senso che una quantità pura di utenti non significa nulla rispetto alla qualità di un programma; o dovremmo sostenere che le migliaia di spettatori alle repliche di un'opera lirica contano meno dei milioni di telespettatori di una sola serata del festival di Sanremo (il che è falso, si badi bene, non perché l'opera lirica è cultura alta e il festival di Sanremo cultura bassa, ma perché in un'offerta culturale matura le nicchie di consumatori di certi prodotti d'élite sono almeno altrettanto importanti delle folle di consumatori di prodotti massivi).

La ricognizione su alcuni dei "tribunali della qualità" in Italia ha però dato risultati che richiedono un'interpretazione: ci si è infatti imbattuti in una situazione complessiva che vede certamente privilegiata la conservazione dell'esistente sull'innovazione, e che quindi tende a chiudere l'offerta televisiva alle istanze provenienti da mondi magari paralleli (si pensi al teatro d'avanguardia, all'arte video, al nuovo cinema italiano, alla letteratura narrativa e poetica di casa nostra e d'oltre confine), ma certamente oggi poco incrociati con quello del piccolo schermo.

Certo, se ci si mettesse a enumerare i programmi che negli ultimi cinque anni possono essere definiti di qualità, se ne troverebbero diversi. Ma il punto importante – vale la pena di ribadirlo – non è quello di quanta qualità si sia meritoriamente fatta strada nella *squareness* generale (e solo allora sia stata sbandierata dai responsabili delle emittenti, analizzata e studiata dai ricercatori, doverosamente elogiata dai critici), ma di quali sono le condizioni per promuovere la produzione di qualità, e di quali possibilità abbiano queste condizioni di verificarsi nel nostro paese.

Dal discorso fin qui condotto, emerge l'urgenza di una serie di innovazioni, già da più parti suggerite, che occorre ora rapidamente sintetizzare.

La prima necessità pare quella di un sistema legislativo che o preveda per tutto il sistema l'obbligo di investimento in sperimentazione e ricerca finalizzata a programmi di qualità, o richiami il servizio pubblico a un ruolo differenziato, che implichi necessariamente una sperimentazione.

La seconda necessità sembra quella del coinvolgimento di forze produttive e ideative nuove dai margini del sistema televisivo.

La terza necessità è certamente quella di un ripensamento generale, ma soprattutto da parte degli operatori, degli investitori, degli studiosi e critici, dell'essenzialità della produzione non massiva: intendendo con questo termine tanto la produzione commerciale mirata a *targets* specifici per identità culturale o per tipo di consumi, quanto quella esplicitamente non commerciale, che comunque è certo disponibile a incroci interessanti con mercati paralleli, come quelli dell'*homevideo* e dell'editoria.

Qualunque cosa sia la qualità televisiva, essa è progettabile e incrementabile soltanto liberando il mercato tv (attualmente "drogato" da una situazione anomala) da una serie di vincoli contraddittori e pericolosi.

In primo luogo, occorre riportare le regole del gioco all'autentica logica del mercato, senza svendite di spazi, senza concessioni ad amici e settori politici compiacenti, senza oligopoli onnipotenti la cui concorrenza schiaccia ogni possibilità alternativa. Nell'attuale situazione è quasi inevitabile (anche se paradossale) che la tv non parli al pubblico, ma agli investitori pubblicitari, ai dirigenti, ai politici di professione disposti ad usarla per i propri messaggi trasversali, agli altri *broadcasters*, che divengono l'unica determinante audience di riferimento.

In secondo luogo, si deve liberare il mercato da compiti che da solo non riesce a svolgere, garantendo "spazi favorevoli" per interventi di qualità sia in senso sociale sia in senso estetico. Non si tratta di proteggere specie in via di estinzione, ma di creare laboratori di sperimentazione e di ricerca in cui forze radicalmente nuove, capaci di pensare in un'ottica lontana da quella dei padrinati commerciali e politici, abbiano il tempo di far maturare proposte che trovino poi su un mercato risanato i propri spazi vitali.

Fino a qualche tempo fa, molti politici sostenevano che gli italiani avevano i governanti che si meritavano. Era un detto molto antipatico e falso, comodo solo per i soliti noti che spadroneggiavano a dispetto delle istanze autentiche che serpeggiavano nel paese. Non si sa per quale ragione, molti degli "addetti ai lavori" televisivi continuano a fare un discorso analogo, scaricando sul pubblico la colpevolezza di uno standard produttivo di rara *squareness*. Quel che si è cercato qui di dimostrare è che esiste un problema di compiti "istituzionali" rispetto alla promozione della qualità televisiva, compiti che devono essere responsabilmente assunti dai settori della produzione, della ricerca e della critica, e non scaricati pilatescamente su un'audience in realtà non così centrale come si vorrebbe far credere.

Il fatto è che – se il nuovo non è di per sé garanzia di qualità – solo nell'apertura al nuovo risiede la carta da giocare. In un secondo momento si potrà liberamente, democraticamente discernere il grano dal loglio. La qualità non si crea in laboratorio. Ma vi sono laboratori possibili per cercarla, e agevolare la sua crescita spontanea. E poi valga la scommessa su qual è davvero la voglia di qualità degli italiani.

NOTE BIBLIOGRAFICHE

[1] R. Pirsig, *Zen and the Art of Motocycle Maintenance*, 1974; tr. it.: *Lo zen e l'arte della manutenzione della motocicletta*, Milano, Adelphi, 1990.

[2] ibidem, p. 217.

[3] ibidem, p. 243.

[4] Si veda al proposito l'interessante contributo di G. Bechelloni, "L'orizzonte della qualità", in P. Dorfles (a cura di), *Atlante della radio e della televisione 1991*, Torino, Nuova Eri, 1991; nonché l'intera sezione dedicata al problema in P. Dorfles (a cura di), *Atlante della radio e della televisione 1992*, Torino, Nuova Eri, 1992.

[5] Per una riflessione su questo dibattito si veda naturalmente U. Eco, *Apocalittici e integrati*, Milano, Bompiani, 1989 (ottava ed.).

[6] Cfr. R. Williams, *Culture*, Glasgow, Collins-Fontana, 1981; trad. it.: *Sociologia della cultura*, Bologna, Il Mulino, 1983.

[7] Per una discussione sul concetto di media-realtà, mi permetto di rimandare a: F. Colombo, *Ombre sintetiche*, Napoli, Liguori, 1990. Il discorso fatto sopra non toglie, naturalmente, che la via dell'informazione istituzionale sia stata battuta ancora, parallelamente a quella più recente e "urlata", da alcuni protagonisti che non hanno rinunciato al proprio stile e alla tradizione dell'inchiesta giornalistica "classica". È il caso, ad esempio, di Sergio Zavoli con trasmissioni come *La notte della repubblica* e *Viaggio nel Sud*, o di Enzo Biagi.

[8] Rimando qui a una serie di interventi pubblici di A. Guglielmi, e anche al volume: S. Balassone e A. Guglielmi, *La brutta addormentata. Tv e dopo*, Roma-Napoli, Theoria, 1993.

[9] J.L. Borges, "Prologo", *La moneda de hierro*, 1975; trad. it.: "Prologo a La moneta di ferro", in *Tutte le opere*, II volume, Milano, Mondadori, 1985, p. 945.

[10] Per una discussione su *Blob* e il suo significato televisivo cfr. A. Grasso, *Storia della televisione italiana*, Milano, Garzanti, 1992, pp. 511-512.

[11] Per un esempio di attenzione estetica ai fenomeni televisivi, si veda invece O. Calabrese, *Mille di questi anni*, Bari, Laterza, 1991.

[12] A questo proposito, naturalmente, andrebbe studiata la funzione del Garante per l'Editoria e la Radio-televisione e della commissione consultiva che a lui fa riferimento, soprattutto in quanto la medesima commissione è concepita come rappresentante dell'utenza in un paese caratterizzato da uno scarsissimo consumerismo e da una bassa presenza di *lobbies* dei cittadini.

[13] Su questo punto si veda, oltre a A. Grasso, *op. cit.*, G. Simonelli, "La televisione italiana dal monopolio alla *deregulation*", in AA. VV., *Le televisioni in Europa*, Torino, Edizioni della Fondazione Agnelli, 1990, pp. 283-310.

[14] Mi pare qui di poter citare ad esempio il sistema britannico, per una descrizione del quale cfr. H.H. Davis, "Televisione e cultura nazionale in Gran Bretagna", in AA. VV., *Le televisioni in Europa*, op. cit., pp. 111-139; e C. Levy, "L'immagine europea della televisione: il passaggio dalla televisione tradizionale alla neo-tv in Gran Bretagna", in AA.VV., *Le televisioni in Europa*, op. cit., pp. 141-177.

[15] Per fare un esempio, si può citare il lavoro (reso possibile dalle commesse Rai) di due *film-makers* e poi *video-makers* come Guido Lombardi e Anna Lajolo,

cui la VII Rassegna internazionale del video d'autore di Taormina (luglio 1991) ha dedicato una retrospettiva. Si veda al proposito V. Valentini (a cura di), *Dissensi tra film video televisione*, Palermo, Sellerio, 1991; in particolare pp. 269-295.

[16] Sull'attività svolta dal Servizio Verifica Qualitativa Programmi Trasmessi è attualmente in corso una ricerca dell'Istituto Gemelli-Musatti della Provincia di Milano, ricerca diretta da Gianfranco Bettetini e coordinata dal sottoscritto. Gli esiti della prima annualità dell'indagine sono pubblicati in P. Aroldi, F. Colombo, C. Giaccardi, "Il Servizio Verifica Qualitativa Programmi Trasmessi: una storia critica", *Ikon*, 25, 1992, pp. 147-202. Per l'attività di ricerca della Vqpt si veda anche, fra gli altri contributi, A. Agostini, B. Fenati, S. Krol, *Annali della riforma*, Torino, Nuova Eri, 1987.

[17] Cfr., per esempio, G. Bettetini, *Scritture di massa*, Milano, Rusconi, 1981.

[18] Si veda anche U. Eco, Relazione introduttiva a AA.VV., *Criteri e funzioni della critica televisiva*, 1973, atti del convegno omonimo (Torino, 18-20 settembre 1972).

[19] Il riferimento è qui a M. Walzer, *The Company of Critics. Social Criticism and Political Commitment in the Twentieth Century*, New York, Basic Books, 1988; trad. it.: *L'intellettuale militante*, Bologna, Il Mulino, 1991.

[20] Si veda al proposito E. Dagrada, *A parer nostro*, Torino, Nuova Eri, 1992.

[21] Cfr. E. Dagrada, op. cit., pp. 19-25.

PARTE QUARTA

LA CONDIZIONE DELLA QUALITÀ
IN ALCUNI PAESI DEL MONDO

Questa ultima parte (*) del volume ci introduce nel vivo dei principali contesti televisivi mondiali, alla ricerca di quali siano in essi le condizioni (attuali e in prospettiva) della qualità: intesa questa nel senso ampio che abbiamo delineato nella seconda parte del nostro volume.

In questa impresa ci muoveremo – come è forse naturale – dal sistema televisivo indubbiamente più forte che esista al mondo, quello nordamericano, cercando di coglierne le strutture fondamentali ma anche le profonde trasformazioni che lo pervadono e che stanno rendendo del tutto obsoleti certi stereotipi che lo hanno (talvolta a ragione) identificato.

Ci soffermeremo quindi sui "resti" di quello che fu il modello europeo di televisione (costituito da organismi pubblici monopolisti o

(*) Il testo è una sintesi dei risultati della *Ricerca internazionale sui modelli della qualità televisiva*, ideata e condotta dall'autore presso l'Istituto di Scienze dello spettacolo e Sociologia della comunicazione (diretto dal prof. Enrico Mascilli Migliorini) della Facoltà di Sociologia dell'Università di Urbino. Alla ricerca hanno partecipato: Edoardo Novelli (esperto di comunicazione e realizzatore di programmi tv) per il coordinamento dei collaboratori e per l'Italia; Luca Celada (collaboratore della Rai Corporation, Los Angeles) per gli Stati Uniti; James Rampton (critico televisivo di *The Independent on Sunday*) per la Gran Bretagna; Rudolf Frieling (sezione video del Filmfestival di Berlino) e Manfred Riepe (giornalista nel campo dei media) per la Germania; Albino Pedroia (responsabile ricerche dell'agenzia Havas) per la Francia; Luis Azcárate Cornely (docente e realizzatore di programmi televisivi) per la Spagna; Jennifer Clark (corrispondente di *Variety*) per Turchia, Polonia, Repubblica ceca e Ungheria; David D'Heilly (studioso e creativo nel settore della televisione) e Daniela Bezzi (giornalista nel campo dei media) per il Giappone; Wladimir Weltman (giornalista nel campo dei media) per il Brasile; Raúl Trejo Delarbre (docente e ricercatore nel campo dei media) per il Messico.

215

comunque prevalenti), per osservare come la sua tormentata e alla fine radicale rivoluzione (il passaggio a varie forme di "sistema misto" pubblico-privato) abbia inciso nei principali paesi sulle sedimentate regole dell'ideazione, della produzione e della distribuzione dei programmi televisivi.

Volgeremo anche uno sguardo particolare a una "cerniera" televisiva ricca di incognite, ma proprio per questa densa di significati: quella costituita da paesi caratterizzati da un certo sviluppo televisivo (Polonia, Repubblica ceca, Ungheria, Turchia) a cavallo tra mondo europeo e asiatico.

Ci dedicheremo quindi ad un'altra area "forte" del contesto televisivo internazionale, rappresentata dal sistema giapponese, di cui esamineremo le analogie con altri modelli e le peculiarità più significative.

Non mancheranno infine ampi accenni ai due "paesi televisivi" importanti del continente latino-americano, Brasile e Messico, entrambi dominati da monopoli privati di eccezionali dimensioni.

I.

IL SISTEMA NORDAMERICANO:
L'"IMPERO" SAPRA' SFIDARE SE STESSO?

1. Dal monolitismo dei network al polimorfismo delle fonti, ma con quali risultati?

1.1. Il sistema della televisione americana è senza dubbio, funzionalmente parlando, un sistema razionale. In estrema sintesi, esso si presenta nel suo complesso come il connubio operativo tra il *mondo della produzione* cine-televisiva, concentrata per lo più a Hollywood, e le *strutture distributive* della televisione nazionale, il cui epicentro è essenzialmente New York. La produzione è dunque affidata nella quasi interezza (fatte salve le trasmissioni informative principali e pochi altri scampoli di programmazione) a case di produzione indipendenti e specializzate; gli enti televisivi acquistano il "diritto di antenna", mentre ulteriori diritti di distribuzione (come ad esempio quelli per la vendita all'estero) rimangono di proprietà dei produttori.

Questa dualità assicura un tensione produttiva costante, che induce i produttori ad investire in una cospicua serie di "programmi-pilota", i quali vengono presentati a ogni nuova stagione ai possibili clienti ed entrano in competizione per far parte stabile dei palinsesti. Il sistema funziona proprio perché Hollywood costituisce il serbatoio di quella che è senza dubbio la più vasta, attiva e spregiudicata "comunità creativa" del mondo cine-televisivo, in grado di generare un grosso e costante volume di proposte alle case produttrici: il tasso di "mortalità", e quindi di ricambio, delle idee è infatti piuttosto alto all'interno dei processi produttivi, e continua a esserlo una volta che un programma raggiunge la fase di programmazione, il cui proseguimento è ferreamente legato al responso insindacabile degli indici di ascolto[1].

Tale strutturazione ha certamente contribuito all'opinione corrente che dipinge il sistema televisivo americano come monoliticamente e ossessivamente dominato da "giganti" commerciali intenti soltanto a "vendere" telespettatori alla pubblicità. A guardare bene, invece, gli Stati Uniti presentano un modello di televisione che, specie con le trasformazioni avvenute nel decennio Ottanta, ha acquisito numerosi nuovi protagonisti, mostrando spiccate caratteristiche di polimorfismo e addirittura di "instabilità": resta peraltro da vedere se, e in quale misura, tutto ciò si sia positivamente riflesso (o almeno si stia riflettendo) in una maggiore "qualità del sistema".

1.2. Prendendo le mosse dal fronte della distribuzione, comprendiamo subito che il sistema americano, oggi, è ben lungi dall'esaurirsi nelle figure dominanti dei tre grandi network commerciali nazionali (Abc, Cbs, Nbc) che hanno fatto la sua storia. Innanzitutto, ai tre se ne è aggiunto un quarto (Fox); e inoltre il campo è popolato da numerosi altri soggetti protagonisti: le stazioni indipendenti a raggio locale (che acquistano i programmi disponibili sul mercato della cosiddetta *syndication*), la rete nazionale di servizio pubblico (Pbs), i canali via cavo di base (cui si ha accesso con il pagamento di un canone mensile di modesta entità), i canali *premium cable* o *pay-tv* generica (che prevedono un ulteriore abbonamento ad hoc) e i sistemi di *pay-per-view* (che trasmettono via cavo programmi da pagare volta per volta).

Il forte declino dell'audience dei Big Three (Abc, Cbs, Nbc) – un dato costante ormai da molti anni – è la conferma più chiara della metamorfosi in atto nel sistema televisivo di questo paese. Responsabile principale è, infatti, proprio la straordinaria crescita della *cable television* che, a circa 15 anni di distanza dai primi esperimenti di trasmissione mediante cavo coassiale, è riuscita a sottrarre oltre un terzo dell'audience ai network. I dati della stagione 1992-93 indicano che l'audience combinata dei tre grandi è scesa sotto il 60% del totale nazionale, mentre era del 90% nel 1980 e del 70% nel 1988[2]; ed è stato un evento assai significativo che, durante la guerra del Golfo nel 1991, per la prima volta un'emittente via cavo, la Cnn, sia riuscita a battere i network in competizione diretta.

In questo quadro di maggiore competizione si inserisce paradossalmente il già citato quarto network, la Fox Television creata da

Rupert Murdoch. Malgrado lo scetticismo con cui era sta accolta la sua nascita, la Fox è riuscita a costruirsi una audience di base (peraltro complessivamente ben inferiore a quelle dei Big Three) grazie all'introduzione di programmi spesso spregiudicati, rivolti a un pubblico giovanile, che in alcuni mercati "pregiati" come New York, Los Angeles e Chicago hanno sconfitto l'egemonia dei tre network. Ha certamente contribuito al successo anche una visione manageriale del tutto nuova, che ha introdotto e perseguito alcune "eresie" nella strategia di offerta (come ad esempio l'immissione in palinsesto di nuovi programmi lungo tutto l'anno televisivo, senza attendere le scadenze rigide delle "stagioni" prestabilite).

A questo quadro del *broadcasting* tradizionale (certamente più variegato, come si vede, del suo stereotipo corrente) va inoltre aggiunto per completezza il circuito della *syndication*, cioè della distribuzione di programmi a stazioni indipendenti locali: un circuito che conserva sì alcuni dei caratteri originari di mercato per soli prodotti "di seconda mano", ma che ha anche saputo evolversi a committente, sia pur secondario, di programmi e raggiungere così una sua dignitosa maturità.

1.3. Ai fini della nostra analisi sulla qualità televisiva, un posto a sé, nel sistema americano, merita senza dubbio la rete Pbs, il Public Broadcasting Service. È anch'esso strutturato come un network di emittenti locali, non trasmette pubblicità ed è sovvenzionato in parte da fondi statali e da contributi privati, tra cui numerose e ricche fondazioni, ma anche singoli spettatori (che finanziano per lo più le stazioni locali della rete).

Nell'atto costitutivo della Pbs si legge che ai singoli licenziatari si richiede di incoraggiare "una programmazione che sia rispondente agli interessi della gente [...], che costituisca un'espressione di diversità e di eccellenza", con particolare riferimento alle minoranze, alle donne e a tutte quelle audience che sono malservite o non sono servite affatto dai network commerciali[3]. La Pbs ha potuto rispettare e anzi ampliare questi impegni statutari negli anni "dorati" della presidenza Johnson, quando il favore della amministrazione federale incoraggiò i manager della televisione pubblica ad assumere dei rischi, trasformando quello che era un semplice strumento di tv educativa in una fonte primaria di programmazione generale di qualità, alternativa in tutti i sensi alla strategia dei network commerciali, perché completa, coraggiosa, anticonformista soprattutto nel campo delle inchieste, dei documentari, dei programmi dedicati alle arti, delle trasmissioni per bambini (tra cui la celebre e celebratissima *Sesame Street*, inimitabile pietra miliare per un apprendimento naturale delle lingue, così importante nel nuovo *melting pot* della società americana)[4].

La spinta innovatrice della Pbs nel sistema americano si è invece fortemente attenuata a partire dalla presidenza Nixon, nel 1972, quando una pesante ristrutturazione "politicizzata" del consiglio di amministrazione della Corporation for Public Broadcasting e altrettanto pesanti tagli finanziari costrinsero il network a rivedere e impoverire tutta la sua politica di produzione e distribuzione di programmi. Dopo la breve parentesi (di nuovo sostanzialmente positiva) della presidenza Carter, il trend negativo si è riacutizzato negli otto anni di Reagan, quando altri tagli finanziari sono stati rivolti in particolar modo ai programmi educativi per ragazzi, che hanno così visto scemare fortemente la loro presenza nel palinsesto della rete[5]: perfino *Sesame Street* ha dovuto uscire di scena ed è stato reintegrato solo per pubblica "acclamazione".

Una storia così travagliata non poteva non lasciare i suoi segni su questa "voce alternativa" del panorama televisivo americano. Il percorso è stato semplice nella sua brutalità: minori fondi, persistente precarietà legata al "vento" politico, minore volontà di correre rischi, maggiore ricorso a una programmazione "sicura" da tutti i punti di vista (repliche comprate dalla *syndication*, vecchi film, acquisti dall'estero con particolare riguardo alla pur eccellente produzione britannica). Secondo un'opinione condivisa da molti critici, la programmazione della Pbs non sarebbe più "altamente innovativa" ma semplicemente "a buon mercato"[6], avendo per obiettivo principale non il servizio delle sue audience naturali, ma la mera sopravvivenza.

Il decennio Novanta si è comunque avviato con una buona notizia per la Corporation, essendo stato respinto in Senato, a larga maggioranza, il tentativo dei repubblicani di ridurre il finanziamento federale per il triennio 1994-1996. Inoltre, non mancano nel carnet attuale della Pbs programmi di notevole rilievo artistico e culturale, frutto della collaborazione di apprezzati *producers* e *filmmakers* indipendenti: come *Civil War*, creativa e vibrante pietra miliare di un genere a metà tra il documento e la fiction; o come *The*

90's, programma sperimentale di "democratizzazione" della tv, in cui i telespettatori sono invitati a catturare con la propria telecamera frammenti significativi di quotidianità (ben lontani da quelli caricaturali che alimentano i programmi di video amatoriali delle reti commerciali). Dunque – e nonostante tutti i problemi che abbiamo elencato – la Pbs deve essere considerata un elemento importante, anche se quantitativamente minoritario, in questa nostra analisi delle condizioni strutturali di estrinsecazione della qualità televisiva. Ma altrettanto sicuramente si può affermare che occorrerebbe uno sforzo di immaginazione non indifferente (e però, come vedremo, possibile) per trasformarla in una forza addirittura trainante del sistema americano.

1.4. Se la Pbs rappresenta idealmente l'eredità della "rivoluzione degli anni Sessanta" nel sistema americano, questo ruolo innovatore per gli anni Ottanta e Novanta spetta senza dubbio al cavo. Oggi negli Stati Uniti si contano più di diecimila stazioni via cavo, con oltre 55 milioni di abbonati complessivi. Il 60 per cento delle "case con tv" (*tv households*, nella terminologia americana) è anche servito dal cavo, e la metà almeno sono pure abbonate a un qualche servizio di *pay-tv* [7]. A questo panorama si è recentemente aggiunto il fenomeno della *pay-per-view* (visione a pagamento), che utilizza la distribuzione via cavo quale supporto. In che cosa consista, è ormai ben noto: esiste un menù videotext di programmi (soprattutto film ed eventi speciali, in genere sportivi) che l'abbonato via cavo può selezionare al telefono con un numero di codice, vedendosi poi addebitata automaticamente la spesa (graduata secondo l'eccezionalità dell'evento) sul canone mensile del servizio *cable*.

La *pay-per-view*, in queste sue espressioni, è una forma rudimentale (si sarebbe tentati di dire "preistorica") di televisione interattiva, di una televisione cioè che sfrutterà le sempre più avanzate tecnologie ottiche e digitali per trasformarsi in un servizio "a due vie", in un interscambio continuo tra stazione emittente e pubblico ricevente. Dopo la deludente esperienza del Qube negli anni Settanta (un sistema-pilota di tv interattiva impiantato a Columbus, nell'Ohio), alcuni gruppi operanti nel settore (Tci, Time-Warner, Cablevision Systems) stanno tentando di nuovo l'avventura, tra entusiasmi e "frenate". Particolarmente interessante appare l'esperimento del Quantum, installato in cinquantamila case del Queens, a New York,

221

dal colosso della comunicazione Time-Warner: tutto collegato in fibra ottica, il sistema ha una capacità di 150 canali (un centinaio in più di quanti ne permettono gli attuali cavi coassiali) ed è completamente interattivo, anche per quanto riguarda numerosi servizi per la casa (operazioni bancarie, acquisti ecc.), sul modello delle "città intelligenti" più volte sperimentate in Giappone[8].

I sistemi sperimentali interattivi sono dunque entrati in quella fase che viene definita di *market-test* e che serve a valutare l'efficacia pratica dei sistemi stessi (e dei loro supporti tecnici, dalle fibre ottiche ai videodischi interattivi), nonché la rispondenza degli utenti potenziali. In questo quadro, si inserisce una sfida economica e imprenditoriale che di nuovo potrebbe mutare radicalmente il volto dell'industria televisiva americana: le compagnie telefoniche hanno infatti rivendicato il diritto di smistare, sulle proprie reti di cavi a fibre ottiche, non solo servizi telefonici ma anche immagini televisive; e il diritto è stato riconosciuto, nel luglio 1992, dalla Federal Communications Commission, l'organo regolatore dell'industria delle telecomunicazioni americana. In precedenza, nel gennaio 1992, la Fcc aveva decretato la destinazione di una parte dello spettro radiotelevisivo a frequenze utili per la trasmissione di segnali ausiliari al suono e alle immagini, il che dovrebbe permettere finalmente lo sviluppo su larga scala di sistemi interattivi, che necessitano proprio di tali segnali ausiliari per mettere in comunicazione il polo ricevente con la stazione emittente.

Tutto ciò, a partire dal 1993, appare sicuramente facilitato dall'indirizzo dell'amministrazione Clinton che – sotto la spinta specialmente del vicepresidente Gore – ha indicato tra le sue priorità un piano di ristrutturazione dell'infrastruttura delle telecomunicazioni in America. Si tratta di un vero e proprio *New Deal* del settore, che prevede la creazione di una rete di *electronic highways*, di "autostrade elettroniche": una rete, cioè, che permetta – tramite fibre ottiche e tecniche avanzate come la compressione digitale dei segnali – di rendere finalmente operativi entro pochi anni, e in tutto il paese, sistemi video interattivi di elaborazione dati, teletesti e televisione con applicazioni educative, mediche, imprenditoriali e di *entertainment*.

1.5. In attesa che questi "sogni" diventino "realtà", ma alla luce dei cambiamenti che abbiamo registrato anche nella televisione tradizionale, è ora lecito porsi una domanda: se effettivamente il sistema americano si è ampliato e diversificato nel modo che abbiamo descritto, che cosa significa tutto ciò ai fini della crescita della qualità televisiva? È proprio questo il senso di una lunga ricerca condotta dagli studiosi Blumler e Spicer che, in due anni di interviste con 150 esponenti dell'industria televisiva, hanno confrontato l'indubbio sviluppo quantitativo del sistema americano con le conseguenze che tale sviluppo ha generato in termini di creatività (intesa come uno dei principali strumenti metodologici della qualità). I risultati sono sintetizzati dagli stessi autori in cinque proposizioni lapidarie: (a) la pura e semplice moltiplicazione delle emittenti è comunque un bene in se stessa; (b) il nuovo mercato ha aperto maggiori oppurtunità per una televisione immaginativa, innovativa; (c) quantunque il "menù" televisivo si sia arricchito, esistono ancora molte pressioni che limitano la ricettività del sistema nei confronti dell'originalità, della produzione colta e controversa; (d) i controlli esterni sui produttori di programmi sono risultati al tempo stesso, e alternativamente, allentati e ripristinati; (e) *plus ça change, plus c'est la meme chose* (frase vezzosamente lasciata in francese nel testo inglese)[9].

Vale la pena, per l'importanza dell'argomento ai nostri fini, non accontentarsi di questa pur efficace sintesi ed esaminare con maggiore dettaglio le implicazioni che tali risultati comportano. Innanzitutto, dobbiamo ricordare e al tempo stesso ampliare quanto abbiamo detto all'inizio della nostra analisi del sistema americano: e cioè che anche nella sua struttura tradizionale, anche nel periodo di dominio incontrastato dei tre grandi network, il tasso di ricambio delle idee doveva in qualche modo tenere il passo con il mutamento della vita e degli stili della società americana[10], al punto che talvolta i network hanno saputo rispondere a crisi di audience con programmi non ripetitivi, non convenzionali[11]. È altrettanto vero, però, che dall'avvento del cavo, dalla crescita quantitativa delle fonti emittenti, ci si aspettava qualcosa di più di quello che già c'era: la possibilità di raccontare e raccontarsi senza più avere la "spada di Damocle" della massimizzazione dell'audience sulla testa[12].

Perché allora queste aspettative non si sono tutte chiaramente e trionfalmente realizzate? Blumler e Spicer suggeriscono che gli scenari troppo ottimistici sono andati fuori strada "per aver sottovalutato il persistente potere di certi pregiudizi, valori e meccanismi che tendono a governare qualunque sistema televisivo tutto commerciale, indipendentemente dal numero dei canali e delle fonti emittenti che esso possiede". Il primo di tali fattori di freno è il cosiddetto "pregiudizio edonistico", per cui vecchie e nuove emittenti non si azzardano a uscire dalle forme sicure del solito intrattenimento, nel timore di spiacere a telespettatori che considerano desiderosi soprattutto di evasione a buon mercato. Il secondo è il "pregiudizio quantitativo", che tende sempre a cercare il "di più" (in termini di indici di ascolto, pubblicità, altri introiti, repliche nelle varie emittenti nazionali e internazionali, e così via), per cui non vi sono mai grandi risorse per l'espressione della creatività in forme che si rivolgono a pubblici minoritari. Questo avviene anche perché (terzo fattore, di tipo sociologico) i protagonisti del "gioco produttivo" – dai *top executives* ai produttori, dagli agenti agli sceneggiatori e ai registi – sono un po' sempre gli stessi, con la stessa mentalità. Un quarto fattore (di tipo economico-finanziario) ha a che fare con la ristrutturazione in atto nell'industria dello spettacolo in America, specie nel settore dei media elettronici: l'accentuato processo di concentrazione (con poche *conglomerates* che manovrano, in accesa competizione, patrimoni artistici sempre più consistenti) lascia ben poco spazio a contributi di outsider animati dal desiderio di rinnovare. Infine, un quinto fattore di tipo organizzativo: e cioè che in un sistema televisivo pienamente commerciale, quale è quello americano, "gli interessi della creatività non hanno mai un posto sicuro nei tavoli decisionali"; nella migliore delle ipotesi essi vengono usati solo strumentalmente, se e in quanto servono a raggiungere i primari obiettivi commerciali, pronti a essere gettati a mare, violati o compromessi in caso contrario[13].

1.6. La conclusione, decisamente in negativo, di Blumler e Spicer è che, dopo questa sua formidabile espansione quantitativa, il sistema americano può essere paragonato a un sofisticato "razzo vettore", che ha raggiunto il culmine della sua traiettoria esplorativa senza uscire dal campo gravitazionale della "terra", cioè del modello tradizionale di fare e pensare la televisione: per cui viene inesorabilmente risucchiato indietro verso la mediocrità, il conformismo, la concentrazione di potere. In altri termini, se queste tendenze continueranno a prevalere, c'è il rischio che "più" (più canali, più emittenti, più opzioni) finisca per significare "più solite cose".

Tale pessimismo viene avvalorato anche da altre, diverse considerazioni che attengono alla dinamica attuale del sistema americano, e che nel campo televisivo stanno inducendo alcuni critici a rivedere persino alcuni capisaldi di quello che è sempre stato il vanto dell'America (nonché l'alibi delle sue concentrazioni di potere): l'apertura "dal basso", l'ideologia di un pluralismo *grass-roots* che ha sempre ragione. Via via che la Federal Communications Commission mostrava chiari segni di volersi occupare il meno possibile del "controllo contenutistico" del sistema, questo ruolo "censorio" si è in qualche modo privatizzato e decentralizzato: come nota con un sorriso Monroe Price, "la General Foods, genitori preoccupati per gli effetti della musica rock, gruppi in difesa delle persone diffamate dai media, organizzazioni religiose, associazioni per la protezione dell'immagine di persone affette da Aids, circoli femministi, nonché un sacco di altra gente, tutti ora cercano di avere il loro ruolo nelle decisioni relative ai programmi e alla programmazione, e usano tutte le leve di potere che riescono a procurarsi"[14].

In questo quadro vanno visti alcuni recenti interventi normativi che, pur ragionevoli in sé, non possono non creare un qualche imbarazzo in un paese cresciuto all'ombra del chiarissimo, orgoglioso Primo Emendamento della Costituzione americana ("Il Congresso non emanerà alcuna legge [...] che limiti la libertà di parola o di stampa"). Nel 1991, infatti, il Congresso ha promulgato la legge sulle trasmissioni per bambini che, per la prima volta nella storia della radio-televisione americana, impone degli standard, per quanto temperati. Nel 1992, inoltre, il Senato ha definitivamente approvato, a grandissima maggioranza, la messa al bando di sesso e violenza dalla tv nelle ore di maggior ascolto, costringendo quindi a relegare molti programmi tipici del *prime-time* a dopo la mezzanotte. È veramente giusto? si sono chiesti in molti. E il *New York Times* ha dato voce a queste perplessità, scrivendo che, anche se è giusto arginare la volgarità e la violenza che imperversano in tv, la definizione di "programmi indecenti" usata dalla nuova legge è così generica, che rischia di venire sfruttata dai più conservatori per mettere al bando ogni trasmissione "rea di guardare con simpatia a stili di vita diversi da quelli comunenemente accettati, all'omosessualità o a quelle forme artistiche considerate oscene dalle persone

225

più retrive"[15]. Non a caso i network si sono affrettati a raggiungere un accordo tra di loro in base al quale, dalla stagione 1993-94, indicano esplicitamente quali progrmmi non sono adatti ai minori: non l'avessero raggiunto, si sarebbero probabilmente esposti a misure ben più severe.

Tutti questi passi "onorevolmente restrittivi" hanno finito per mettere in evidenza un'*impasse* di fondo del sistema americano: una sorta di corto circuito del pluralismo sociale, laddove viene inserito in un sistema industriale che è soltanto e totalmente commerciale e che al tempo stesso opera in una società il cui valore principale è la assoluta libertà di ogni individuo. Non a caso, di fronte ai passi restrittivi cui abbiamo accennato, lo stesso Monroe Price ha parlato di "un ambiente legale degli Stati Uniti [che] sta cominciando a rassomigliare a quello europeo, con implicite eccezioni alla totale protezione della libertà di opinione, concepite per certi scopi sociali"[16].

1.7. Su questa strada della contrapposizione frontale tra libertà individuali (anche quella di nuocere) e valori sociali (proteggere certe categorie), non si va molto avanti nella conquista di una qualità complessiva del sistema americano. Meglio allora porsi obiettivi più limitati, ma forse più efficaci ai fini di un concreto miglioramento: obiettivi che possono, tra l'altro, costituire utili temi di meditazione anche per altri sistemi televisivi.

Un primo traguardo sarebbe quello di "non chiudere più fuori dalla porta" di tutte le decisioni di politica televisiva coloro che in concreto operano per una televisione migliore[17]: il sistema americano, proprio per le sue tendenze di rappresentazione pluralistica (ma al tempo stesso non così ideologico-politica come in Europa), può sicuramente concepire e sviluppare meccanismi in grado di far sì che i professionisti della tv possano accogliere le sacrosante istanze dei vari gruppi sociali ai fini di una televisione più creativa, anziché più anodina, innocua, ingessata (*politically correct*, come si usa dire) e perciò qualitativamente peggiore. A ben vedere, la stessa realtà attuale ci offre qualche appiglio: pur con tutti i problemi e i limiti che abbiamo a suo tempo evidenziato, un movimento di base come Viewers for Quality Television, che lavora da sempre in stretto contatto con il mondo produttivo, rappresenta un esempio significativo di una tendenza che dovrebbe essere rafforzata e istituzionalizzata.

Un secondo "motore" di progresso reale potrebbe accendersi e unirsi al primo, nel momento in cui ci si decidesse a un profondo rinnovamento della rete pubblica Pbs (che abbiamo già descritto come benemerita, ma frastornata dalle mire politiche e dalla continua minaccia di tagli finanziari): è opinione diffusa che oggi il sistema americano potrebbe permettersi di compiere qualche passo verso il modello televisivo "misto" privato/pubblico, giungendovi da un estremo completamente opposto (cioè dal "tutto privato") rispetto a quello da cui vi sta giungendo il sistema europeo (che partiva dal "tutto pubblico"). Tra l'altro, una istituzione pubblica americana finanziariamente solida, posta al riparo dei ricatti politico-governativi, capace di recepire e di realizzare al meglio le istanze più innovative del mondo professionale, costituirebbe anche quel necessario punto d'incontro istituzionale tra le già citate esigenze dei più diversi settori della società civile e le irrinunciabili "soglie estetico-produttive" di una televisione avanzata.

Per arrivare a questa evoluzione del modello americano, non c'è probabilmente bisogno di una "rivoluzione istituzionale". Il sistema normativo vigente della televisione americana offre già numerosi spunti per procedere in questa direzione: e sono proprio quegli spunti che in passato sono stati criticati per il fatto che sembravano ledere l'incondizionata libertà di espressione e di impresa o introducevano comunque elementi di ambiguità nel sistema stesso[18]. Importante, ad esempio, è il riconoscimento che ogni persona o ente che ottiene la concessione di trasmettere è in realtà un "fiduciario" (*trustee*), e non un semplice licenziatario commerciale (le concessioni del resto sono date, non vendute), nel senso che su di lui pesa "il non delegabile dovere di servire l'interesse pubblico nella comunità che ha scelto di rappresentare come emittente"; il che comporta "un diligente, positivo e continuo sforzo [...] per scoprire e soddisfare i gusti, le esigenze e i desideri espressi nell'area del suo servizio"[19].

Inoltre, tra i criteri già usati in certe circostanze dalla Federal Communications Commission per valutare l'espletamento dell'"interesse pubblico" da parte delle emittenti anche commerciali, non vi è soltanto quello più noto del "bilanciamento degli interessi" (che ha trovato compiuta espressione nella dottrina delle "pari opportunità" da offrire specialmente ai candidati politici e nella *fairness doctrine* per la presentazione di opposti punti di vista), ma vi

227

sono anche valori come l'"eterogeneità" (nel senso di attenzione offerta al maggior numero possibile di interessi diversificati), il "dinamismo" (adattabilità ed evoluzione), nonché la "varietà" di programmi e servizi offerti al pubblico[20]. E per quanto riguarda la rete pubblica Pbs, già il suo atto costitutivo del 1967 le attribuisce il compito di perseguire non solo i valori dell'istruzione e della "cultura", ma anche quelli della "partecipazione", della "comunità", del "localismo", dell'"accesso"[21]. Questi ultimi due valori, infine, hanno ricevuto particolare significato e attenzione anche nella regolamentazione del cavo, nel corso degli anni Settanta: il localismo, attraverso il favore concesso a proprietà, produzione e contenuti locali; l'accesso, attraverso l'imposizione di un canale separato da riservarsi ad un uso pubblico non commerciale.

In definitiva, dunque, il pur tanto "deregolato" sistema iper-commerciale americano contiene in sé i semi per costruire una sua nuova identità "verso l'alto". Basterebbe partire da essi e, anziché usarli come criteri burocratici di comportamento o come elementi residuali per concedere spazi e tempi a chiunque ne abbia il diritto, farli crescere in modo innovativo e immaginifico: se la miopia dei detentori attuali del potere televisivo impedirà questa crescita, è assai probabile che il sistema americano – pur così ricco e scintillante – si avvii verso una trionfante decadenza. Se invece l'"impero" saprà sfidare se stesso, risulterà ancora una volta vincitore.

2. Un mondo di contrasti e di incognite nel *melting pot* della programmazione televisiva (*)

2.1. Alla base del concetto americano di televisione c'è l'*entertainment*, nella sua forma più tradizionale: il genere narrativo, la cosiddetta *fiction* (termine peraltro che negli Stati Uniti non viene utilizzato normalmente in questo contesto). L'intrattenimento esercita una notevole influenza formale e sostanziale anche su tutti gli altri generi televisivi americani, in una sorta di pervasività onnipresente.

(*) I paragrafi 2.1, 2.2 e 2.3 sono stati scritti da Luca Celada e rielaborati dall'autore.

L'esempio più clamoroso è quello della programmazione sportiva. Molto più che in Europa, gli sport più popolari in America si sono sviluppati in totale simbiosi con il mezzo televisivo, che non soltanto costituisce la loro fonte principale di finanziamento (tramite la vendita dei cosiddetti "diritti d'antenna"), ma ne influenza anche la struttura, le regole e perfino i ritmi di gioco (al punto che l'emittente televisiva, soprattutto nel football, nel basket, nell'hockey e in certa misura nel baseball, ha facoltà di comunicare agli arbitri quando una partita deve essere interrotta per permettere la messa in onda degli spot pubblicitari). La stessa "sintassi" della telecronaca sportiva ha, in America, assunto caratteristiche tipiche degli show di intrattenimento, mescolando cronaca, talk-show e *drama*, per cui nessun evento viene lasciato trascorrere in "tempo reale", ma subisce un *packaging* sempre più complesso di teatralità.

Anche l'informazione sta subendo, in modo sempre più evidente, l'irresistibile attrazione del *fiction packaging*, che in alcuni casi (come ad esempio nel quarto network, la Fox di Rupert Murdoch) diventa una vera e propria strategia editoriale. All'estremo opposto, si situano invece alcuni esperimenti che hanno riscosso un successo istantaneo quanto inaspettato: come quelli di C-Span1 e C-Span2, canali via cavo che trasmettono in tempo reale dibattiti al Parlamento, comizi elettorali, riunioni di comunità locali, senza alcun montaggio o altra interferenza editoriale. Nel mezzo tra i due estremi, si situano i generi più tradizionali dell'informazione televisiva americana, quali special, inchieste e documentari di elevato livello professionale.

L'informazione ha sempre costituito, accanto alla *fiction* seriale, l'altro grande pilastro della televisione americana, contribuendo all'identità e al prestigio delle emittenti, dai tempi di Edward R. Murrow a quelli di Walter Cronkite, fino all'attuale "era Cnn". Ma, mentre la crisi generalizzata dei network aveva determinato negli anni Ottanta una serie di pesanti tagli nei budget delle loro divisioni *news*, il decennio Novanta è cominciato con segnali del tutto diversi: lo scoppio della guerra del Golfo ha contribuito a riportare l'informazione all'attenzione dell'"agenda" televisiva, su un piano addirittura globale; e anche sul fronte domestico le *news* sono state, sempre all'inizio degli anni Novanta, le grandi protagoniste della televisione americana con i "processi audiovisivi" al giudice Thomas e al giovane Kennedy. In tutte queste e anche in altre occasioni clamorose, l'informazione ha, per così dire, tolto l'iniziativa alla *fiction* seriale (battendo sul tempo e superando in creatività le invenzioni di Hollywood), e si è riconfermata grande protagonista della televisione, nonché straordinario elemento di miscelazione e galvanizzazione del paese[22].

La *fiction* seriale, comunque, da un punto di vista quantitativo e nell'insieme del palinsesto americano, resta saldamente al posto di comando. Del resto, è sulla proposta continuativa di programmi di vario genere narrativo (*comedy*, *drama*, "*dramedy*", *adventure* ecc.) che poggia le sue fondamenta l'impulso creativo della televisione americana, ed è proprio in questo campo che essa ha trovato i suoi maggiori e più universali successi. Nel mondo professionale della tv americana, è quasi un assioma che, mentre le modalità di distribuzione, esibizione e fruizione dei programmi televisivi sono in perenne cambiamento, il processo creativo della produzione rimarrà sempre essenzialmente immutato. Esso ha tra l'altro favorito l'affermazione di alcuni creativi e *producers* di grande talento, solitamente specializzati in un particolare genere di programmi seriali, e perciò iniziatori di vere e proprie "dinastie" produttive: da Norman Lear (creatore di *M.a.s.h.* e *All in the Family*) negli anni Settanta, e per due decenni "imperatore" indiscusso di quel genere strutturalmente "americano" che è la *situation-comedy*, a David Wolper (*Roots*), da Aaron Spelling (*Dallas*, *Twin Peaks*) a Steven Bochko (*Hill Street Blues*, *Miami Vice*).

2.2. Un genere si è imposto come il frutto più tipico della presenza pervasiva delle *news* nella giornata televisiva e della loro commistione con l'*entertainment* : è la cosiddetta *reality-based television* (tv-verità) che, esplosa sulla scena americana alla fine degli anni Ottanta, malgrado qualche temporanea flessione si è ormai stabilita nel palinsesto come una delle poche novità che uniscono il grande successo di pubblico al favore dei produttori, i quali ne apprezzano soprattutto i bassi costi di confezionamento. Si tratta di un genere ibrido, che consiste essenzialmente in un *packaging* della realtà in chiave di intrattenimento e che ha introdotto nel linguaggio televisivo americano elementi poco conosciuti e praticati, quali il *docudrama* e la ricreazione drammatica dei fatti. Il suo fascino si riassume bene nello slogan di *Top Cops* (una delle "pietre miliari" del genere): "Dopo *Top Cops*, tutto il resto è solo fiction!"

L'ibridismo della *reality-based television* ha influenzato concentricamente tutto il palinsesto americano dell'inizio degli anni Novanta. Da un lato, esso ha fatto da battistrada al successo di rotocalchi televisivi scandalistici (come *A Current Affair, Hard Copy* e *Inside Edition*), che hanno superato ampiamente la "spensieratezza" proverbiale dei telegiornali locali (in cui un profluvio di battute tra i conduttori fa da sfondo ad una concentrazione sulle cosiddette *happy news*, o cronaca rosa). Dall'altro lato, la tendenza non ha mancato di far sentire i suoi effetti sulla *fiction*, le cui serie sono sempre più spesso venate di "tv-verità": emblematici esempi ne sono *Real World* della Mtv (una serie che segue le vicende di un gruppo di ragazzi, messi dalla stessa emittente a vivere assieme in un *loft* di New York) e *Grapevine* della Cbs (una commedia seriale che racconta le vicende di un gruppo di *yuppies* di Miami, attraverso interviste fatte direttamente agli attori in pieno stile telegiornalistico).

Altri generi, già sperimentati in passato, godono in questo decennio di nuovo favore, sotto aggiornate spoglie. Come nel cinema di Hollywood (dove sono in auge grazie alla commistione animazione-realtà), anche in televisione i cartoni animati stanno riscuotendo successi che non avevano mai provato, neppure nell'epoca d'oro della Disney e della Warner. Capofila di questa nuova tendenza è stato naturalmente *The Simpsons,* che ha aperto al genere le porte del *prime-time*. L'hanno immediatamente seguito *Dinosaurs* (la *sitcom* della Disney interpretata dai pupazzi della "scuderia" di Jim Hensen, la stessa del celeberrimo *Sesame Street*) e *Capitol Critters*, una serie di satira politica creata da Steven Bochko; senza contare le celebri tartarughe *Ninja* di Mark Freedman e le sue più recenti creature, le mucche con pistola animatrici di *Wild West C.O.W.-Boys of Moo Mesa*. Il genere è in continua espansione, sia nella qualità (grazie al coinvolgimento di grandi nomi, tra cui ad esempio il regista cinematografico Steven Spielberg), sia nella quantità dei supporti distributivi: sul cavo, Nickelodeon e Mtv producono serie di programmi animati, mirati a un'audience di bambini ma anche di adulti; e nel 1993 è sorto, nell'ambito del gruppo televisivo di Ted Turner, il primo Cartoon Network interamente dedicato a questo genere.

Una formula che può trasformarsi in un vero e proprio nuovo genere di programmi è il rotocalco applicato a questioni ecologiche.

Sulla spinta soprattutto di Ted Turner e delle sue emittenti televisive (Cnn, Tnt e Tbs), l'ambiente sta diventando il tema trainante di serie di trasmissioni che vengono già considerate l'"avamposto" di una eco-televisione mirante a sviluppare l'interesse e l'attivismo dei cittadini per la salvaguardia ecologica. Parimenti, sembra innegabile la crescita di una televisione a base etnica, che nel caso della cultura afro-americana ha già riscosso numerosi successi anche nel *prime-time*: prima Bill Cosby con la sua *sit-com* rimasta per anni in vetta alle classifiche degli ascolti (*The Bill Cosby Show*, in italiano *I Robinson*), poi Arsenio Hall con il suo talk-show scanzonato e sofisticato, infine serie televisive corali come *In Living Color*, hanno osato portare in tv, e nei salotti di tutta l'America, una "negritudine" ironica e senza rimorsi[23].

È però qui opportuno ricordare un dato di fondo della televisione americana (cui abbiamo già accennato in precedenza, sotto altra angolatura), che molto probabilmente rimarrà immutato nel futuro prevedibile e che certamente ha condizionato e condizionerà la sperimentazione di nuovi generi: si tratta della forte componente puritana dell'America, che si esprime in una morale rispecchiante quella delle maggioranze silenziose degli stati del Midwest e del Sud, e che prende corpo soprattutto nella difesa dei cosiddetti *family values* (gli stessi che hanno fatto esplodere, nel 1992, la polemica tra l'allora vicepresidente Dan Quayle e il cast della premiata serie *Murphy Brown*). La provata difficoltà, per i network, di avventurarsi in territori troppo emancipati si unisce tra l'altro alla riluttanza degli investitori pubblicitari ad acquistare spazi in programmi anche minimamente polemici, per cui si può ritenere che gran parte della sperimentazione "sostanziale" della tv americana rimarrà appannaggio dei servizi via cavo e a pagamento diretto.

2.3. Rispetto alla controparte europea, la produzione televisiva americana è tradizionalmente caratterizzata da una ben maggiore enfasi sulla "rifinitura" del prodotto, anche a scapito della spontaneità e della sperimentazione stilistica. Come nel cinema, insomma, esiste un "look" di qualità per ogni genere (*news, sit-coms*, miniserie, sport ecc.) che viene comunque rispettato e che garantisce un livello formale piuttosto omogeneo di programmazione. Sono praticamente assenti la diretta televisiva e l'improvvisazione in studio; rarissimi gli errori e i contrattempi anche durante i telegiornali e altre trasmissioni *live* o sedicenti tali. L'adesione a rigidi schemi di produzione (generi, formati, strutture, lunghezze, stacchi pubblicitari, e così via) è tale da consentire la delega della messa in onda ad appositi computer.

Eppure, anche a livello stilistico sono individuabili alcuni trend in via di evoluzione. Ad esempio, un fenomeno che, a partire dagli anni Ottanta, ha cominciato a influire sempre di più sulla forma e sui contenuti televisivi in America (e che continuerà a farlo in misura sempre crescente negli anni a venire) è costituito dalla trasmigrazione stilistica dalla pubblicità e dai videoclip ai programmi. In un periodo che ha già segnato il decimo anniversario dell'emittente musicale Mtv (celebrato nel 1991), la prima generazione di giovani americani "allevati a videoclip" è entrata a far parte sia della comunità produttrice sia dell'audience consumatrice, per cui sono comparsi i primi programmi specificamente destinati a questo prezioso target sociodemografico. Il primo, più clamoroso esempio è stato *Parker Lewis Can't Loose*, una serie che racconta le avventure di un liceale e dei suoi amici in perenne battaglia con tutti i tipi di autorità costituita: dal punto di vista stilistico, essa è un vero e proprio coacervo di inquadrature volutamente sbilenche e "sgrammaticate", carrellate pazze, primi piani "impossibili", il tutto all'interno di un design scenografico e di un montaggio che sono a metà, appunto, tra lo spot e il videoclip. In larga misura anche *In Living Color, Beverly Hills 90210, Melrose Place* possono essere sicuramente inquadrati in questa tendenza, destinata a diventare sempre più importante[24].

Ma forse questo trend di stile è un semplice indizio di un fenomeno ancora più universale nella televisione degli Stati Uniti. Con l'inizio del quinto decennio di permeazione della cultura da parte della tv (iniziata massicciamente negli anni Cinquanta), l'industria si trova a produrre programmi per un'audience che, anche a prescindere dai giovanissimi, presenta una "alfabetizzazione" televisiva assai elevata, sostenuta quotidianamente dalla fruizione giornaliera più alta del mondo (passata dalle 4 ore e mezzo dell'inizio degli anni cinquanta alle 7 ore circa dell'inizio degli anni Novanta[25]). La consacrazione di questa *tv-generation* è evidente in programmi non solo come *Parker Lewis*, ma anche come *The Simpsons, Married with Children, Pee Wee's Playhouse, Murphy Brown, Thirtysomething* e tutta una serie di produzioni similarmente autoreferenti nonché,

233

assai spesso, autoironiche. In questa nuova generazione di programmi, la coscienza del mezzo televisivo viene a far parte integrante del programma stesso: così, ad esempio, *Pee Wee's Playhouse* basa la maggior parte delle proprie gag più riuscite sulla conoscenza implicita, da parte della propria audience, di passate "stirpi" di programmi televisivi, ossia di quei programmi in compagnia dei quali – e tramandandosi i quali – sono cresciute le ultime dieci generazioni di americani.

In tale quadro, è interessante rilevare che l'America sembra guardare sempre più intensamente alla televisione e al passato televisivo come alla sua più significativa caratteristica culturale unificante, alla sua dominante forza socializzatrice. Lungo questo cammino a ritroso si pongono sicuramente serie come *The Wonder Years* e *Brooklyn Bridge* (rappresentanti di un mini-filone di tele-nostalgia), e più ancora la *sit-com* della Hbo *Dream On* (nella quale i pensieri del protagonista sono rappresentati visivamente da spezzoni di vecchi programmi in bianco e nero), nonché l'intera formula di Nick at Nite (l'emittente via cavo che trasmette solo serie retrò, ma con un'attenta selezione di qualità) e il filone di *remakes* di vecchi programmi (come la nuova versione di *This Is Your Life*, con Bill Cosby nelle vesti che furono di Groucho Marx).

Quelli descritti sono dunque tutti sintomi di un processo di "riciclaggio" in cui gli elementi del passato agiscono da miccia per un immaginario e un inconscio collettivi sviluppatisi con la televisione, sulla televisione, a partire dalla televisione. Ad esempio, lo straordinario successo di una serie come *Married With Children* è in gran parte dovuto proprio alla dissacrazione di stilemi televisivi quasi "sacri" (come quelli della *sit-com*), ai quali allo stesso tempo ammicca: ed è un'operazione che può riuscire in tal misura, solo se l'audience condivide lo stesso repertorio tele-culturale. Analoga considerazione si può fare a proposito di *The Simpsons*, nel suo burlarsi della tele-dipendenza di Homer, che guarda di nascosto lo spogliarello e poi cade regolarmente nella trappola delle offerte speciali, comprando quantitativi industriali di merce inutile dai tele-piazzisti della notte. Resta solo da chiedersi se, al di là del successo anche internazionale di queste prime serie "ipertelevisive" (particolarmente creative e ancora molto "universali"), il filone potrà mantenere anche in futuro la stessa forza di penetrazione fuori dai confini culturali americani.

NOTE BIBLIOGRAFICHE

[1] Un'ampia trattazione in: C. Sartori, *La grande sorella – Il mondo cambiato dalla televisione*, Milano, Mondadori, 1989, pp. 64-74.

[2] Dati provenienti da Nielsen Media Research, 1992-93.

[3] *U.S. Public Broadcasting Act*, Public Law n. 90-12, 1967.

[4] M.E. Lashley, "Even in Public Television Ownership Changes Matter", *Communication Research*, vol. 19, n. 6, dicembre 1992, pp. 770-786.

[5] N. Katzman e S. Katzman, *Public Television Programming Content by Category*, Washington, D.C., Corporation for Public Broadcasting, 1974-1986.

[6] J. Hitt, "And Now, for Something Completely Cheap", *Harpers*, novembre 1987, pp. 58-59.

[7] Per questi dati si veda: B. Monush (a cura di), *International Television and Video Almanac*, New York, Quigley Publishing, 1992.

[8] Le informazioni, sia sugli esperimenti americani sia sulle "città cablate" giapponesi, sono frutto di visite personali dell'autore.

[9] J.G. Blumler e C.M. Spicer, "Prospects for Creativity in the New Television Marketplace: Evidence from Program-Makers", *Journal of Communication*, vol. 40, autunno 1990, pp. 78-101.

[10] R. Pekurny, "Coping with Television Production", in J.S. Ettema e D.C. Whitney (a cura di), *Individuals in Mass Media Organizations: Creativity and Constraint*, Beverly Hills, California, 1982, pp. 131-143.

[11] J. Turow, "Unconventional Programs on Commercial Television: An Organizational Perspective", in J.S. Ettema e D.C. Whitney (a cura di), *Individuals in Mass Media Organizations: Creativity and Constraint*, op.cit., pp. 107-129.

[12] H. Newcomb e R.S. Alley, *The Producer's Medium – Conversations with Creators of American Tv*, New York, Oxford University Press, 1983, p. 43.

[13] J.G. Blumler e C.M. Spicer, op. cit., pp. 99-100.

[14] M.E. Price, "Usa: Channeling the Speaker", *Intermedia*, vol. 20, n. 3, 1992.

[15] Per tutti gli argomenti di questo capoverso: Jennifer Clark, conversazione con l'autore, Roma, 1993.

[16] M.E. Price, op. cit.

[17] J.G. Blumler e C.M. Spicer, op.cit., p. 100.

[18] Più ampia trattazione in: C. Sartori, "Evoluzione istituzionale del sistema americano", relazione preparatoria per la serie televisiva *Supertelevision*, Roma, Rai, 1992.

[19] ibidem.

[20] ibidem.

[21] Carnegie Commission on Educational Television, *A Public Trust*, New York, Bantam, 1979.

[22] Su questi temi si veda: R.J. Donovan e R. Sherer, *Unsilent Revolution – Television News and American Public Life*, Cambridge, Massachusetts, Cambridge University Press, 1992.

[23] N.M. Schulman, "Laughing Across the Color Line", *Journal of Popular Film and Television*, vol. 20, n. 1, primavera 1992.

[24] R. Powers, *The Beast, the Eunuch and the Glass-Eyed Child*, New York, Anchor-Doubleday, 1990.

[25] B. Monush (a cura di), op. cit.

235

II.

I SISTEMI EUROPEI:
È ANCORA POSSIBILE USCIRE
DALLA CRISI "VERSO L'ALTO"?

Tutti i sistemi televisivi europei sono usciti dagli anni Ottanta profondamente trasformati nelle loro strutture, nelle loro funzioni, nelle loro politiche di offerta. La posizione di monopolio o di prevalenza degli organismi pubblici è stata a poco a poco destabilizzata dalla maturazione di nuove tecnologie distributive (cavo, satellite, homevideo) che hanno mostrato l'impossibilità teorico-pratica di mantenere in vita i vecchi sistemi, così come erano nati dalla originaria ideologia del servizio pubblico (la quale, come è ben noto, proprio sulla scarsità delle frequenze distributive aveva fondato la ragion d'essere dei monopoli statali).

Questo "vento nuovo" ha convogliato sulla televisione le attenzioni e le pressioni di una imprenditoria privata sempre più decisa a sfruttare le potenzialità di un mercato che poteva finalmente liberarsi dei suoi "calmieri" finanziari (grazie all'introduzione o all'uso più libero della risorsa pubblicità) e che poteva avvantaggiarsi delle nuove sinergie tra televisione e telecomunicazioni, tra industria dello spettacolo e sistema dell'informazione, in una visione meno nazionalistica e più continentale, meno regolamentata e più "aperta". Di conseguenza, due concezioni antagoniste e per molti versi inconciliabili di televisione – che un tempo si fronteggiavano da lontano e si "sfioravano" solo sul terreno della compravendita dei programmi nel mercato internazionale – oggi si trovano a competere all'interno dei medesimi sistemi, fianco a fianco in operazioni diverse, spesso divaricanti, di indirizzo strategico-culturale[1].

Il vero, grande problema della televisione europea – a maggior ragione sul vasto terreno della qualità che abbiamo identificato nella nostra ricerca – è il modo in cui essa riuscirà ad armonizzare questa contraddizione creatasi al suo interno. Ma per comprendere come si possa riuscire nell'impresa, occorre analizzare il modo in cui tale contraddizione è scoppiata nei principali contesti televisivi e le diverse soluzioni che sono state tentate.

1. Gran Bretagna: un ruolo forte (ma quanto ambiguo?) per la qualità (*)

1.1. Il sistema britannico è stato il primo, nell'ambito dei grandi paesi europei, a introdurre la televisione commerciale a fianco del servizio pubblico, anche se non in diretta concorrenza con esso per quanto riguarda le risorse finanziarie (il canone per il servizio pubblico, la pubblicità per il servizio privato), e comunque all'interno di un "ombrello" pubblico rappresentato dai meccanismi di controllo di una *authority* super partes. Accolto da non poche resistenze e lamentele dei vertici della Bbc (la gloriosa istituzione pubblica britannica, cronologicamente il primo ente televisivo al mondo a irradiare trasmissioni regolari), il Libro Bianco del governo conservatore di Winston Churchill, nel 1952, giungeva alla conclusione che, "nel settore della televisione, in piena espansione, dovrebbe essere preso un provvedimento per permettere l'introduzione di qualche elemento di competizione". Ciò condusse al Television Act del 1954, che istituì l'Independent Broadcasting Authority per il controllo della Independent Television, un network commerciale suddiviso in 15 stazioni con base locale/regionale.

A partire dal 1964, la Bbc ha potuto dividere la propria programmazione in due canali, Bbc1 e Bbc2. Quest'ultimo si è sviluppato e affermato come il canale "culturale" del servizio pubblico, specializzandosi in campi quali la musica, le arti, il teatro sperimentale. Il suo territorio è stato invaso nel 1982 da Channel 4: questa seconda rete privata, finanziata in parte dalla Itv, nata per coprire gli "interessi delle minoranze", è infatti andata ben oltre la sua missione, scavandosi una nicchia tutta sua di grande incidenza sulla programmazione complessiva del sistema britannico e costituendo pure un volano positivo per il mercato cine-televisivo.

Le quattro reti principali stanno ora subendo un attacco "dai

(*) I paragrafi 1.3, 1.4 e 1.5 sono stati scritti da James Rampton.

cieli". Tramontate per il momento le velleità pan-europee di alcuni operatori troppo ottimisti sulle risorse pubblicitarie di un mercato continentale a tutt'oggi ancora da costruire, restano sul campo il Superchannel (ora controllato dall'americana Nbc) e la British Sky Broadcasting Television di Rupert Murdoch (comunemente indicata come B-Sky-B), un servizio via satellite nato nel 1989 dalla fusione di Sky Television (già di Murdoch) e di British Satellite Broadcasting, dopo una battaglia in cui tutti i *competitors* hanno perso centinaia di milioni di sterline. B-Sky-B offre quattro canali nazionali, nonché la possibilità di accedere comunque a numerosi programmi di tutta Europa. Questo nuovo operatore ha finora fallito nel suo intento di far scemare la fedeltà dei telespettatori britannici nei confronti delle emittenti "terrestri"; tuttavia, la sua strategia di offerta (grandi film in prima visione televisiva ed eventi sportivi in esclusiva) può probabilmente costituire un elemento di crescita dell'audience e quindi di rottura dell'equilibrio raggiunto. Non va dimenticato che Murdoch può avvalersi di quello che è certamente da considerare il primo, vero circuito globale di informazione e spettacolo (con la Fox cinematografica e televisiva in America e numerosi giornali negli stessi Stati Uniti, in Gran Bretagna e in Australia).

Ancora incerto, in Gran Bretagna, risulta lo sviluppo della televisione via cavo, che pure ha raggiunto, all'inizio degli anni Novanta, la non disprezzabile soglia del 20 per cento di penetrazione del mercato potenziale. Un certo numero di società americane (tra cui United Artists Entertainment, Comcast, U.S. West ecc.) hanno ottenuto le necessarie concessioni per costruire o ampliare le infrastrutture via cavo nel paese, incoraggiate da studi che hanno previsto un balzo oltre il 30 per cento alla metà degli anni Novanta. Ma fattori interni al sistema televisivo (l'ingresso sul mercato di un concorrente forte come B-Sky-B) e anche esterni ad esso (la recessione economica che, a cavallo dei due decenni, ha colpito sia l'America sia la Gran Bretagna) non hanno offerto i migliori auspici a questo mezzo distributivo che, come è noto, necessita di ingenti capitali iniziali per il lavoro preliminare di cablatura. Sicuramente, dunque, il cavo giocherà un ruolo nel sistema televisivo inglese; meno sicuramente si può dire se sarà un ruolo di protagonista assoluto[2].

1.2. Il "comodo" mondo delle quattro reti terrestri è ormai scosso anche da altri fermenti, interni alle stesse strutture di emissione, e che ancora più direttamente attengono al nostro tema della qualità: un tema, del resto, ben presente nella legislazione inglese fin dagli inizi del suo sistema "misto", se è vero che tra le regole comuni al servizio pubblico e all'emittenza commerciale vi è sempre stata quella di "competere per una migliore qualità dei programmi piuttosto che per il numero di ascoltatori"[3].

La Bbc, in primo luogo, vede approssimarsi la scadenza fissata per il 1996, anno in cui la sua Royal Chart dovrà essere rinnovata. Il Libro Verde del governo britannico (presentato alla fine del 1992) ha indicato alcuni obiettivi irrinunciabili, tra cui quello di assicurare livelli di diversità, e quindi di possibilità di scelte, capaci di soddisfare un pubblico più variegato ed esigente che in passato; e ha altresì posto alcuni limiti sulle fonti di finanziamento, non prospettando per il momento alternative al pagamento del canone annuo (la risorsa principale per la Bbc, cui si aggiungono i proventi delle attività commerciali come la vendita di programmi all'estero): ciò, va ricordato, in contrasto con le conclusioni del Comitato Peacock del 1986, in cui si raccomandava un lento ma progressivo passaggio a forme di pagamento "elastico" (del tipo di quelli praticati dai circuiti di *pay-tv*), che sembrano più sintoniche alla inesorabile frammentazione degli interessi del pubblico.

Il Libro Verde del governo lascia ovviamente sul tappeto numerose e fondamentali domande, cui questo decennio dovrà dare risposta: in primo luogo, la domanda se la Bbc debba continuare a combattere anche la sua battaglia nei confronti dell'emittenza commerciale, trasmettendo un vasto "campionario" di programmi popolari e cercando di emulare gli spettacoli molto più riccamente finanziati della televisione privata; oppure possa concentrarsi sui suoi prodotti di maggiore qualità e di più tradizionale successo sul mercato televisivo (notiziari, rubriche di attualità, documentari, fiction "alta", forme di spettacolo "creativo"). Ma quest'ultima scelta significherebbe, per la Bbc, una perdita di audience cospicua, che potrebbe trascinarla dall'attuale 45 per cento a una soglia vicina al 30, con problemi di marginalizzazione non indifferenti. Peraltro, la difesa a oltranza del "popolare" costerebbe molto sul piano finanziario (mentre l'obiettivo è di ridurre il deficit), e costerebbe ancora di più sul piano della qualità complessiva della programmazione, qualità che costituisce una delle ragioni profonde per la riscossione del canone e per la sussistenza della stessa *corporation* pubblica.

239

Il medesimo dilemma, pur con elementi diversi, si presenta a Channel 4, la cui novità e originalità consistevano soprattutto – come si è visto in un precedente capitolo – in una caratterizzazione quale *tv commerciale di qualità* sottratta al "ricatto" quotidiano del rapporto tra audience e raccolta pubblicitaria (garantita dalla Independent Television). Si è pure visto che Channel 4 è ora nella condizione di doversi autofinanziare (o almeno cercare di farlo), per cui appare anch'esso obbligato, nelle sue scelte strategiche, a decidere se rimanere fedele alla sua programmazione di qualità e "di minoranza", o invece lanciarsi alla conquista di larghi ascolti per non dover ricorrere a un (commercialmente umiliante) sostentamento "dall'alto".

Per quanto riguarda la Itv (che prende il nome di Channel 3), essa risulta già profondamente rinnovata dal nuovo Broadacsting Act del 1990, ma la "rivoluzione" non è stata immune da polemiche, critiche ed effettive ambiguità. In particolare, queste hanno riguardato il nuovo meccanismo di attribuzione (messo in opera nel 1991) delle concessioni decennali (1993-2002) per le 16 emittenti che compongono Channel 3: nelle intenzioni del governo Thatcher, che intendeva abolire ogni discrezionalità valutativa per introdurre le regole pure della concorrenza, questo meccanismo doveva essere quello classico di una vera e propria vendita all'asta (nella quale l'offerta più alta si aggiudica la posta); ma, nella lunga gestazione parlamentare, sono state introdotte alcune clausole che hanno profondamente alterato la situazione[4]. E in esse, non a caso, gioca un ruolo particolarmente importante proprio il concetto di qualità.

Questa, come si è detto, è sempre stata presente nella legislazione britannica del settore televisivo, e non vi era certamente alcun dubbio sul fatto che dovesse rimanere presente nella nuova regolamentazione. È stata così concepita una "soglia minima" di qualità, definita da parametri oggettivamente riscontrabili (almeno il 65 per cento dei programmi trasmessi deve essere prodotto in proprio o per conto del concessionario; bisogna trasmettere almeno tre telegiornali al giorno, suddivisi nelle varie fasce, e almeno un'ora e mezza di inchieste e reportage; dieci ore di programmi per bambini e due di programmi religiosi alla settimana, ecc.). Ma, anziché limitarsi a verificare l'esistenza di questa "soglia minima" nelle varie offerte, come pre-condizione per concorrere, la Independent Television Commission (la nuova *authority* del settore televisivo) è stata autorizzata a dare un peso molto più rilevante e soggettivo al proprio giudizio di qualità: in circostanze eccezionali, infatti, essa può decidere perfino di assegnare una concessione anche a chi non ha fatto l'offerta economica più alta, qualora la qualità garantita sia stimata di gran lunga maggiore rispetto a quella proposta dal miglior offerente finanziario. Ciò è effettivamente avvenuto in un caso: Tvs Entertainment (la società che ha gestito fino al 1992 la televisione nel sud dell'Inghilterra) ha perso l'asta pur avendo offerto la cifra maggiore (59,76 milioni di sterline all'anno), proprio perché la Commission ha ritenuto che, con una tale offerta, non le sarebbero rimaste risorse sufficienti per garantire un'elevata qualità della programmazione nel corso dei dieci anni, ed ha così preferito la Meridian Broadcasting nonostante avesse offerto 23 milioni di sterline in meno.

Come è stato osservato, l'applicazione di questa discrezionalità "ha rassicurato chi temeva un eccessivo deperimento del clima televisivo inglese, ma nello stesso tempo ha creato ambiguità e ha dato un margine di arbitrarietà alle decisioni finali"[5]. Riemerge qui il problema della estrema difficoltà della definizione di un concetto onnicomprensivo di qualità, che possa da un lato rassicurare i telespettatori e la società civile nel suo complesso, e dall'altro garantire all'industria televisiva la certezza del diritto e l'applicazione di regole obiettivamente riscontrabili per giudicare il suo operato. Non è un caso che il Libro Bianco del governo britannico (che ha preceduto di due anni la nuova legge) in nessuna sua parte si arrischiasse a definire un concetto di qualità, limitandosi a raggruppare diversi concetti "apparentabili" alla qualità (l'inclusione in palinsesto di specifici tipi di programmi, la diversificazione dei generi televisivi che devono essere nel complesso offerti ai telespettatori ecc.), trasfusi poi nei parametri di individuazione della "soglia minima" di qualità[6]. Pur con questi limiti, peraltro, il sistema britannico si presenta come quello che ha perlomeno tentato di includere la qualità tra i suoi primari criteri distintivi per gli anni Novanta.

1.3. Come tutto questo si trasferisce nelle politiche di offerta del sistema britannico? Prima di rispondere alla domanda, è opportuno comprendere le radici storiche di tali politiche di offerta e fare un piccolo passo indietro, all'epoca in cui (1936) la Bbc diede inizio ufficialmente al suo servizio regolare di televisione.

Ben presto la grande istituzione pubblica, già carica di "trofei" radiofonici, si guadagnò il soprannome di *Auntie* (zietta), a causa del suo atteggiamento piuttosto puritano; e – come noi abbiamo già visto in altra parte – dal nome del suo primo direttore generale, John Reith, fu coniato il neologismo "reithiano", per definire appunto la morale piuttosto ristretta che segnò il primo periodo di vita televisiva della Bbc. Questa dedicò i suoi primi anni di attività quasi esclusivamente a trasmettere entusiasmanti parate di bande militari ed edificanti sermoni religiosi: sebbene la sua fonte di finanziamento principale fosse costituita da un canone, e non da sovvenzioni del governo, l'ente pubblico fece fortuna trasmettendo in modo formale i grandi avvenimenti di stato. Non è un caso che il più significativo boom nella vendita di apparecchi televisivi in Gran Bretagna si ebbe in occasione dell'incoronazione della regina Elisabetta nel 1952. E ancora oggi, pur in mezzo alla moltitudine di reti esistenti, i telespettatori inglesi – in una sorta di "protettivo" legame con la tradizione – preferiscono seguire sulla Bbc i grandi eventi "corali" (nozze reali, elezioni, guerre e perfino le finali dei tornei di calcio).

Una modificazione profonda nel modo di "fare televisione" si registrò con l'avvento della Independent Television nel 1954-55. Alcuni "profeti di sventura" prefigurarono allora una micidiale guerra combattuta a colpi di indici di ascolto, ma queste previsioni pessimistiche si sono rivelate infondate, anche perché non tenevano conto del fatto che il Television Act insisteva in modo particolare sul dovere, da parte della Independent Television, di offrire programmi di "elevata qualità", nonché notiziari "presentati con la debita accuratezza e imparzialità". E va detto che, in misura forse più evidente di altri, l'importante settore dell'informazione – curato per la Itv da un'istituzione distinta, la Independent Television News (Itn) – ha visto svilupparsi una concorrenza "verso l'alto" tra il network privato e il servizio pubblico (che su di esso aveva costruito la propria reputazione interna e internazionale, e che resta insuperato nella sua magistrale specialità delle riprese in esterni).

In effetti, se dovessimo scegliere un solo elemento di qualità della programmazione britannica, non vi è dubbio che esso sarebbe rappresentato dalle inchieste giornalistiche. La loro grande forza d'impatto, nei confronti dell'opinione pubblica e anche del mondo politico-governativo, è stata dimostrata in varie occasioni, specialmente a proposito di quel "nodo" inestricabile della società britannica, che è costituito dalla tragica guerra civile in Irlanda del Nord. Vale la pena ricordare, ad esempio, la campagna di denuncia portata avanti per anni da *World in Action*, della Granada Television (una delle emittenti della Itv). Anche *This Week*, una rubrica di attualità della Thames (altra emittente Itv) vanta una lunga storia di denuncia di ingiustizie: per il suo *Death on the Rock* ("Morte sulla Rocca") del 1988, che indagava sull'esecuzione di tre presunti terroristi dell'Ira da parte dell'esercito britannico a Gibilterra, la Thames ha perfino interpellato una commissione d'inchiesta indipendente per stabilire la correttezza del documentario in questione, con grande disappunto del governo conservatore della signora Thatcher.

Reiteratamente, le polemiche relative a queste inchieste giornalistiche portano alla ribalta dell'opinione pubblica la cosiddetta "teoria del complotto", sostenuta da alcuni politici toccati in modo particolare da tali programmi, secondo la quale tutti coloro che lavorano nel ramo della tv-verità sarebbero pericolosi sovversivi. Ma si può dire che tali azioni di discredito non riscuotono grande successo: l'inchiesta televisiva è giustamente tenuta in grande considerazione nel sistema televisivo britannico. Con risorse decisamente più consistenti di quelle dei loro colleghi della carta stampata, i giornalisti televisivi hanno così potuto farsi carico di quelle che vengono considerate le "cause perse", trasformandole in temi di dibattito a livello nazionale. A volte per pura scontrosità, questi reporter sono riusciti a puntare i riflettori su vari delicati problemi, senza dover chinare la testa di fronte a pressioni politiche, in certi casi anche molto forti: dal momento che gli organismi televisivi britannici, sia pubblici sia privati, non sono sottoposti ad alcun controllo da parte dello Stato e tantomeno del governo, si è potuta instaurare una tale tradizione di indipendenza che, quando un programma viene ostacolato per ragioni anche solo apparentemente politiche (come è accaduto nel 1991 per una trasmissione preelettorale della rubrica *Panorama* della Bbc, avente per tema la recessione economica), ciò provoca veri e propri movimenti di protesta patrocinati da tutti gli altri media.

243

Al di fuori del campo delle inchieste tradizionalmente giornalistiche, ma sempre in uno stretto contatto con la realtà, vi sono altri generi televisivi in cui le emittenti britanniche, e in particolare l'organismo pubblico, hanno mostrato di saper coniugare la qualità con il senso dello spettacolo, l'originalità con la divulgazione. Ciò vale, ad esempio, per alcuni esperimenti di *access television*, che permette ai telespettatori di apportare i propri contributi ad alcune fasce del palinsesto: di grande rilievo è stato giudicato *Video Diaries* della Bbc, una rassegna di video amatoriali scelti non per la loro grottesca e involontaria comicità (come avviene nel filone americano, emigrato poi all'estero e trapiantato con grande successo anche in Italia) ma, al contrario, per il grado di autocoscienza e di lucidità critica che il dilettante dimostra con il suo filmato (al quale la Bbc fornisce tutta l'assistenza tecnica necessaria).

Ancora collegati alla realtà e all'informazione sono alcuni tipi di "rubriche" del panorama televisivo britannico, in cui gli organismi nazionali certamente eccellono. Tra la fine degli anni Ottanta e l'inizio del nuovo decennio si è assistito al fiorire di trasmissioni scientifico-divulgative-spettacolari sul sesso: tra queste, *The Secret World of Sex* ("Il mondo segreto del sesso") della Bbc, analisi dei costumi sessuali inglesi, e soprattutto dell'immensa ipocrisia che attorno al sesso è cresciuta nella puritanissima cultura britannica; e *From Wimps to Warriors* ("Da buoni a nulla a guerrieri"), creato per la stessa Bbc da uno degli "autori" più apprezzati nel genere documentario, Paul Watson.

Grande plauso critico, e altrettanto successo di pubblico, riscuote in Gran Bretagna l'argomento della natura, dell'ambiente, del mondo animale e vegetale. E in questo settore, si erge la figura carismatica di Sir David Attenborough, che in circa dodici anni, tra il 1979 e il 1991, ha prodotto e personalmente presentato tre serie "epiche" della Bbc: *Life on Earth* (1979), *The Living Planet* (1984) e *Trials of Life* (1991). Attenborough riesce a fondere la sua grande erudizione (si è laureato a Cambridge in scienze naturali) con immagini di straordinario fascino e con il suo entusiasmo contagioso, in una combinazione che non ha eguali al mondo: non a caso le sue tre serie continuano a essere vendute e trasmesse (o in certi casi saccheggiate da più improvvisati divulgatori locali) nelle televisioni di tutti i continenti.

1.4. La televisione inglese ha una tradizione altrettanto rispettabile nel campo della cosiddetta *fiction* (*drama* nella terminologia britannica), e in particolare nell'opera di adattamento televisivo di opere classiche. A parte la lunga e gloriosa vita televisiva di Shakespeare (che ha alimentato non poco la stima internazionale nei confronti della Bbc, la quale recentemente si è cimentata con coraggio e successo addirittura nella trasposizione in cartoni animati di sei opere del grande drammaturgo, vendute in oltre quaranta paesi), "incontri" particolarmente felici tra letteratura e televisione sono stati considerati *Brideshead Revisited* (del 1981, realizzato dalla Granada Television, dal racconto di Evelyn Waugh), *The Jewel in the Crown* (del 1984, sempre della Granada Television, dal racconto di Paul Scott), *Clarissa* (del 1991, realizzato dalla Bbc, dal racconto di Samuel Richardson), *Adam Bede* (del 1991, sempre della Bbc, dal racconto di George Eliot). Questi, e molti altri lavori dello stesso genere, sono quei programmi che vengono esportati in decine di paesi, che figurano nel palinsesto – o nel magazzino – di quasi tutte le televisioni del mondo e che contribuiscono a perpetuare l'immagine "mitica" dell'Inghilterra, come di un *tea-party* frequentato da languidi personaggi che indossano abiti assurdamente eleganti: ed è proprio per questo che qualche critico ama sprezzantemente definirli *white linen suit dramas* (telefilm da completo di lino bianco), accusando questi devoti adattamenti di opere letterarie di mancanza di immaginazione, e rimproverando alle reti di preferire la maggiore sicurezza offerta dai classici rispetto alla sfida creativa che inevitabilmente comportano lavori più moderni.

Ma in realtà, nella televisione inglese, non manca neppure la "sfida del nuovo". Innanzitutto, il successo di lavori come quelli presentati da Channel 4 in "Film on Four" (da *Dance with a Stranger* a *My Beautiful Launderette*) dimostra che il vecchio e il nuovo possono felicemente coesistere. Inoltre, alcuni dei *dramas* più discussi delle ultime stagioni provenivano proprio da autori moderni. Tra questi, vanno sicuramente ricordati i lavori di Alan Bleasdale, che nel 1982 scrisse per la Bbc *Boys from Blackstuff*, una serie dai toni molto forti sulle terribili conseguenze di un lungo periodo di disoccupazione, serie che scioccò l'intera nazione e diede alla lingua inglese una nuova espressione idiomatica, "*Gissa job*" ("dateci un lavoro"), estrema sintesi di tutta la disperazione di quei tempi di depressione economica. Il seguito del lavoro di Bleasdale, quasi dieci anni dopo (*GBH*, per Channel 4 nel 1991: undici ore di *drama* sullo stato della nazione) è risultato altrettanto scioccante, accendendo un dibattito sociopolitico di grande intensità e facendo sì che i protagonisti – in particolare il personaggio di Michael Murray, un corrotto funzionario interpretato con indimenticabile furore da Robert Lindsay – entrassero a fare parte della "coscienza della nazione".

Questa "rilevanza collettiva" di alcune opere della televisione britannica è certamente un dato importante nell'analisi della sua qualità complessiva. Guardando ad alcuni lavori recenti, non si può non citare *Prime Suspect*, scritto da Linda la Plante per la Granada Television, che propone una scottante visione della discriminazione sessuale all'interno delle forze di polizia e che ha contribuito a rivedere pubblicamente l'immagine del *bobby on the beat*, cioè del buon vecchio poliziotto di quartiere. Su un altro versante, la premiatissima *House of Cards* (di Andrew Davies, per la Bbc) ha prefigurato in modo straordinario la caduta di Margaret Thatcher, narrando la storia di un primo ministro tradito dal suo stesso partito.

Non altrettanto vitale e di qualità viene giudicato, in Gran Bretagna, il filone brillante della *fiction* televisiva, quello che ha avuto il suo perno efficacissimo nella *sit-com* della Independent Television *Coronation Street*, più tardi sfidata dalla omologa *Eastenders* della Bbc. Molte *sit-coms* sono scivolate in una ormai trita formula, le cui componenti costitutive sono una tranquilla famiglia di ceto medio, variamente sistemata intorno a tre pezzi di mobilio: e spesso le risate di sottofondo eccessivamente rumorose sono il loro unico tratto distintivo.

Peraltro, vi sono alcune eccezioni a questa "tendenza al ribasso". *Desmonds* (di Channel 4) ha lasciato il suo segno come prima *sit-com* britannica che ha per protagonista una famiglia di colore e, sebbene non sia straordinariamente innovativa, mostra una certa originalità nell'utilizzare ambienti sociali così trascurati in tv. Ma un altro prodotto di Channel 4 si è meritato il giudizio di più originale *sit-com* degli ultimi anni: è *Drop the Dead Donkey*, ambientata nella immaginaria redazione di un telegiornale e registrata un solo giorno prima di andare in onda, in modo che le battute del copione siano aggiornate il più possibile. Anche *Spitting Image*, realizzato dalla Central Television per la Itv, cerca di sincronizzarsi con gli eventi (viene registrata nella stessa settimana della messa in onda); ma, al di là dello stretto rapporto con l'attualità, questo vizioso spettacolo di marionette – che segue la tradizione satirica iniziata da programmi quali il celebre *That Was the Week that Was* della Bbc negli anni Sessanta – si impone per la sua schietta irriverenza verso tutti i personaggi che prende in giro (il Papa è una moderna rockstar con tanto di occhiali scuri, la Regina madre una giocatrice d'azzardo alcolizzata, e così via): irriverenza permessa proprio perché giocata "obliquamente" attraverso i celebri (e imitatissimi nel mondo) pupazzi di gomma.

1.5. La legge richiede alle televisioni britanniche la messa in onda di una quantità obbligatoria di trasmissioni per bambini; e molte di queste sono di qualità così elevata da essere seguite con passione anche dagli adulti. *Blue Peter*, ad esempio, ha costituito un appuntamento pomeridiano bisettimanale fisso nel palinsesto della Bbc dalla metà degli anni Cinquanta: sebbene sia rimasta un poco didascalica ("reithiana", dicono gli inglesi) nel suo modo di proporsi, questa serie riesce sempre ad essere uno strumento di informazione e non di imbonimento, ancorata alla sua "specialità" di mostrare ai bambini come con l'inventività si possano allegramente trasformare oggetti di uso comune.

I programmi per bambini dell'ultima generazione hanno mantenuto l'alto livello qualitativo storicamente stabilito da *Blue Peter*. La bellissima opera di animazione di Nick Park, *Creature Comforts*, in cui animali di plastilina discutono sui lati positivi e negativi della vita in cattività all'interno dello zoo (con gustose imitazioni della gergalità di diversi gruppi sociali), ha vinto un Oscar come miglior cortometraggio di animazione. *Grange Hill*, ideata da Phil Redmond (responsabile anche di *Brookside*) per la Bbc, ambientata in una scuola che dà il nome alla serie, da quando è apparsa per la prima volta sui teleschermi nel 1980 non si è mai tirata indietro di fronte ai temi più scottanti, e proprio per questo viene molto apprezzata dai giovani di tutte le età.

2. Germania: anche la razionalità tedesca può essere minacciata (*)

2.1. La nascita della televisione in Germania (Occidentale) risale alla fine del 1952, quando fu fondata la rete Ard, un consorzio tra i *Lander* della Federazione tedesca, ciascuno dei quali ha il compito di produrre una certa percentuale delle trasmissioni tv della prima rete nazionale, in proporzione alla densità di popolazione della propria area di competenza; ciascun *Land*, inoltre, dispone di una rete regionale, cui provvede individualmente o in associazione con gli enti di altre regioni[7]. La frammentazione regionalistica, oltre a riflettere la struttura di base della Federazione tedesca, sembrava l'antidoto migliore contro il possibile ripetersi della traumatica esperienza vissuta con il centralismo dell'apparato propagandistico (radiofonico) della dittatura nazista.

Nei tardi anni Cinquanta, uno sviluppo ulteriore dell'emittenza televisiva fu ritardato dal fallito tentativo di Adenauer di creare una seconda rete, che fosse privata ma sostenuta dal governo federale e irradiata direttamente in tutto il territorio nazionale, per contrastare quello che il Cancelliere, riferendosi all'impostazione politica della Ard a lui ostile, chiamava "il contro-governo socialdemocratico nell'etere"[8]. Si sarebbe trattato di un vero e proprio colpo di mano "centralista", che però si infranse contro i princìpi costituzionali tedeschi: con una "storica" sentenza, nel 1961, la Corte Costituzionale dichiarò illegittima la pretesa del governo federale, riconfermando la sovranità radiotelevisiva dei *Lander*. La seconda rete sarebbe nata due anni dopo, nel 1963, con il nome di Zdf e dotata (proprio per scongiurare i pericoli messi in luce dal tentativo di Adenauer) di una natura di ente pubblico rigidamente legato ad una iper-rappresentazione delle forze socio-politiche: non solo i *Lander* e il governo federale, ma anche i partiti, i sindacati, le chiese, le muncipalità, i giornalisti, e così via.

Ard e Zdf, pur "ingessate" in un sistema estremamente politicizzato e caratterizzato da forti vincoli operativi (tra cui quello della limitazione oraria della pubblicità), hanno certamente svolto un ruolo positivo per molti aspetti dello sviluppo del sistema tv. A

(*) I paragrafi 2.3, 2.4 e 2.5 sono stati scritti da Manfred Riepe e Rudolf Frieling e rielaborati dall'autore.

esse va, ad esempio, riconosciuto il merito di "avere celebrato con successo il matrimonio tra cinema e tv sia in termini quantitativi (il 50 per cento dei film tedeschi è prodotto o coprodotto dalle due reti televisive) che qualitativi, segnando la rinascita del cinema tedesco: Fassbinder, Herzog, Von Trotta, Schloendorf si sono affermati grazie alla fiducia ed all'impegno finanziario e produttivo di Zdf e Ard"[9]. La Ard è stata, tra l'altro, la capofila della gigantesca coproduzione internazionale (con Bbc, France 2 e altre emittenti europee) che ha permesso la realizzazione di quel "monumento" audiovisivo che è rappresentato dai due cicli di *Heimat* di Edgar Reitz.

2.2. Il cinema (in prevalenza un altro tipo di cinema) è stato anche il terreno su cui si è costruito il potere di almeno una parte dell'imprenditoria privata che, a partire dal decennio Ottanta, avrebbe poi cominciato a premere per entrare "dentro" il sistema televisivo: Leo Kirch, fondatore e padrone del Gruppo Beta (oggi l'istituzione privata più forte nel campo produttivo della tv europea, presente in quasi tutti i progetti di coproduzione internazionale), negli anni Cinquanta era un grossista di film a Monaco di Baviera, che ebbe per primo l'intuito di accaparrarsi i diritti tv di molti titoli italiani e poi americani, ampliando quindi la sua attività (come era naturale) alle serie e ai *serials* della prima grande ondata "colonizzatrice".

Il Gruppo Beta, in alleanza con il grande editore amburghese Springer, oggi controlla di fatto quattro reti: Sat-1, Pro 7, il canale sportivo Dsf e il sistema via cavo Kabelkanal. Suo *competitor* è il "gigante" dei media tedeschi, il Gruppo Bertelsmann (una *conglomerate* di editoria, stampa, radio-televisione, musica, sempre ai vertici mondiali per fatturato), il quale controlla la rete Rtl (ormai la più forte in Germania nelle quote di ascolto e nei ricavi pubblicitari) cui nel 1993 si è aggiunta Rtl 2. Dal territorio tedesco, inoltre, si irradiano alcune delle più potenti e appetibili *superstations* via satellite a diffusione diretta (tra cui Eurosport), che raggiungono gran parte dei paesi europei.

Va detto che l'apertura del sistema tedesco ai privati è avvenuto sul terreno delle nuove tecnologie distributive (satellite e cavo), senza così scardinare l'assetto raggiunto nella distribuzione tradizionale dei segnali. Ovviamente ciò non si è verificato per caso, ma grazie all'equilibrio di due fattori solo in apparenza contrastanti: da un lato, la ferma posizione della Corte Costituzionale di fronte alle pressioni per uno "scardinamento" totale del sistema; dall'altro, la consapevolezza che non si poteva tener fuori dal sistema tv l'imprenditoria privata, per non penalizzare il comparto più incisivo dell'apparato industriale tedesco, che è quello legato all'elettronica, e di cui lo sviluppo televisivo è uno dei volani fondamentali.

Dopo il riordino delle frequenze terrestri operato dalla Deutsche Bundespost nel 1986, i *Lander* sono stati autorizzati anche al rilascio di frequenze terrestri ai privati (con il limite di una rete nazionale a programmazione generale, più una specializzata regionale per ciascuno dei tre privati concessionari previsti): ma ormai il sistema era "salvo" nei suoi indirizzi strategici, in grado di generare – e al tempo stesso sfruttare – efficaci sinergie di sviluppo utili al mezzo televisivo, all'industria elettronica nazionale, nonché al pubblico utente.

Comunque, non mancano polemiche sull'eccessivo potere che gli organismi privati (e in particolare i due "colossi" Beta e Bertelsmann) stanno conquistando nel sistema televisivo: ci si chiede, in definitiva, se le sue aperture, pur "protette" dai limiti che abbiamo visto, non finiscano per favorire in ogni caso lo stabilirsi di concentrazioni troppo vaste nella gestione delle emittenti private. Tanto più che le due emittenti pubbliche hanno visto scendere precipitosamente, in questi ultimi anni, sia gli indici di ascolto sia le entrate pubblicitarie.

2.3. La particolare organizzazione della tv su base federale è stata uno degli elementi che ha profondamente inciso sul tipo di programmazione offerto dalle reti pubbliche tedesche, e in particolare dalla Ard. Nella struttura federale, ogni *Land* ha una propria competenza di politica culturale: ciascuna delle nove emittenti regionali ha percorso una propria strada per soddisfare, da un lato, i più diversi bisogni di intrattenimento del pubblico e tener fede, dall'altro, ai propri impegni didattico-culturali. Ne è scaturita, ovviamente, una diffusa conflittualità, legata anche al diverso colore politico delle varie amministrazioni regionali: per cui un'emittente può rifiutare di trasmettere sul proprio territorio quello che l'emittente di un altro *Land* considera un ottimo programma (ciò è avvenuto con una certa frequenza negli anni "caldi" attorno al 1970, specie per opera dei tradizionalisti responsabili della tv bavarese).

Anche la lunga e stabile condizione di monopolio, goduta dalle emittenti pubbliche tedesche fino a tutta la metà degli anni Ottanta, non è stata senza effetti sulla programmazione, disegnando un panorama televisivo piuttosto improntato al tradizionalismo. Le fasce di maggior ascolto erano destinate ad accogliere i generi più collaudati e graditi dell'intrattentimento e dell'evasione: *game-shows* ad esempio, campo nel quale la tv tedesca ha inventato alcune formule, copiate in altri paesi, tra cui la celebre *Wetten, dass...* (Scommettete che...); e inoltre film per la televisione, e trasmissioni cultural-politiche che hanno poi lasciato il posto, a partire dagli anni Ottanta, a una florida stagione del genere *talk-show* (con esempi anche "nobili" e pur popolari, come *Das Literarische Quartett*, il quartetto letterario, in cui quattro noti critici discutono i libri appena usciti sul mercato). Un insieme di programmi estremamente convenzionale, dunque, che rivelano la predilezione per i contenuti e per la parola a totale discapito di una qualsiasi ricerca sulle forme del linguaggio televisivo e sull'impiego innovativo dell'immagine.

La strada dell'innovazione, per la verità, non è stata completamente dimenticata, ma è stata relegata in speciali aree di palinsesto, rese possibili e tutelate proprio dalla particolare organizzazione del sistema televisivo: le varie emittenti della Ard, infatti, possono realizzare programmi destinati a pubblici minoritari e a sperimentazioni, da trasmettere all'interno degli spazi regionali della terza rete. È così che l'emittente Sender Freies Berlin (Sfb) produce *Nachtschwärmer* (Nottambuli), un insieme non banale di manifestazioni culturali e di stravaganze berlinesi; nonché la trasmissione per giovani *Moskito*, che riesce a essere pedagogica in modo progressista e divertente. E dalla terza rete della Wdr è nato *Freistil* (Stile libero), acclamato esempio di "televisione artistica", frutto di arditi montaggi di immagini e di voci "saggistiche"; oppure *Zak*, ironica e autoironica rivista culturale (che ad esempio, per meglio descrivere la teoria del caos, ha fatto finire la puntata su questo argomento in pieno caos). Peraltro, la produzione di questi programmi (alcuni dei quali raccolgono un buon successo di pubblico settoriale), sebbene sia costantemente supportata e incoraggiata dalla critica (fra cui l'Istituto Adolf Grimme, che è considerato una "autorità" in materia di criteri e di parametri qualitativi) si scontra spesso con i tagli di budget e con la difficoltà a trovare collocazione nei palinsesti.

Queste linee di programmazione, tra l'altro, si realizzano in uno scenario di controllo estremamente vigile e attento ai contenuti dei programmi, costantemete effettuato da parte delle autorità competenti. Il paragrafo 131 del codice penale emanato nel 1973, inizialmente introdotto per poter legalmente contrastare la rappresentazione neonazista della violenza e l'incitamento all'odio razziale, e ulteriormente inasprito nel 1985, equipara la rappresentazione della violenza all'esercizio diretto della violenza nei confronti degli spettatori. Questa norma unica al mondo (ve n'è una simile solo nella legislazione svizzera approvata nel 1990) trova corrispondenza nel "sentire" del pubblico tedesco che, abituato a una notevole dose di razionalizzazione linguistico-verbale, reagisce in modo estremamente "allergico" alla rappresentazione visiva della violenza. All'interno di un contesto così rigido e regolato (nel quale anche la stampa tiene regolarmente il conto dei morti che vengono mostrati sul teleschermo) sono incappati nella censura e hanno suscitato scandalo non solo programmi che facevano della violenza un uso provocatorio e scioccante e che potevano rappresentare degli sconfinamenti nella "tv spazzatura", ma anche altri che si proponevano un ampliamento dei temi e dei modelli narrativi usuali: la sensazione che permane è quella di un paralizzante controllo indiretto, esercitato dai "veti incrociati" degli organi che nella televisione rappresentano i vari partiti politici e le diverse componenti della società civile.

2.4. L'avvento dell'emittenza privata – per quanto realizzatosi, come si è visto, in maniera molto più controllata e "amministrata" che non in altri paesi – ha comportato anche in Germania dei mutamenti profondi nello scenario e nelle logiche della programmazione. La dilatazione dei palinsesti, dovuta alla volontà/necessità di coprire un arco temporale sempre maggiore per motivi di concorrenza, ha posto subito in primo piano il problema della scarsità della materia prima: i programmi. Le reti private, incapaci di autosoddisfare la voracità dei loro palinsesti, hanno così aperto le porte a una produzione di livello inferiore, non di rado definibile "tv spazzatura", ma che aveva il pregio di essere disponibile in grande quantità. Inoltre, come è accaduto anche nel resto d'Europa quando si è gonfiato il mercato senza poter sviluppare adeguate forze produttive, ogni emittente ha progressivamente aumentato la quota di programmi d'acquisto (che per Sat 1 e Rtl è giunta ad esempio, all'inizio degli anni Novanta, al 55-60 per cento dell'intera programmazione).

A fianco di questi aspetti negativi, va detto però che, almeno nella prima fase, la presenza di nuovi *competitors* ha comportato lo svecchiamento dei modelli e delle formule collaudati e tradizionali dell'emittenza pubblica: una delle strategie seguite all'inizio dall'emittenza privata è stata infatti quella di conquistarsi quote di ascolto percorrendo la strada del non convenzionale e del nuovo. Si è così vista comparire su Sat 1 una serie di reportage ambientalisti (*5 vor 12, 5 alle 12*) curati dalla famosa rappresentante dei Verdi, Petra Kelly. E Rtl ha ripescato una trasmissione "chicca" della televisione dell'Est, *Elf 99*, rubrica di inchieste sul mondo dei giovani che era diventata popolarissima nel periodo di sgretolamento della ex Ddr. Anche in seguito, Rtl ha dato vita a qualche programma significativo: come *Weiber von Sinnen*, un talk-show spregiudicato diretto ad un pubblico femminile; o *Explosiv*, in cui un pesonaggio, politico e non, è sottoposto ad un vero e proprio tiro al bersaglio da parte di un gruppo di esperti.

Protagonista della fase più innovatrice dell'emittenza privata è stato il regista e teorico dei media Alexander Kluge. Convinto che la critica della televisione non si può esprimere con le "parole" ma solo sotto forma di attività direttamente televisiva (perché "le idee non possono competere con le produzioni materiali quando queste occupano le immagini"[10]), Kluge ha avuto il "colpo di genio" di presentarsi al governo della Renania-Vestfalia (una regione di grandi dimensioni e densamente popolata), proponendosi quale fiduciario per gestire gli spazi regionali, o "finestre", che erano stati concessi anche a favore delle emittenti private. In collaborazione con la multinazionale pubblicitaria giapponese Dentsu (attiva anche in Germania) ha quindi fondato la sua Development Company for Television Programs (Dctp), con la quale ha cercato di realizzare la sua teoria della "contro-produzione". I critici hanno rilevato che, specie dopo gli accordi con Stern Tv e Spiegel Tv (legate alle omonime riviste), Kluge ha successivamente attenuato tale strategia controcorrente: lo stesso suo programma *10 vor 11* (10 alle 11), pur presentando contenuti interessanti, risulta piuttosto convenzionale. Ci pensa però Kanal 4 (una cooperativa di operatori televisivi della regione, che si è conquistata una "finestra" nella "finestra") a continuare a offrire vera televisione alternativa, con trasmissioni sperimentali e *low-budget*.

2.5. Dopo l'avvento dei privati, anche l'emittenza pubblica è stata investita in pieno dalla logica dell'ascolto, e quegli spazi dei palinsesti che erano stati preservati a momenti culturali, educativi e di approfondimento ne hanno fortemente risentito. Come in tutti gli altri paesi che hanno subito un analogo processo, la corsa all'acquisto dei programmi e al rialzo dei prezzi ha posto in tutta la sua gravità il problema delle entrate. La necessità di mantenere indici di ascolto elevati, condizione indispensabile per ottenere alti introiti pubblicitari, ha di conseguenza portato l'Ard e la Zdf a bandire i programmi "killer dell'audience" dai canali generalisti: i canali specialistici 1Plus per l'Ard e 3Sat per Zdf sono diventati allora le cosiddette "foglie di fico della cultura"; ma, sebbene siano distribuiti via cavo (un supporto che potrebbe consentire la ricerca di una certa originalità) troppo spesso restano impigliati negli schemi della tv tradizionale. Poche volte all'anno, su 3Sat, la Zdf si "permette" un esperimento appassionante, con un'intera giornata dedicata a un solo tema concreto, esaminato attraverso documentari, brevi film, pezzi di teatro, tavole rotonde ecc.: un modo per saggiare le potenzialità e i limiti dello strumento televisivo.

Nel divampare della competizione, le due emittenti pubbliche hanno puntato molto sullo sviluppo di una tendenza che era già emersa nei tranquilli anni del monopolio: la produzione di una fiction tedesca, che nel decennio Ottanta, con le sue prime espressioni, aveva contribuito a contrastare il predominio in Germania dei serial americani tipo *Dallas* e *Dynasty*. Il mercato internazionale conosce soprattutto *Derrick*, poliziesco di grande successo mondiale della Zdf, che è apparso sui teleschermi di un centinaio di paesi, ma il fenomeno è più complesso. Accanto a questa serie (che è piuttosto depurata da connotazioni nazionali, anche se la produzione va fiera di aver corretto l'immagine internazionale del tedesco attraverso la figura dell'impassibile ispettore), se ne possono ricordare altre, più popolari e considerate di maggiore qualità in Germania, giocate invece sulla cultura locale: come la serie gialla *Tatort* (Luogo del delitto), o la serie di azione *Schimansky*, centrata sulla complessa figura dell'omonimo commissario, ambientata nella "poco televisiva" zona industriale della Ruhr.

Un'altra strategia di fiction è la "germanizzazione" di modelli americani: a questo trend appartengono, ad esempio, l'interminabile soap *Lindenstrasse* (Viale dei Tigli), un progetto "socialdemocratico" della Ard che piace alla sinistra e agli alternativi, e la "democristiana" *Schwarzwaldklinik* (Clinica della Foresta Nera) della Zdf. Anche in questo settore esistono peraltro opere di maggiore qualità: come l'anti-soap di Wolfgang Menge *Ein Herz und eine Seele*, della Wdr, che offre una caricatura brusca ma piacevole delle lotte intestine nella famiglia tedesca degli anni Settanta.

Sempre in questo campo della fiction, l'emittenza pubblica, talvolta, è persino in grado di sorprendere tutti per originalità e innovazione. Ci si riferisce all'esperimento effettuato verso la fine del 1991 congiuntamente da Ard e Zdf, nel corso del quale la serie poliziesca *Morderische Entscheidung – Umschalten erwunscht* (Scelta mortale – si prega di cambiare canale) veniva trasmessa in contemporanea sulle due reti; ma, dopo un inizio comune, su un canale la storia proseguiva secondo il punto di vista del protagonista maschile, mentre sull'altro canale si dipanava secondo quello della protagonista femminile. Un telefim poliziesco strutturalmente aperto, da seguire cavalcando i due canali, che non ha mancato di suscitare critiche per la sua troppo poco marcata differenziazione nei due intrecci, ma che ha rappresentato qualcosa di assolutamente inedito.

3.   Francia: proliferazione dei soggetti, risultati dubbi (*)

3.1. In dieci anni, il panorama televisivo francese è stato letteralmente rovesciato. Fino al 1982, esistevano soltanto tre canali del servizio pubblico (Tf1, Antenne 2 e France 3), finanziati dal canone e dalla pubblicità (che era stata ammessa a partire dal 1968). L'avvento del partito socialista al potere, all'inizio degli anni Ottanta, ha coinciso con l'approvazione di una serie di leggi e provvedimenti che hanno drasticamente privatizzato il sistema. La legge che autorizzava l'esistenza delle televisioni private è stata emanata nel 1982; bisognava però attendere l'autunno 1984 per assistere alla nascita della prima emittente privata, Canal Plus, il canale a pagamento diretto via etere destinato a essere la vera, grande novità del panorama audiovisivo francese degli anni Ottanta. Un anno più

(*) I paragrafi 3.2 e 3.3 sono stati scritti da Albino Pedroia.

tardi è sorta La Cinq, con l'apporto societario e gestionale di Berlusconi (rete che ha però cessato l'attività all'inizio del 1992, dopo una lunga serie di traversie proprietarie), e poco dopo l'ultimo canale privato, M6.

Un altro e ancor più sconvolgente "terremoto" è avvenuto dopo la vittoria elettorale della destra nel 1986, quando è stata varata una nuova normativa (la cosiddetta "legge Leotard", dal nome del ministro proponente), che annullava le concessioni accordate e riapriva la gara per le due reti private non a pagamento diretto; ma soprattutto decideva la privatizzazione di Tf1, il primo e più popolare canale pubblico. È stato proprio questo evento (che rimane per ora unico nella storia della televisione europea) a rovesciare la struttura del sistema televisivo francese: Tf1 (la cui maggioranza azionaria appartiene al gruppo Bouyges) continua infatti a essere il canale televisivo di gran lunga più seguito (con uno *share* costantemente superiore al 40 per cento), grazie alla sua programmazione popolare e sempre più spiccatamente "nazionale", specie nel campo della rivista e del varietà; per cui l'audience cumulata delle reti private supera ormai il 60 per cento del totale, lasciando alle due emittenti pubbliche (che ora si chiamano, più omogeneamente, France2 e France3) meno del 40 per cento[11]. Una situazione, questa, che per il momento non si è verificata così drasticamente in nessuno dei grandi paesi europei ex monopolisti, pur in uno scenario complessivo di declino delle tradizionali emittenti pubbliche.

Il divario è accresciuto dal fatto che la privata Canal Plus (che ha una compagine azionaria molto frammentata, con quote di rilievo per l'agenzia pubblicitaria Havas e per la Compagnie génerale des eaux) ha saputo diventare in pochi anni non solo una nuova, significativa fonte emittente (3 milioni e mezzo di abbonati, tasso di penetrazione del 16 per cento; ascolto giornaliero intorno al 5 per cento), ma anche un volano positivo dell'intero sistema. Grazie a un particolare accordo, Canal Plus può trasmettere film anche dopo un solo anno dalla loro uscita nelle sale cinematografiche (anziché i tre anni delle altre reti) e, in contropartita, deve investire il 25 per cento del suo fatturato nell'acquisto di film, la metà dei quali di produzione nazionale. È così che il copioso *cash-flow* derivante dagli abbonamenti va a prefinanziare circa il 90 per cento della produzione cinematografica francese; inoltre, la vocazione europea dell'emittente (che partecipa a società audiovisive in vari paesi del Vecchio Continente, tra cui l'Italia con Telepiù) l'ha indirizzata anche verso le coproduzioni di fiction televisiva.

Le "risposte" del servizio pubblico alla inesorabile privatizzazione del sistema francese sono rimaste ancorate agli ambiziosi ma discutibili progetti della Sept e di ArTe. La Sept è stata istituita nel 1985, in seguito alla proposta di un gruppo di intellettuali (guidati dal sociologo Pierre Bourdieu) favorevoli a un "canale di televisione culturale" che potesse usare il mezzo tv "come base di una vera educazione permanente" e che "creasse intorno alla scuola un ambiente culturale indispensabile al successo dell'attività educativa"[12]. Rimasta a lungo senza un proprio canale di trasmissione (che non doveva essere via etere, ma sul satellite Tdf), la Sept, pur con un budget assai limitato, ha dato inizio a una discreta produzione di film d'autore e di fiction televisiva per il mercato nazionale (raggiunto, a partire dal maggio 1989, attraverso l'emittente France 3) ed europeo (in particolare Spagna e Germania).

Proprio lo stretto rapporto con la Germania in questo campo della "televisione culturale" è stata la base per la confluenza dell'attività della Sept nel canale franco-tedesco ArTe, nato per un accordo tra la stessa Sept e le reti pubbliche tedesche Ard e Zdf. ArTe è interamente finanziato dai due stati e, in Francia, viene diffuso in parte sulla rete della dismessa emittente privata La Cinq e in parte sul sistema di satelliti a diffusione diretta Tdf1-Tdf2, nonché via cavo. Patrocinato e lanciato con grande enfasi nel 1992 dall'allora ministro francese della cultura Jack Lang, il canale culturale franco-tedesco ha indubbiamente ricevuto elogi dalla critica; ma il pubblico è ancora lontano (*share* media attorno all'uno per cento), nonostante qualche sforzo di "alleggerimento" dei contenuti. Il canale nutre dichiarate ambizioni europee, ma deve prima fronteggiare notevoli resistenze interne: innanzitutto quella di una significativa divergenza nella concezione di "cultura" e di "patrimonio culturale" nei due paesi, divergenza che ha posto non pochi ostacoli nella preparazione dell'accordo e nella sua fase di prima implementazione[13].

3.2. Il caso della Sept e di ArTe è sintomatico del paesaggio audiovisivo francese e di alcune sue variabili significative. Si può infatti dire che la creazione di questo canale culturale è stata al tempo stesso il frutto di una scommessa tecnologica legata al satellite (nell'intento di superare l'arretratezza delle telecomunicazioni nazionali), un gesto diplomatico (allo scopo di rafforzare la riconciliazione franco-tedesca) e un atto di "volontarismo culturale" per rimediare al "deterioramento" prodottosi nel sistema televisivo: il nuovo canale doveva infatti, nelle intenzioni strategico-politiche, placare quella parte di opinione pubblica che riteneva eccessiva e negativa la privatizzazione operata nella tv (al punto che è stato definito la "cattiva coscienza della politica de-regolamentatrice dei socialisti")[14].

Anche la Sept-ArTe, dunque, appare uno strumento di politica generale più che un autonomo "motore" del sistema televisivo. Ma del resto, la caratteristica più peculiare di questa "rivoluzione francese" è proprio che essa appare il frutto di strategie strettamente legate alle vicende politiche della Francia degli anni Ottanta: ogni cambiamento alla guida del governo ha coinciso in pratica con una diversa ripartizione di fette di potere nell'etere. Questo fenomeno è risultato estremamente chiaro nelle decisioni che hanno via via mutato i meccanismi delle concessioni ai privati (per favorire sempre gli imprenditori "amici"). Ma lo è stato anche nella dinamica istituzionale e operativa dell'organismo predisposto per l'indirizzo, il controllo e la garanzia del sistema: l'Alta Autorità della prima riforma socialista è diventata la Commissione nazionale per la comunicazione e la libertà (Cncl) dopo la vittoria della destra nel 1986, per trasformarsi infine nel Consiglio superiore audiovisivo, istituito nel gennaio 1989 dopo che la Cncl era stata "chiusa" dal governo socialista di Rocard in quanto accusata di scandali e parzialità al momento della concessione delle licenze.

Lo stesso sviluppo tecnologico del sistema francese risulta fortemente penalizzato dall'eccessiva "politicizzazione" e dai conseguenti *stop and go* che le mutazioni politiche impongono. Fin dal 1981, ad esempio, la Francia aveva lanciato un piano di collegamenti via cavo a fibre ottiche estremamente ambizioso, che prometteva di raggiungere in cinque anni almeno cinque milioni di case; l'obiettivo è stato largamente mancato e continua a esserlo anche nella prima parte degli anni Novanta (quando si sono superati i due milioni di case collegate). Per alimentare le reti via cavo, e per offrire loro un *appeal* nei confronti dei potenziali clienti, sono stati creati una decina di canali a tema (dallo sport al cinema ai programmi per ragazzi), cui partecipa anche, come azionista, Canal Plus: ma per il momento si tratta di iniziative del tutto marginali. Potrebbe essere la *pay-per view*, come in altri paesi, a innescare finalmente quella dinamica di sviluppo sempre attesa e mai realizzata[15].

Da questo quadro così tratteggiato, emerge "la realtà di un sistema assai poco autonomo nelle sue scelte, soggetto al volere politico ed incapace quindi di pianificare opzioni industriali e produttive di lungo periodo"[16]. Non si può negare che, nel suo insieme, il panorama audiovisivo francese mostri una vivace proliferazione di soggetti protagonisti; ma, alla luce di quanto si è detto, non deve stupire che il sistema sia ben lungi dal rappresentare una ottimale modificazione del vecchio monopolio pubblico. Inoltre, la situazione dal punto di vista economico si presenta assai più problematica di quanto si potesse immaginare: è vero che il fatturato globale del settore è in costante e deciso aumento, ma non va dimenticato che il livello di partenza (all'epoca del monopolio pubblico) era molto basso. E se le strutture pubbliche sono afflitte dalla elefantiasi del personale (in particolare France3, che ha più di tremila dipendenti), le emittenti private si trovano a combattere una guerra che ha già fatto la sua prima vittima, La Cinq, e che ha a lungo mantenuto M6 in una posizione di instabilità finanziaria: solo il dominatore "generalista" Tf1 (che controlla circa la metà del mercato pubblicitario, limitando così fortemente il gioco della libera concorrenza) e il brillante servizio "specialista" di Canal Plus sono da tempo finanziariamente al sicuro.

La situazione non cambia se, dal terreno della distribuzione televisiva, ci spostiamo in quello della produzione. Anzi, una legislazione eccessivamente pignola e protezionista ha impedito lo sviluppo di una vera industria della produzione, ostacolando soprattutto le coproduzioni con le emittenti straniere. La principale casa di produzione, la Sfp (controllata al 95 per cento dallo stato e al 5 per cento da Tf1) è in sofferenza di fatturato e di rendimento. Ma anche le società private di produzione hanno un'esistenza estremamente precaria, inclusa la maggiore di esse, la Hamster (che produce oltre il 20 per cento dei film francesi che passano nel *primetime* televisivo). L'assenza di quello che viene definito un "secondo mercato" – che potrebbe esistere se i succitati canali a tema conquistassero un'audience significativa – ha impedito la stabilizzazione in positivo di questo settore industriale.

3.3. Dal punto di vista della programmazione, il fenomeno più evidente degli anni Ottanta è stato il considerevole aumento delle ore globali di trasmissione, connesso alla moltiplicazione delle emittenti. Si è passati infatti da tre canali pubblici, che trasmettevano 10-12 ore al giorno, a sei canali nazionali, alcuni dei quali trasmettono 24 ore su 24.

A beneficiarne è stata soprattutto la fiction, che ha avuto un balzo (nel decennio Ottanta) del 494 per cento, portando la sua presenza complessiva nei palinsesti francesi dal 21 al 37 per cento; se a questo aumento eccezionale della fiction si aggiunge quello consistente dello spettacolo leggero (musica e varietà: dall'11 al 15 per cento) e si pone tutto ciò in correlazione con la perdita di peso del settore informazione-attualità-documentari (dal 39 al 25 per cento del tempo totale della tv francese), si ha una quantificazione abbastanza precisa di quel fenomeno di "alleggerimento evasivo" del palinsesto, che sembra essere stato il connotato forte di tutte le tv europee nel passato decennio. Non si può peraltro dimenticare che vi sono esempi di ottima produzione nel campo della fiction francese autentica (citiamo per tutti *Un été alsacien*, telefilm realizzato nel 1991 da Antenne 2, straordinaria ricostruzione della vita di una famiglia in Alsazia durante la seconda guerra mondiale).

Se la crescita della fiction segue un percorso simile a quello di altri paesi europei, l'incremento delle trasmissioni da studio in Francia ha una vicenda più peculiare, solo in parte riconducibile a una modellistica europea di "crisi". La creazione di canali commerciali e la privatizzazione di Tf1 sono stati due avvenimenti quasi contemporanei, e hanno immediatamente prodotto quella "guerra" per l'accaparramento dei conduttori-star che già si era verificata, con particolare violenza, in Italia nei primi anni del conflitto Rai-Berlusconi; è stato a questo punto che, non essendo più obbligate ad acquistare i loro programmi dalla società pubblica di produzione Sfp, le reti hanno trovato sul libero mercato tutta una serie di nuove offerte provenienti da piccole società che producevano "chiavi in mano" ore e ore di programmi di varietà, giochi, talk-show, ecc. Si trattava di offerte particolarmente allettanti non soltanto per il loro costo ridotto (in quanto semplicissimi programmi da studio, perfettamente routinizzabili) ma anche perché la nuova legge francese, se proibisce alle reti di interrompere i programmi di fiction con la pubblicità, lo permette invece per quelli di intrattenimento leggero, che potevano perciò farsi carico di cospicui gettiti pubblicitari.

Questo nuovo panorama ha contribuito alla creazione o allo sviluppo di tipologie di programmi formalmente e strutturalmente assai diverse tra loro. Insieme con l'inflazione di un varietà leggero/evasivo, si è assistito infatti all'evolversi di un genere di trasmissioni decisamente audaci, dissacratorie, animate dal gusto dello scandalo, talvolta fino alla ricerca della rissa o della provocazione a tutti i costi (come nel caso-limite di un programma di Antenne 2 dedicato all'estrema destra, che è stato soppresso per essersi trasformato in uno strumento di apologia del nazismo). E anche quando non si è arrivati a tanto, si è spesso cercato – da parte di ciascun contendente – di battere la concorrenza sul terreno sensazionalistico degli "scoop", molti dei quali si sono rivelati poi infondati, contribuendo certamente al calo di fiducia nella televisione (a vantaggio della radio e dei quotidiani) che alcune ricerche hanno recentemente evidenziato.

Il settore dell'informazione televisiva ha registrato, peraltro, anche alcuni punti a favore, specialmente nei programmi di approfondimento della realtà quotidiana. A Tf1 si deve, ad esempio, una trasmissione come *52 sur la Une*, realizzata da una troupe televisiva che va a "vivere" dentro gli ambienti che si vogliono descrivere, per settimane e anche per mesi; in questo stesso filone si situa *24 heures* di Canal Plus, in cui – sulla scia di una formula inaugurata in America – ci si immerge per un'intera giornata in un contesto (un ospedale, un distretto di polizia ecc.) e si sintetizza in un'ora ciò che avviene in quell'arco di tempo. Anche il vecchio documentario generalista del servizio pubblico ha lasciato il posto a modelli più duttili (come *Ushuaia* di Tf1, scoperta di mondi nuovi ravvivati dagli *exploits* del conduttore) e specializzati (come *Thalassa* di France 3, un *magazine* televisivo dedicato interamente al mare in tutte le sue forme).

Lo stesso può dirsi delle trasmissioni culturali, che hanno subito un deterioramento indubbio a partire dalla privatizzazione, ma che pure hanno registrato alcune importanti "pietre miliari". Basta pensare alla vitalità di un Bernard Pivot che – chiusa la sua *Apostrophes* dopo 15 anni e 724 trasmissioni – ha dato vita a *Bouillon de Culture* (brodo di cultura), in cui ai dibattiti sui libri si uniscono conversazioni sul teatro, sulla musica, sulla pittura e su molti altri argomenti culturali, all'interno di tanti piccoli salotti scenografici. Degna di rilievo è stata pure l'operazione che ha visto un grande attore francese, Michel Piccoli, recitare "schegge" (sei minuti) di brani da Victor Hugo prima del telegiornale di Tf1 (operazione subito imitata in Italia, con la Divina Commedia interpretata da Vittorio Gassman prima del Tg1). Non si può neppure dimenticare un *magazine* televisivo interamente dedicato a un campo così amato ma poi spesso dimenticato come l'opera (*Opera* di France 3). E ancora: trasmissioni sulla nuova cultura dei media (*Videoplaisir, Culture Pub*), e qualche buon esempio di programma settoriale (è il caso di *Ordy, les grandes découvertes*, con cui Antenne 2 ha coniugato cartoni animati e computer per un prodotto di qualità rivolto al pubblico dei minori).

Anche in Francia, come in molti altri paesi europei, si assiste a un crescendo di "tv verità", dove si riscontrano i molteplici lati negativi di una televisione "trasandata" o eccessiva, all'interno di un quadro abbastanza ripetitivo, che si limita alla stereotipizzazione in chiave nazionale di poche formule per lo più di derivazione americana (la formula del "chi l'ha visto", la formula dell'intervento di polizia ecc.). Al tempo stesso, non si può non rilevare che questo "sviluppo inverso" della televisione (dal basso verso l'alto, dal pubblico alle emittenti) ha costituito e costituisce una sorta di "scuola di introspezione sociopsicologica", sulla quale è possibile costruire anche in senso positivo, come dimostra qualche altro esempio della programmazione francese in cui è stato possibile gettare uno sguardo più originale e più approfondito sulla vita collettiva di ieri e di oggi: è il caso di *Que deviendront-ils* (una serie di tv-verità sviluppata negli anni, che segue tutti gli aspetti della vita di uno stesso gruppo di ragazzi, dando loro in mano la telecamera) e di *Qu'avons nous fait des nos 20 ans* (un "faccia a faccia" con un personaggio conosciuto, che permette ogni volta di ripercorrere, anche attraverso l'uso sapiente del repertorio, tutta un'epoca dell'intera società francese).

3.4. L'offerta televisiva francese, a partire dalla metà degli anni Ottanta, è stata profondamente modificata dalla presenza di Canal Plus. Accolto all'inizio con atteggiamento negativo, si è ben presto trasformato in un'iniziativa di grande successo sia quantitativo (per il suo portafoglio abbonati) sia qualitativo (per la sua programmazione complessiva, e soprattutto per alcune squisite innovazioni formali). Canal Plus è stato il primo canale a privilegiare solo certi generi televisivi (nel suo caso i film e lo sport, che occupano circa i due terzi del tempo totale di programmazione), allontanandosi dal concetto di televisione generalista. In conseguenza di ciò, è stato anche il primo ad accettare un ruolo di "televisione complementare", abolendo ad esempio il rito del telegiornale e lasciando quindi l'informazione quotidiana ad altre emittenti (fatti salvi alcuni brevi flash durante il giorno). Canal Plus è stato anche il primo a introdurre il principio della multidiffusione di uno stesso programma in ore diverse: un principio poco praticabile nelle televisioni generaliste-gratuite, ma assai premiante per gli abbonati in quelle a pagamento diretto.

Passando dalla struttura del palinsesto al contenuto dei programmi, è opinione critica diffusa che, nei vari generi televisivi praticati, Canal Plus abbia spesso introdotto uno "sguardo nuovo": se non in assoluto, almeno per quanto riguarda la televisione francese. Ciò vale per lo sport, dove accanto all'aspetto spettacolare si è sviluppato in modo interessante quello dedicato al "dietro le quinte" (che in altri paesi, come ad esempio l'Italia, ha assunto invece toni e contenuti sempre più spesso deteriori e inaccettabili). Anche il documentario (che occupa un 10 per cento del palinsesto dell'emittente e al quale è attribuita dai responsabili una notevole importanza qualitativa) ne ha beneficiato: anche se non del tutto nuova nel quadro internazionale, una trasmissione come la già citata *24 heures* è risultata sicuramente originale nel panorama televisivo nazionale. Inoltre, nel campo dell'intrattenimento più leggero, Canal Plus ha lanciato una serie di nuovi programmi e animatori, come testimonia l'esperienza di *Les Nuls*, che ha dissacrato la vita delle più popolari star grazie alla conduzione anticonformista di tre noti comici.

Ma forse l'elemento più forte di Canal Plus dal punto di vista della vera innovazione/sperimentazione è stata la produzione di molte serie (dai 60 ai 200 episodi) di *shorts*, affidati ai talenti della nascente arte video-elettronica. Utilizzati inizialmente per colmare i vuoti di programmazione tra un film e l'altro, questi *shorts* si sono trasformati nella "cifra" più caratteristica dell'emittente a pagamento. Data la brevità, e quindi l'alta "deperibilità" del prodotto nella memoria del telespettatore, questi artisti del video ricorrono a tecniche narrative di tipo spiccatamente pubblicitario: molte idee al minuto, associazioni intuitive non rispondenti a una logica lineare, finali forti, reiterazione del *jingle* musicale (con qualche ritocco qua e là, per esaltare una nota comica o di sorpresa), del personaggio (ad esempio, Jim Tracking) o del tema (ad esempio, cento *hallo*, cento *goodbye*)[17].

4. Spagna: un terremoto all'italiana (*)

4.1. Molti anni di immobilità hanno caratterizzato il sistema televisivo spagnolo, che aveva per unico soggetto il monopolista pubblico Rtve, Radio Televisión Española, creata nel 1956, suddivisa in due reti a partire dal 1965 e trasformata in ente autonomo dipendente dal Ministero della Cultura nel 1977.

Il primo "balzo in avanti", ancora all'interno di un concetto di servizio esclusivamente pubblico, si è registrato all'inizio degli anni Ottanta, con l'approvazione della legge sulla Terza Rete: questa era del resto già implicita nello statuto della Rtve, che prevedeva la creazione di un'ulteriore rete statale nell'ambito delle cosiddette "comunità autonome", le nuove configurazioni territoriali della Spagna sorte con l'avvento della democrazia nel paese. Alla legge si è arrivati sotto la pressione particolare delle due comunità basca e catalana, che sono state ovviamente anche le prime ad avere una televisione propria, rispettivamente Etb (Euskal Telebista) e Tv3. Tra il 1983 e il 1989 altre televisioni autonome si sono insediate nel panorama audiovisivo pubblico che oggi, al termine di questo processo di diversificazione, presenta ben dieci soggetti: Tve1 e Tve2 (le due reti della televisione nazionale), Etb1 e Etb2 (le due emittenti basche), Tv3 e C33 (le due emittenti catalane), Tvg in Galizia, Canal Sur in Andalusia, Canal 9 a Valencia e Tm3 a Madrid.

Ma la più profonda modificazione del sistema si è avuta, naturalmente, con l'introduzione della televisione privata. Dopo l'approvazione della legge relativa, nel 1988, si è aperta la gara per la concessione delle frequenze, alla quale hanno partecipato cinque

(*) I paragrafi 4.3 e 4.4 sono stati scritti da Luis Azcárate Cornely e rielaborati dall'autore. Si ringraziano Carlos Elordi e Annibale Vasile.

gruppi. Ne sono risultati vincitori Gestevision Telecinco (i cui principali azionisti sono ora Berlusconi, il tedesco Kirch e la lussemburghese Rtl), Antena 3 Tv e la società spagnola facente capo a Canal Plus, che dal gennaio 1990 hanno potuto dar inizio alla loro programmazione.

4.2. Il sistema televisivo spagnolo è così passato, in otto anni, da due a tredici canali. I due originari (Tve1 e Tve2, la prima popolare e la seconda più culturale e giovanile) hanno perso più della metà della loro audience a favore dei network privati: e ciò è particolarmente importante in un sistema come quello spagnolo, che non prevede il canone (abolito 25 anni fa per un'evasione troppo diffusa, che rendeva improduttiva la sua esazione) e affida perciò interamente alla pubblicità il finanziamento anche dell'organismo televisivo pubblico nazionale (che negli ultimi esercizi ha fatto registrare debiti assai cospicui). Per quanto riguarda invece le televisioni autonome, è stato previsto un doppio finanziamento attraverso sovvenzioni statali e pubblicità, ma cominciano ad evidenziarsi differenze notevoli tra le emittenti: alcune godono di una certa autonomia finanziaria, mentre altre mostrano scarsa redditività; altre ancora (come la madrilena Tm3) accusano deficit già pesantissimi. Nel complesso i debiti delle televisioni autonome sono assai rilevanti.

Lo sviluppo futuro della televisione in Spagna prevederebbe il completamento proprio del sistema delle autonomie. Ciò implica la creazione di reti in Aragona, Canarie, Estremadura ecc., ma la loro capacità di sussistenza appare del tutto incerta e, anzi, assai poco realistica. Nel frattempo, però, al di fuori di qualunque normativa sono sorte (come nell'Italia degli anni Settanta) alcune stazioni televisive locali, per le quali a tutt'oggi (1993) si attende una legislazione. Il quadro istituzionale della Spagna si presenta perciò, nella prima parte degli anni Novanta, piuttosto incerto e problematico.

La valutazione non cambia se passiamo dal campo istituzionale a quello tecnologico. Tutte le emittenti, pubbliche e private, si avvalgono delle reti di ripetitori terrestri gestiti in via esclusiva dall'ente pubblico Retevisión. Non si intravedono modificazioni di rilievo nel sistema distributivo, in particolare per quanto riguarda il cavo. Nel 1970 vi fu il primo tentativo, da parte della compagnia telefonica e di Rtve, di introdurre la tv via cavo in Spagna, ma il progetto fu abbandonato per problemi tecnici ed economici. Oggi, in alcune zone (come la Catalogna e Valencia) esistono già piccoli sistemi via cavo che producono buoni risultati economici, mentre in altri casi (come nella regione Castilla-Leon) le esperienze non sono state altrettanto soddisfacenti.

In conclusione, la Spagna sembra "destinata a rivivere l'esperienza italiana degli anni Ottanta"[18]: crisi del settore pubblico, grande aggressività del privato, arretrato *know-how* produttivo, sfruttamento della pubblicità (che per la prima volta appare un immenso serbatoio a disposizione); il tutto, con un progressivo passaggio da un basso a un alto consumo televisivo procapite, da una sottoutilizzazione a un'invasione di programmi stranieri e americani in particolare, da un'inesistente a una sempre maggiore produzione autoctona di programmi per lo più di varietà.

4.3. In tale rimescolamento si è già evidenziata con sempre maggiore risalto (proprio come nell'Italia del decennio Ottanta) la divaricazione tra le due concezioni tradizionalmente opposte di qualità: da un lato quella "americana", introdottasi con l'avvento delle emittenti commerciali (per la quale la tv cessa di esistere in quanto tale non appena perde l'audience); dall'altro lato quella "europea", che presuppone gli stessi parametri caratterizzanti il cinema di qualità, e la cui idea si riassume fondamentalmente in una tv a forte indirizzo culturale.

Non è certamente un caso che, proprio nel momento della maggiore "pressione commerciale" sul sistema televisivo spagnolo (1988-89), il servizio pubblico si sia affidato alla direzione generale di una regista cinematografica, Pilar Miró. La quale peraltro (forse deludendo chi l'aveva voluta in quell'incarico), mossa dalla previsione di ciò che sarebbe diventato il panorama audiovisivo in Spagna con l'avvento delle tv private, ha fatto sua una filosofia di produzione e programmazione consistente nella creazione di programmi di bassa qualità ma di sicura redditività, allo scopo di sovvenzionare successivamente degli sceneggiati di qualità ad alto costo. È stata questa, in pratica, la porta d'ingresso, nella televisione spagnola, di tutti quei programmi che, animati da formule per lo più copiate nel contesto internazionale, vengono etichettati come "tv spazzatura".

266

Alcuni sceneggiati di qualità ad alto costo hanno potuto poi, effettivamente, essere progettati e in parte realizzati (come vedremo più avanti). In realtà, però, oggi quasi tutta la prima rete pubblica è stata sacrificata allo spirito commerciale che caratterizza il sistema televisivo nel suo complesso, diminuendo notevolmente il livello di qualità generale riscontrabile in Spagna. I contenuti culturali, divulgativi e formativi sono stati spostati per la maggior parte nella seconda rete, che è diventata l'alfiere della tv di qualità in Spagna, mentre le reti private, quando non producono "spazzatura", si limitano tutt'al più a elaborare prodotti più sofisticati per la promozione dell'immagine dell'emittente (è quanto ha fatto ad esempio Telecinco, in occasione del suo anniversario di fondazione). La stessa Canal Plus spagnola (a pagamento diretto), che si presenta con lo slogan "la qualità ha un prezzo" e che fa sfoggio di un'accurata strategia di programmazione, ha un bassissimo volume di produzioni nazionali, che certamente non sono sufficienti a rialzare il livello di qualità proprio della televisione privata spagnola.

4.4. Se cerchiamo, comunque, alcuni esempi concreti di qualità televisiva, possiamo muoverci innanzitutto nel campo dei programmi di informazione delle reti pubbliche, dove si segnalano le trasmissioni *En Portada* e *Informe Semanal*, entrambe "veterane" del palinsesto spagnolo, anche se collocate in fasce notevolmente diverse (a ora tarda la prima; nel *prime-time* la seconda, subito prima del tradizionale film del sabato sera); entrambe apprezzate per la cura e la sensibilità giornalistica che traspaiono dai loro reportage.

Se dal settore informativo ci spostiamo in quello dei programmi divulgativo-culturali, non troviamo trasmissioni di così longeva stabilità, ma possiamo certamente rintracciare, nella storia recente, qualche esempio di buona, innovativa capacità di fare televisione. Ne fa parte, a buon diritto, *Hablamos de sexo*, un programma che ha avuto per primo il coraggio di affrontare in modo diretto ed esplicito l'argomento del sesso, vero e proprio tabù dei mezzi di comunicazione in Spagna: giudicata dalla critica internazionale una delle migliori trasmissioni del genere in Europa, ha provocato un benefico trauma irrompendo dentro la famiglia spagnola attraverso la tv, ed è stata comunque ripagata anche da un alto indice di ascolto. Un'altra trasmissione del settore divulgativo-culturale che si è in qualche modo segnalata è *Equinocio*, dedicata all'America

267

Latina, concepita nel quadro di una campagna di avvicinamento della Spagna alle nazioni latinoamericane e promossa in occasione del cinquecentenario della scoperta dell'America.

Il già citato settore degli sceneggiati televisivi presenta una situazione abbastanza tipica del "disagio" degli enti pubblici europei: se escludiamo la partecipazione della tv pubblica spagnola ad alcuni dei maggiori progetti di coproduzione europea, possiamo notare che vengono prodotti pochi sceneggiati "di qualità" (caratterizzati da alti costi produttivi), che ricercano l'"estetica" del cinema e attingono a piene mani, per i loro soggetti, ai capolavori della letteratura spagnola o alle biografie di personaggi illustri della sua storia. Ne sono sicuramente due esempi di rilievo, anche internazionale: *Lorca, muerte de un poeta* (basata sulla biografia del poeta spagnolo scritta con grande rigore dallo storico irlandese Ian Gibson); e *El Quijote*. Quest'ultimo (fedele adattamento dell'opera di Cervantes) è un progetto nato nel periodo della direzione di Pilar Miró, ed è concepito in due parti, ciascuna delle quali affidata a un importante regista nazionale: Manuel Gutiérrez Aragón per la prima (che è già stata realizzata) e Mario Camus per la seconda (che è ancora in fase di gestazione finanziaria-operativa nel 1993).

Un accenno, infine, in questa rassegna della qualità spagnola merita un settore ancora marginale ma altamente creativo, quello delle cosiddette "avanguardie visive": cioè delle trasmissioni che, come in altri paesi televisivamente avanzati, si basano sui nuovi concetti di elaborazione formale del prodotto tv, prendendo spunto dalle nuove tecnologie del video per elaborare la loro sintassi, senza peraltro trascurare una scelta di contenuti sempre in linea con le ricerche delle nuove avanguardie artistiche e con le grandi possibilità offerte dall'intelligenza dei computer. In questa tipologia di programmi si collocano sicuramente *Metropolis* e *El arte del video*. La prima è una trasmissione divulgativa (anche se diretta all'élite della tarda serata) che va regolarmente in onda dalla metà degli anni Ottanta (e in ciò si distingue da altri prodotti simili del panorama europeo, assai più "volatili"), facendo il punto su tutta la gamma delle espressioni artistiche (musica, pittura, architettura, video ecc.) e mantenendo intatto il suo spirito innovativo sia nei contenuti sia nel formato, che è esso stesso un manufatto di *video art*. Questo carattere è ancora più accentuato in *El arte del video*, che fa proprio della video-arte (come dice il titolo) il suo tema portante, con predominanza assoluta della tecnologia digitale e della *computer graphics*.

Al di là di questi pur lusinghieri esempi, non possiamo non concordare sul fatto che la forza della qualità appare in Spagna sempre più debole, e compromessa dalla crescente instabilità del sistema, oltreché dal potere sempre più incontrastato che sta assumendo la pubblicità. Abbiamo visto che la produzione di qualità (intesa, comunque, nel senso più tradizionale del termine, contrapposta alla produzione di consumo) è tutta a carico dell'ente pubblico, che l'ha prevalentemente "ghettizzata" (né poteva essere altrimenti) nella sua seconda rete. Dagli organismi privati non giungono invece segnali di alcun tipo, se si eccettua qualche isolatissimo tentativo uscito dalle maglie di un meccanismo votato a valori del tutto diversi (è il caso di un programma come *La ciudad plural*, che si deve a Canal Plus e che è stato premiato anche negli Stati Uniti come ottimo esempio di trasmissione artistico-culturale).

Questa situazione può essere giudicata piuttosto preoccupante, se si pensa che, tra i grandi paesi europei, la Spagna è quello che presenta i più alti indici di teledipendenza e i più bassi indici di lettura. È perciò assai probabile che la televisione di qualità sia destinata qui, ancor più che altrove, a essere un fenomeno marginale. Soltanto sceneggiati con budget elevatissimi, quando si riferiscono a veri e propri "miti" della storia e della letteratura spagnola (come *El Quijote*), riescono a raggiungere un numero di telespettatori accettabile. Per il resto, pur coniugando buona qualità e semplicità dell'approccio, molti lavori possono essere facilmente ignorati in favore di una qualsiasi partita di calcio o del più sgangherato varietà comico: è accaduto ad esempio con uno sceneggiato di notevole impegno, *Requiem por Granada* (che raccontava la vita dell'ultimo emiro di Granada, Boadbil "el chico"), il quale è andato incontro a un clamoroso insuccesso in una fascia di massimo ascolto.

Quella situazione di stallo che abbiamo riscontrato nell'analisi strutturale del sistema spagnolo, con la conseguente aspettativa di una vera "crisi ancora da venire", è dunque confermata dall'analisi della programmazione di questi ultimi anni. È indubbio che, senza adeguati correttivi, la televisione spagnola è – con la televisione italiana – quella che rischia di più in termini di divaricazione degli interessi tra i soggetti protagonisti del sistema.

NOTE BIBLIOGRAFICHE

[1] Il processo modificativo dei sistemi europei è illustrato molto bene in: K. Siune e W. Truetzschler (a cura di), *Dynamics of Media Politics – Broadcast and Electronic Media in Western Europe*, London e Newbury Park, Sage, 1992.

[2] M. Doyle, *The Future of Television – A Global Overview of Programming, Advertising, Technology and Growth*, Lincolnwood, Illinois, Ntc Business Books, 1992, pp. 36-37.

[3] G. Richeri, *La tv che conta*, Bologna, Baskerville, 1993, p. 59.

[4] Un'ampia trattazione in: AA.VV., *Screening Europa 1991*, Roma, Presidenza del consiglio dei ministri, Dipartimento per l'informazione e l'editoria, 1992, p. 64.

[5] Un sistematico commento in: G. Richeri, op.cit., p. 180.

[6] T. Leggatt , "Identifying the Undefinable: An Essay on Approaches to Assessing Quality in Television", *Studies of Broadcasting*, n. 27, marzo 1991, p. 114.

[7] Per maggiori dettagli sulla nascita della televisione tedesca: R. Huber, *La Rfa e sa television*, Paris, Institute National de l'Audiovisuel, Editions Champ Vallon, 1988, pp. 12-29.

[8] R. Steininger, comunicazione alla terza audizione sulla storia dei mezzi di comunicazione dell'Istituto Adolf Grimme, Magonza, 1991.

[9] R. Barberio e C. Macchitella, *L'Europa delle televisioni*, Bologna, Il Mulino, 1992 (nuova edizione), p. 85.

[10] Di A. Kluge si vedano in particolare (per cogliere il suo percorso teorico-operativo dal cinema ai media elettronici): A. Kluge (a cura di), *Bestandsaufnahme: utopie film*, Frankfurt am Main, 1983; e intervista di A. Kluge, in H.U. Reck (a cura di), *Kanalarbeit*, Frankfurt am Mein, 1988, p. 21.

[11] Dati dell'agenzia Havas, elaborati da A. Pedroia.

[12] S. Emanuel, "Culture in Space: the European Cultural Channel", *Media Culture and Society*, vol.14, 1992, p. 287.

[13] D. Leder, *Funk-Korrespondenz*, 7 e 13 dicembre 1990.

[14] S. Emanuel, op. cit., p. 297.

[15] Michael Williams (corrispondente di *Variety*), conversazione con l'autore, Paris, 1993.

[16] R. Barberio e C. Macchitella, op. cit., p. 80.

[17] E. Andalò e G. Mazzone, *La tv che non c'è*, saggio non pubblicato per la trasmissione di Carlo Sartori, *Supertelevision*, Roma, 1993.

[18] R. Barberio e C. Macchitella, op.cit., p. 89.

III.
L'ITALIA: UN SISTEMA BLOCCATO
DAL SUO STESSO SVILUPPO

1. Le ragioni strutturali della crisi del sistema[1]

1.1. Tra le grandi nazioni europee (a parte la Gran Bretagna, che già dagli anni Cinquanta, come si è visto, gestiva la convivenza pubblico/privato), l'Italia è stata la prima a essere investita dal fenomeno della privatizzazione televisiva, fin dall'inizio degli anni Settanta. Ma la potenziale "rivoluzione del cavo" (legata alle prime esperienze di tv alternativa) fu subito penalizzata dalla legge di riforma della Rai del 1975, che relegava il cavo in una sorta di "ghetto" territoriale e tecnologico, economicamente insostenibile e improponibile: per il legislatore italiano (unico al mondo) si sarebbe dovuto usare infatti un cavo diverso per ogni segnale (il cosiddetto "cavo monocanale"), mortificando completamente la natura innovativa del mezzo, che è appunto quella di convogliare assieme un grandissimo, sempre più grande, numero di canali diversi.

La risposta alla "cecità" del legislatore italiano (e di coloro che pensavano di aver per sempre messo a tacere le istanze della privatizzazione) fu un attacco al servizio pubblico non più sul terreno di una nuova tecnologia (il cavo, appunto), bensì direttamente su quello della distribuzione tradizionale del segnale televisivo: dapprima attraverso quella che è stata definita la spensierata "stagione dei cento fiori" (con il proliferare di centinaia e centinaia di tv locali via etere); poi, come del resto era facile immaginare, attraverso la formazione di pochi grandi network nazionali in grado di contrastare ad armi pari le reti Rai. A questo punto, un miscuglio di fenomeni eterogenei (capacità e incapacità manageriali, lungimiranza e ottusità nel prevedere gli sviluppi del sistema, connivenze politiche attive e passive) ha fatto il resto, consegnando in pratica il settore privato della televisione italiana a un'unica impresa, la Fininvest di Silvio Berlusconi.

Come è ben noto, la legge di regolamentazione del 1990 (la cosiddetta "legge Mammì") non ha fatto altro che "fotografare" e legittimare questa situazione, sedimentatasi nel corso del decennio Ottanta al di fuori di ogni quadro normativo. È pur vero che la legge ha dettato alcune regole del gioco (istituzione della *authority* del Garante, predisposizione del piano delle frequenze, di procedure per le concessioni, di una tipologia dei bilanci societari) e ha indicato nuovi compiti di programmazione (tra cui l'attribuzione della "diretta" ai privati, con il conseguente obbligo dell'offerta di informazione).

Ma è altrettanto vero che essa ha rinunciato a "riformare" il sistema televisivo italiano, lasciando intatte le fondamenta della proprietà delle emittenti e limitandosi a scaricare le pressioni critiche della società civile in una più "facile" norma limitativa delle posizioni dominanti nel complessivo sistema dei media (dove ora vige l'incompatibilità tra il possesso di giornali e l'attribuzione di concessioni tv). Non solo: proprio per evitare di toccare argomenti che avrebbero immediatamente mostrato la fragilità di questo "castello di carta", il legislatore italiano del 1990 si è "dimenticato" di qualsiasi nuova tecnologia distribuitiva (satellite, cavo, *homevideo* in quanto miscelatore delle industrie dell'audiovisivo) e delle conseguenti tipologie di offerta differenziata, come se in Italia esistesse e potesse esistere solo il *broadcasting*, cioè la tradizionale offerta "generalista" e simultanea di reti, in lotta quotidiana tra loro per la conquista dell'audience.

Si è così certificata in Italia l'esistenza di un sistema televisivo del tutto diverso dalle linee di sviluppo che si erano intanto manifestate – come si è visto – negli altri grandi paesi europei. Certamente non ha riscontro in Europa (e ne ha uno solo al mondo: in Messico) il fatto che l'intero settore privato "che conta" sia nelle mani di un unico gruppo di potere economico. Non ha neppure riscontro, perlomeno nell' Europa televisiva più avanzata, il fatto che tutto il sistema si riduca al *broadcasting* e alle sue regole spietate di accaparramento dell'audience: infatti, pur con i limiti e i problemi che abbiamo via via indicato, si è notato come gli altri grandi paesi europei avanzati siano già avviati verso forme distributive perlomeno "complementari" rispetto alla tradizionale modalità del *broadcasting*.

1.2. Questo sistema italiano strutturalmente così "bloccato" non ha impedito la crescita di un mercato ricco e sfavillante, che ha contribuito non poco ad ottundere i desideri di reale cambiamento, ma che ha creato gravissimi, pericolosi squilibri. Con un'ascesa record (specie nella prima metà degli anni Ottanta), la pubblicità televisiva ha trascinato l'intero comparto su livelli più consoni a un paese avanzato (oltre lo 0,5 per cento del prodotto nazionale lordo nel 1992), contribuendo tra l'altro al successo economico di numerose piccole-medie aziende, che non avevano fino ad allora trovato spazi adeguati alle loro risorse.

Ma, in questa sua espansione, la pubblicità televisiva si è riversata come un fiume in piena a occupare tutti i possibili interstizi della programmazione, entrando anche dentro alle trasmissioni con forme sempre più subdole o sempre più spudorate di sponsorizzazione e promozione, che spesso degradano i contenuti dei programmi a umilianti ruoli subalterni (solo nel 1993 si è registrato, non senza polemiche, un intervento del Garante per l'editoria e la radiotelevisione per regolamentare le cosiddette "telepromozioni"). Da un punto di vista strutturale, poi, tutto ciò ha irrimediabilmente fiaccato le risorse degli altri media (con circa il 50 per cento dell'intera "torta" pubblicitaria accaparrato dalla tv e il resto diviso tra radio, quotidiani, periodici, cinema e affissioni), stabilendo un "perverso equilibrio" non riscontrabile in nessun altro paese realmente avanzato.

Tutto ciò non è stato senza conseguenze dal punto di vista della qualità complessiva dell'offerta. La prima metà degli anni Ottanta ha assistito (come succede ogni volta che si apre un mercato senza incrementare le sue risorse produttive interne) a una invasione di prodotti prima americani, poi latinoamericani e infine di ogni parte del mondo, che ha dato vita al più imponente "saccheggio" dei magazzini internazionali registrato nella storia della televisione, e che ha contribuito al rialzo del prezzo anche della più squallida telenovela o della più improbabile serie di kung-fu di Hong-Kong. Vittime della loro stessa avidità competitiva, le reti italiane (private ma anche pubbliche) hanno successivamente "scoperto" l'utilità marginale (in termini di costi e di ascolti) della produzione nazionale di programmi da studio, che ha visto nascere qualche autentica "perla" di trasmissione innovativa e importante (specie nel settore dell'informazione divulgativa e di approfondimento), sommersa peraltro da una coltre sontuosa e limacciosa di programmi tanto rumorosi quanto insignificanti, copiati forsennatamente l'uno dall'altro (e sempre più spesso da formule straniere).

Queste situazioni si realizzano all'interno di un sistema formalmente apertissimo (12 reti nazionali e 600-700 emittenti locali), ma in realtà caratterizzato da una "guerra di trincea" che vede impegnati solo due "eserciti" (Rai e Fininvest) occupanti lo stesso territorio (l'audience generalizzata). Da questo territorio essi sono in grado di escludere ogni altro vero *competitor* (la crisi senza soluzione di Telemontecarlo ne è un'ennesima conferma), forti di una posizione dominante che oggi li porta ad incamerare cumulativamente oltre il 90 per cento di tutte le risorse pubblicitarie televisive. Ma su questo territorio, anziché una moderna industria dell'immagine elettronica, non può che svilupparsi una televisione vecchia e strutturalmente ripetitiva, superficialmente abbondante nell'offerta (un milione e mezzo di ore nel 1990, irradiato cumulativamente da tutte le emittenti), ma in realtà povera per varietà di forme di consumo televisivo accessibili ai diversi pubblici, nelle principali fasce quotidiane di ascolto.

Si tratta, perciò, di una televisione che per forza di cose penalizza l'innovazione (perché non può darle che spazi marginali, a basso rischio, del palinsesto), che punta sullo sfruttamento intensivo delle solite personalità di comprovato successo (in una sorta di delirante "automasticazione" soggetta sempre a crolli improvvisi), che si affida a poche formule azzeccate dilatandole all'infinito (ed esponendosi, anche in questo caso, a una "morte" probabile per mancanza di creatività vera). Una televisione "usa e getta", tutta tattica e per nulla strategica, che riesce ancora a raccogliere grandi audience (anche se in certi casi incontra clamorosi fallimenti), ma che non "fa magazzino" e non si impone sul mercato internazionale (salvo pochi casi di miniserie e *tv movies* che riescono a varcare i confini nazionali o che già sono internazionalmente coprodotti).

In tali condizioni, in definitiva, il sistema televisivo italiano aspetta con sempre maggiore urgenza di essere non semplicemente "ritoccato" in questo o quell'aspetto, ma "riformato" dalle fondamenta, come chiedono del resto settori sempre più ampi di opinione pubblica qualificata e come – nell'estate 1993 – si è impegnato a fare lo stesso governo, pur in una situazione complessiva di precarietà politica e istituzionale. Intanto, il Parlamento ha varato la nuova riforma della Rai, sostituendo il consiglio d'amministrazione "lottizzato" di sedici membri con un organo assai più snello (cinque membri), composto da personalità esterne ai partiti, nominate direttamente dai due presidenti di Camera e Senato: un primo passo verso la restituzione dell'ente radiotelevisivo statale ai suoi compiti irrinunciabili di servizio pubblico indipendente, per rispettare il quale la nuova dirigenza ha varato, nell'autunno 1993, un nuovo piano strategico incentrato sul coordinamento (anziché sulla concorrenza) delle diverse reti.

2. Politiche di offerta e criteri di qualità: una breve storia (*)

2.1. Quanto ha inciso, questo processo che abbiamo sommariamente descritto, sulla qualità dell'offerta televisiva italiana? Per rispondere, è opportuno compiere un passo indietro ed esaminare l'evoluzione delle strategie di programmazione della tv italiana in chiave storica, andando a ripescarne le radici nei primi anni del monopolio e cercando di coglierne le trasformazioni nei momenti più importanti di "svolta" della dinamica del sistema. In questo "viaggio" dal passato al presente avremo così modo anche di cogliere le espressioni più significative, più degne di figurare nel "pedigree" della televisione italiana

Lunedì film, martedì varietà, mercoledì informazione, giovedì quiz, venerdì fiction, sabato varietà, domenica prosa, era la rigida ripartizione dell'offerta proposta in prima serata nel 1961 dall'unico canale della Rai. Questo palinsesto era venuto consolidandosi negli anni ed era il frutto di una concezione educativa e di un uso pedagogico del nuovo strumento che traeva spunto dalle esperienze di altre emittenti europee, prima tra tutte la Bbc. Il principio seguito dai primi responsabili della programmazione era quello di non incentivare indiscriminatamente il consumo televisivo e di favorire l'ascolto mirato e selettivo; l'alternanza con cui erano disposti i programmi e i frequenti intervalli che li separavano erano tesi a scoraggiare l'ascolto casuale e passivo.

(*) I paragrafi 2.1, 2.2, 2.3 e 2.4 sono stati scritti da Edoardo Novelli. Per la televisione italiana si rimanda anche al saggio di Fausto Colombo in questo volume.

Sull'onda della novità, i programmi offerti in questi primi anni, sebbene contraddistinti da una notevole dose di improvvisazione (non essendo ancora disponibile un sistema di registrazione, tutto andava in onda in diretta, compresi i romanzi sceneggiati e le opere teatrali) e fortemente indirizzati in senso educativo (anche la proposizione di un programma "leggero" come il quiz rientrava in un intento pedagogico) ebbero un grande successo di pubblico e un forte impatto sul costume nazionale. Intorno alla ripartizione del palinsesto tra intenti ricreativi, informativi e educativi, vennero realizzati programmi che istituirono le tradizioni della televisione italiana. Per quanto riguarda l'intrattenimento, *Canzonissima*, *Il festival di Sanremo* e *Lo zecchino d'oro* fondarono il sodalizio tra televisione e musica leggera. *Duecento al secondo* e *Lascia o raddoppia?* inaugurarono il filone dei quiz e *Un due tre* quello del varietà. Inoltre, un'ampia produzione di sceneggiati (*Cime tempestose*, *Piccolo mondo antico*, *Capitan Fracassa* e molti altri) che si collocavano a metà strada tra l'evasione e l'educazione, dette il via a una fiction tutta nostrana. L'informazione generale era affidata al *Telegiornale* e quella sportiva alla *Domenica sportiva*, mentre momenti di approfondimento erano ricercati con una produzione specifica di grandi documentari e inchieste (*Viaggio nella valle del Po*, *Viaggio nel Sud*, *La donna che lavora*). Infine, nutrito era il genere educativo-pedagogico (*Una risposta per voi*, *La tv degli agricoltori*, *Telescuola*, *Non è mai troppo tardi*).

Il primo importante mutamento strutturale che si verificò nel sistema televisivo italiano – quando, nel 1961, venne inaugurato il secondo canale televisivo – non alterò questa concezione della tv. I due canali erano differenziati ma operavano all'interno di una logica unitaria; le opportunità di consumo televisivo in effetti aumentavano, ma l'offerta della seconda rete era organizzata in modo da costituire una integrazione a quella della prima, piuttosto che una reale alternativa. Consci del richiamo che l'intrattenimento ed in particolare il varietà avevano sul pubblico, i dirigenti della Rai, sempre orientati a una funzione pedagogica ed educativa dello strumento, proteggevano i programmi "impegnati" di una rete evitando di fargli concorrenza sull'altra.

A dieci anni dalla sua nascita la televisione aveva raggiunto un grande livello di sviluppo tecnologico, era diffusa su tutto il territorio nazionale, ed era seguita quotidianamente da oltre il 30 per cento della popolazione adulta. Se il bilancio quantitativo era quindi ampiamente positivo, più difficile è un giudizio per quanto riguarda l'aspetto qualitativo. Nota Franco Monteleone: "La tendenza della Rai era volta ad incrementare la produzione ed il consumo indipendentemente dalla 'domanda' sociale che il paese avrebbe voluto o potuto esprimere. In regime di monopolio, legislativo, politico e di esercizio, l'esigenza principale era quella di controllare il processo di socializzazione del prodotto cognitivo, soddisfare le masse, ottenerne il consenso"[2]. E aggiunge Gianfranco Bettetini: "Il progetto pedagogico-illuministico che animava la programmazione televisiva degli anni Sessanta e dei primi Settanta si incarnava nel ruolo di un'emittente che mirava soprattutto all'unificazione della sua utenza, con cadute verso il basso per interessare le fasce lontane da quello che veniva ritenuto come un livello 'medio' di competenza e con tentativi di recuperare queste stesse fasce, spingendole verso l'empireo di una 'cultura', intesa come traguardo minimale di valori e di convivenza civile"[3].

L'istituzione del secondo canale, se non rivoluzionò la logica dell'offerta, segnò però la nascita di una nuova fase della televisione, all'interno della quale vennero sperimentati nuovi formati e tipologie di programmi che si distaccavano da quel tono pedagogico che così fortemente aveva caratterizzato la prima produzione Rai. In questi anni nascevano e si distinguevano programmi scientifici quali *L'approdo* e *Orizzonti della scienza e della tecnica*; rubriche come *Zoom*, volta all'interpretazione ragionata e approfondita dei fatti di cronaca (alla cui realizzazione parteciparono Andrea Barbato, Furio Colombo, Umberto Eco, Enzo Siciliano); il rotocalco *Tv7*, che anticipava un nuovo modo di fare informazione televisiva; esperienze originali come ad esempio *Specchio Segreto* di Nanni Loy e *Processo alla tappa* di Sergio Zavoli.

L'intento educativo, egemone nella televisione degli esordi, non era certamente scomparso: prova ne sono, da un lato, la nascita di una Direzione centrale dei programmi culturali e di integrazione scolastica e, dall'altro, il mantenimento della convenzione finanziaria con il ministero della Pubblica istruzione. Finita l'epoca di *Telescuola*, questa missione proseguiva con programmi equivalenti; mentre il teatro e i romanzi sceneggiati, generi culturalmente elevati su cui fin dall'inizio si era puntato, continuavano ad avere grande risalto nella programmazione. Rispetto agli anni Cinquanta, qualcosa comunque si stava muovendo: l'offerta era di fatto duplicata, i programmi stavano lentamente evolvendosi e cominciava timidamente ad affermarsi una corrispondenza tra i gusti dei telespettatori e le scelte dei responsabili della programmazione. Piccoli passi verso un sistema qualitativamente migliore.

2.2. Tutti questi fenomeni evolutivi furono accelerati nel 1975 dalla riforma della Rai, che rese autonomi i due canali (Tv1 e Tv2) e le testate giornalistiche (Tg1 e Tg2), e instaurò tra loro una più esplicita concorrenza. RaiUno mantenne tutti gli appuntamenti forti della programmazione che coincidevano con i generi più tradizionali e collaudati, e RaiDue si trovò così nella condizione di costruire un nuovo modello di programmazione incentrato su formule e proposte originali.

La reale concorrenza comportò un veloce decadimento di alcuni generi che stentavano a tenere il passo con la mutazione dei gusti del pubblico in atto in quegli anni. Appuntamenti tradizionali quali la prosa furono aboliti o comunque ridotti; le trasmissioni di approfondimento e riflessione vennero generalmente spostate in seconda serata; e la fiction (sotto forma di telefilm, di sceneggiati a puntate, di film) assunse un ruolo centrale all'interno dei palinsesti. Anche le modalità dell'offerta, non solo i suoi contenuti, subirono un'evoluzione: per la prima volta venne realizzata una programmazione a striscia quotidiana (ripetizione del programma tutti i giorni alla stessa ora) e nacquero i programmi-contenitori (maxi-programmi che al loro interno ne contenevano altri di genere differente): due mutamenti tesi entrambi a favorire e incentivare il consumo di televisione, indicativi di un profondo mutamento nelle logiche e negli obiettivi che ricercava ora il soggetto pubblico.

Le due reti si muovevano ciascuna in maniera autonoma senza coordinare e diversificare la loro offerta, così che, a tutto discapito della varietà e completezza della programmazione, sovente i due palinsesti si scontravano e si sovrapponevano. Nonostante ancora questi limiti, va detto che il cambiamento nella logica dell'offerta (non più tesa a limitare e vincolare l'ascolto), il processo di rinnovamento delle modalità e dei tempi della programmazione (finalizzato ad assecondare i gusti e le abitudini di consumo) e la ricerca di programmi nuovi che incontrassero i gusti del pubblico, erano ormai tutti fenomeni pienamente avviati.

Molti dei programmi nati in quel periodo, oltre a costituire una rottura totale con la tradizione precedente, rappresentarono dei modelli di originalità (e qualcuno di qualità) per la televisione degli anni a venire. All'attualità si unì la spettacolarità (come nel caso di *Odeon* e *Gulliver*). Lo sport si coniugò con lo spettacolo e con forme inusuali di umorismo e comicità (*L'altra domenica* di Renzo Arbore). Il varietà assunse tempi e struttura completamente differenti (con *Domenica in* nasceva il primo vero programma-contenitore). La chiacchiera e le semplici parole diventarono protagoniste assolute della scena (*Bontà loro* di Maurizio Costanzo segnò l'affacciarsi del primo talk-show). La gente qualunque con le proprie storie ordinarie acquisì un ruolo di protagonista sia intervenendo direttamente nei programmi, sia tramite il telefono: tipico *Portobello* di Enzo Tortora, un programma contenente molti degli elementi che, sviluppati singolarmente, avrebbero caratterizzato alcuni nuovi generi della televisione degli anni Ottanta[4].

Inoltre, i programmi giornalistici e culturali subirono una profonda ridefinizione dei loro ambiti ed anche dei loro contenuti (*Check-up*, *Di tasca nostra*, *Processo per stupro*, *Il processo di Catanzaro*, sono alcuni dei titoli chè contribuirono a estendere l'ambito delle competenze o a indicare nuove formule narrative). Venne abbandonato il vecchio modello della tv dei ragazzi per programmi di diversa concezione, quasi tutti importati (*Atlas Ufo Robot*, *Furia*, *Happy Days*, *Heidi*). Alla gloriosa tradizione dei romanzi sceneggiati si affiancò sempre più un nuovo prodotto contraddistinto da tempi e caratteristiche simili a quelli dei futuri film-tv e già in grado di rivolgersi a platee internazionali (come il *Gesù di Nazareth* di Zeffirelli), nonché il classico film d'autore realizzato grazie alla tv (*Padre padrone* dei fratelli Taviani, *L'albero degli zoccoli* di Ermanno Olmi, *Prova d'orchestra* di Federico Fellini).

La Rai aveva dunque avviato un'ampia revisione dei propri obiettivi e dei contenuti della propria programmazione, con profonde conseguenze anche sul livello qualitativo dell'offerta, in sintonia con il mutare della coscienza e della sensibilità del paese. Ma su questo processo si abbatté, proprio a partire dalla metà degli anni Settanta, il ciclone dell'emittenza privata. La sua prima fase (definita la "stagione dei cento fiori" per la sua spontaneità e originalità) rappresentò indubbiamente un momento liberatorio e di rinnovamento dell'intero sistema: dopo la "quaresima" della televisione pubblica, l'emittenza privata significava in qualche modo l'arrivo del "carnevale"[5], pur con tutti i limiti, le precarietà, l'improvvisazione che segnarono questa stagione. Dal punto di vista qualitativo, il dato più rilevante fu proprio il superamento dell'esistente, la ricerca e la proposizione di formule e modelli nuovi che, se da un lato portarono sovente a una televisione casereccia e alla buona, priva di professionalità e realizzata a livello amatoriale, dall'altro funzionarono da laboratorio per molte delle nuove leve della televisione (le quali, in seguito arruolate dai canali nazionali, hanno contribuito all'evoluzione dei linguaggi e dei ritmi della nostra televisione).

2.3. L'analisi dell'offerta televisiva proposta nei primi anni Ottanta, quando cioè erano già attivi network nazionali privati che stavano confluendo sotto un'unica proprietà, permette di osservare alcune tendenze: la nascita di una programmazione analoga per i vari giorni della settimana, l'allungamento degli orari di trasmissione, il grande aumento della presenza di prodotti d'importazione.

Da un certo punto di vista, la nascita di una emittenza privata di respiro nazionale significava un miglioramento qualitativo del sistema. Per quanto riguarda le modalità dell'offerta, palinsesti nazionali, organizzati intorno ad appuntamenti costanti e regolari, subentravano all'incerta e precaria programmazione delle emittenti locali, e le abitudini e le modalità di consumo dell'utenza iniziavano a diventare principi rispettati nell'organizzare la programmazione. Esemplare, in tal senso, è il caso di *Dallas*, "cavallo di Troia" usato dalla tv commerciale per sfondare nella scena televisiva agli inizi della stagione 1981-82: la sua forza d'attrazione – rimasta allo stato latente nella sciatta programmazione che soltanto pochi mesi prima ne aveva fatto la Rai – si esplicò appieno grazie alla messa in opera di precise tecniche di palinsesto, non disgiunte dall'esatta comprensione delle dinamiche comunicative dei prodotti seriali[6].

L'ascolto dei telespettatori risultava così nel complesso facilitato e agevolato (grazie anche ai "promo" e ai rimandi fra un programma e il successivo, che iniziavano a diffondersi in questo periodo). Inoltre, un più ampio impiego di materiale d'acquisto significava un miglioramento della qualità formale della emittenza privata; prodotti di standard medio-alto per quanto riguarda le ambientazioni, le scenografie, la recitazione, le riprese, prendevano il posto di autoproduzioni il più delle volte estremamente carenti sotto tutti questi aspetti. L'ampliarsi dei palinsesti comportava maggiori opportunità di scelta e di consumo (ancora nella stagione 1980-81 la Rai trasmetteva in tutto sei film alla settimana); l'offerta televisiva appariva ora nel suo complesso molto più ampia e più ricca.

Il rapido consolidarsi di un unico reale soggetto all'interno dell'emittenza privata, con la conseguente nascita di una contrapposizione diretta fra tre reti Fininvest e tre reti Rai, ha dato però il via a una rincorsa che ha avuto quale risultato primario l'uniformazione e l'omogeneizzazione dell'offerta, a tutto discapito della varietà, dell'originalità, della qualità. Le reti Fininvest infatti, oltre a proporre un modello televisivo di stile nordamericano, incentrato sulla serialità della fiction (che di lì a poco inizierà anche ad essere autoprodotta, con alcuni risultati di grande successo popolare come nel caso di *I ragazzi della III C*, e alcuni esempi di coproduzioni internazionali quali *Un Bambino di nome Gesù*, *La Ciociara*, *La Romana*), cominciano a rincorrere la Rai sul suo stesso terreno. A *Canzonissima* si contrappone *Premiatissima*, il lunedì inizia lo scontro tra film, mentre il quiz del giovedì sera, tradizionale appuntamento Rai dai tempi di *Lascia o raddoppia?*, trasmigra, insieme con la persona che lo incarna, Mike Bongiorno, su Canale 5 dove diventa prima *Flash* e poi *Superflash*. È questo il primo di una lunga serie di passaggi (alcuni fortunati, altri meno) di illustri personaggi dalla televisione pubblica a quella privata, dove riproporranno prima o poi i generi che li hanno resi famosi (Raimondo Vianello e Sandra Mondaini realizzano il varietà *Attenti a noi due*, Maurizio Costanzo il *Maurizio Costanzo Show*, Pippo Baudo *Festival*, Raffaella Carrà *Il principe azzurro*, Enrica Bonaccorti *Ciao Enrica*, Corrado *La Corrida*). Pochi sono invece i personaggi "nuovi" lanciati dalle reti private: tra questi possiamo ricordare, su due fronti del tutto diversi, Gianni Ipolititi (inventore di trasmissioni "povere" e surreali, con la sua "corte dei miracoli" di gente della strada) e Vittorio Sgarbi (critico d'arte rivelatosi intrattenitore televisivo a partire dal *Maurizio Costanzo Show*).

I motivi per riproporre generi e formati televisivi consolidati, oltretutto secondo una cifra tradizionale e per nulla innovativa, sono da ricercare tanto nel modello culturale prescelto (familiar-popolare), quanto nella volontà di rifarsi alle abitudini e ai comportamenti d'ascolto più diffusi, sedimentati da 40 anni di programmazione Rai. Il fatto poi che i tre network, una volta entrati sotto il controllo Fininvest, non abbiano specializzato più di tanto la loro programmazione rimanendo, principalmente per ragioni di investimenti pubblicitari, delle reti generaliste non rivolte a specifici e determinati target, ha fatto sì che questa politica di imitazione e riproposizione di formule non si limitasse alla sola rete che l'aveva intrapresa (Canale 5) ma si triplicasse, divenendo così uno degli aspetti che più affliggono il sistema italiano.

Stimolati e spronati dai rilevamenti dell'Auditel (entrato nel frattempo in vigore verso la fine del 1986) i palinsesti hanno continuato a "rincorrersi". E se in alcuni casi la realizzazione di programmi identici a quelli proposti dal concorrente è stato il frutto della vecchia tattica del "ratto" degli autori (ad esempio, Lio Beghin ha copiato il suo *Chi l'ha visto?* con *Linea continua*, e Gianni Boncompagni ha trasferito la formula della sua *Domenica In* in *Non è la Rai*), altre volte gli autori si sono limitati a realizzare "fotocopie" di programmi adocchiati qua e là nei palinsesti delle televisioni italiane o straniere (*Ore 12* di Canale 5 ha ripreso non solo la formula ma anche la scenografia di *I fatti vostri* di Raidue, e *Scommettiamo che?*, proposto da Raiuno sul modello di un analogo programma tedesco, è stato ribattezzato su Canale 5 *La grande sfida*). Questa tendenza alle "fotocopie", a una programmazione poco originale e di scarsa inventiva, che – è da sottolineare – non è rimasta appannaggio solamente delle reti Fininvest ma ha contagiato pressoché tutti gli operatori, é uno dei sintomi più evidenti della poca qualità che contraddistingue molta parte dell'offerta televisiva e del malessere che affligge tutto il sistema. Nota acutamente Aldo Grasso: "Purtroppo, il vero garbuglio della tv non riguarda la volgarità del pubblico, ma la sua (della tv) pigrizia, la sua codardia e il suo asservimento a una logica mercantile. [...] E poi la spazzatura, ecco il segreto, è tutta racchiusa nella parola 'scopiazzatura'. Fare una tv copiata é il modo più facile di fare tv"[7].

Uno dei programmi che ha costituito un'eccezione rispetto a questa linea imitativa portata avanti dall'emittenza privata è stato *Drive in*, il quale non a caso ha raccolto molti giudizi positivi sia fra i telespettatori sia fra i critici. L'originalità del programma (che ha lanciato come autore Antonio Ricci) consisteva nella proposizione di una nuova forma di comicità, basata su personaggi dotati di linguaggio e tempi particolari. Notava Ugo Buzzolan: "Lo show ha lanciato in orbita, importandolo dall'America e rielaborandolo in casa, l'humor demenziale a ruota libera e lo ha corredato di un linguaggio proprio, un vocabolario di folli neologismi in gran parte adottati dai giovanissimi"[8]. La positività di esperienze come questa è dimostrata dal fatto che dalle premesse poste da *Drive In* sono in seguito derivati molti altri programmi (*L'araba fenice, Lupo solitario, Striscia la notizia*): un filone che rappresenta tuttora uno dei momenti più innovativi e creativi dei network privati.

2.4. La Rai – di fronte a questo attacco che veniva condotto con programmi d'importazione di sicura presa, con l'imitazione delle formule e delle soluzioni più affermate, con la guerra dei contratti, e con un dinamismo e una aggressività sconosciuti all'azienda pubblica – da un lato è stata trascinata allo scontro e alla cosiddetta "guerra del fango", dall'altro si è in parte sottratta a questo confronto diretto puntando sulla specificità che gli proveniva dall'esclusiva della diretta (concessa ai privati solo nel 1990 con la legge Mammì) e sfruttando alcune sue felici esperienze precedenti per percorrere strade originali. È seguendo questo indirizzo che sono stati prodotti alcuni dei programmi più interessanti per quanto riguarda la qualità televisiva.

La programmazione a striscia, impiegata come arma strategica dalla programmazione privata relativamente alla fiction seriale, è stata estesa dall'emittente pubblica anche ad altri generi, con ottimi risultati sia di ascolto sia di critica. Nel campo dell'intrattenimento sono così nati programmi-culto quali *Quelli della notte* e *Indietro tutta* di Renzo Arbore che, grazie alla collocazione quotidiana, hanno imposto un nuovo tipo di varietà, incentrato su una ironica e critica parodia di tutti i luoghi comuni del genere, dal pubblico in sala, al conduttore, alle vallette. La striscia quotidiana è stata anche quella che ha confermato il "genio televisivo" di Piero Chiambretti, sicuramente una delle più piacevoli e intelligenti "novità" degli ultimi anni.

Applicata invece al genere dell'informazione, la programmazione a striscia ha portato alla nascita di rubriche di servizio (il primo esperimento in questo senso è stato il programma *Diogene* di Michele Lubrano in coda al Tg 2) e di programmi di intrattenimento informativo (*Italia Sera, Uno Mattina*), nonché a momenti di approfondimento o di commento (inaugurati da *Linea diretta* di Enzo Biagi e proseguiti con *Cartolina* di Andrea Barbato, quindi con *Milano, Italia* di Gad Lerner e di Gianni Riotta). Il successo conseguito da questa rivisitazione dei tempi e delle formule di un genere tradizionale quale l'informazione, che negli anni precedenti era stato piuttosto accantonato, è stato tale che la Rai ha in seguito continuato in questo processo di rinnovamento giungendo a riproporre i programmi giornalistici settimanali in prima serata (*Mixer* di Giovanni Minoli, *Samarcanda* e poi *Il rosso e il nero* di Michele Santoro), con ottimi riscontri d'ascolto.

L'altro elemento con cui l'azienda pubblica ha caratterizzato la sua produzione è stato l'uso della diretta. Puntando su questa sua esclusiva, la Rai ha realizzato una lunga serie di programmi tutti tesi a sottolineare ed accentuare un'interazione diretta tra telespettatore e conduttore (*Chi l'ha visto?* con Donatella Raffai e *Telefono giallo* con Corrado Augias sono i due esempi migliori). La Rai si proponeva come la televisione "vera" rispetto alla "finta" televisione privata[9]. La "diretta", divenuta così uno dei tratti distintivi dell'emittenza pubblica, è stata anche alla base di alcuni eventi televisivi e sociali che hanno segnato il decennio (nel 1981 le tre reti unificate seguirono per 18 ore il tentativo di salvare un bambino caduto in un pozzo a Vermicino, vicino a Roma: è stato sicuramente questo il caso più eclatante di un fenomeno che si è verificato anche in occasione del terremoto in Irpinia del 1980 e dell'alluvione in Valtellina del 1987).

Questa tendenza a dar vita a una televisione in contatto diretto con il telespettatore, che nasce nel momento stesso in cui la si vede, ha contaminato i palinsesti di tutte e tre le reti, ma è all'interno di Raitre che ha toccato le sue forme più estreme (*Linea rovente, Il testimone, Posto pubblico nel verde*, nonché i già citati *Chi l'ha visto?*, *Telefono giallo*), assumendo i caratteri di un vero e proprio genere televisivo e conferendo all'emittente l'etichetta di "rete-verità". È nella rete diretta da Angelo Guglielmi, infatti, che questi programmi, completamente nuovi per la scena italiana, si sono incontrati con una concezione del mezzo televisivo inteso come riproduttore fedele e oggettivo di eventi extratelevisivi (*Un giorno in pretura, Racconti del 113, Allarme in città*). Ma la rete, in realtà. ha seguito anche modelli del tutto diversi, centrando l'obiettivo sia con l'uso televisivo di una comicità "controcorrente" (da *Avanzi* a *Su la testa*), sia con la rielaborazione creativamente esasperata di materiali e detriti televisivi (*Blob, Schegge*).

Nel campo della fiction, la Rai ha tentato, sin dall'inizio del decennio Ottanta, di pervenire a una produzione seriale (sulla base del progetto noto con il nome del suo ispiratore, Massimo Fichera), ma i risultati sono stati piuttosto ridotti rispetto alle aspettative (in pratica, le due serie di *I ragazzi del muretto*). Il meglio, da parte dell'emittente pubblica, è venuto invece da un certo numero di miniserie e *tv movies*, che recepiscono la lunga esperienza produttiva di qualità maturata negli anni attraverso decine e decine di sceneggiati e adattamenti televisivi. Molti sarebbero i titoli da ricordare, ma valga per tutti il successo nazionale e internazionale di *La Piovra*, una fortunata combinazione tra il "cinema democratico italiano" e i tratti narrativi del serial americano[10].

Per concludere questa rassegna all'interno della programmazione rilevante della Rai, non si può dimenticare che sono rimasti vivi filoni di programmi di argomento scientifico e informativo-culturale, che hanno saputo conciliare la profondità dei contenuti con le esigenze della moderna televisione: si pensi alle trasmissioni di Piero Angela, da *Quark* a *La macchina meravigliosa* e a *Il pianeta dei dinosauri*; o, su un altro fronte, a quelle di Sergio Zavoli, da *La notte della Repubblica* a *Viaggio nel Sud*; o, su un altro fronte ancora, a *Babele* di Corrado Auguas. Di particolare spicco, infine, alcune trasmissioni speciali di grande spettacolo (come la premiatissima *Tosca nelle ore e nei luoghi di Tosca*, con la regia di Giuseppe Patroni Griffi).

Dunque, relativamente alle formule e ai contenuti dei programmi, motore dell'innovazione non è stato il nuovo soggetto dell'emittenza privata: questo, in maniera coerente ai propri fini commerciali, si è principalmente limitato a importare modelli dall'estero (alcuni qualitativamente pregevoli, altri molto meno), a riproporre la televisione più tradizionale e a inseguire le novità di maggior successo, inserendo il tutto in originali logiche di palinsesto. Il soggetto pubblico, invece, pur direttamente coinvolto in una guerra frontale che ha avuto indubbiamente l'effetto di abbassare il livello qualitativo della sua programmazione, ha anche saputo reagire al clima competitivo, sviluppando automaticamente nuovi filoni e riuscendo in alcuni casi a produrre dei programmi che, con la forza della fantasia, della trasgressione, dell'invenzione, hanno dilatato e trasformato i tradizionali confini dei generi televisivi.

NOTE BIBLIOGRAFICHE

[1] Per una più ampia trattazione di tutti i temi compresi nel paragrafo 1, si veda: C. Sartori, "Il paesaggio audiovisivo italiano: un tentativo di ricostruire il puzzle", relazione per il convegno *Pay-tv: il motore della crescita per la televisione mondiale*, Roma, 25-26 marzo 1993.

[2] F. Monteleone, *Storia della radio e della televisione in Italia*, Venezia, Marsilio, p. 345.

[3] G. Bettetini, "L'Italia televisiva chiama davvero l'Europa?", in AA.VV. *Le televisioni in Europa*, Torino, Edizioni della Fondazione Agnelli, vol. 1, p. 238.

[4] A. Grasso, *Storia della televisione italiana*, Milano, Garzanti, 1992, pp. 345-346.

[5] Peppino Ortoleva, "Codici privati", in Alessandro Silj (a cura di), *La nuova televisione in Europa*, Milano, Gruppo Fininvest, 1992, vol. II, pp. 145-200.

[6] Per una più ampia trattazione si veda: C. Freccero, "Il palinsesto della televisione commerciale", in G. Barlozzetti (a cura di), *Il palinsesto*, Milano, Franco Angeli, 1986.

[7] A. Grasso, "Il segreto-spazzatura tutto racchiuso nella 'scopiazzatura'", *Corriere della Sera*, 14 settembre 1992.

[8] U. Buzzolan, "*Drive in*, il demenziale batte tutti", *La Stampa*, 12 maggio 1987.

[9] B. Fenati e N. Rizza, "Palinsesti e programmi tra televisione pubblica e privata in Italia", in Alessandro Silj (a cura di), *La nuova televisione in Europa*, op. cit., vol. II, p. 8.

[10] A. Grasso, *Storia della televisione italiana*, op. cit., pp. 432-435.

IV.
I PAESI "CERNIERA" TRA OVEST E EST:
UNA FASCIA RICCA DI INCOGNITE (*)

1. Turchia: un boom con spiragli di libertà

1.1. Con un piede in Europa e l'altro in Medio Oriente, e una
crescita economica fra le più sostenute a livello mondiale, la Turchia ha offerto un terreno fertile al rapido sviluppo del suo sistema
televisivo. Le modalità in cui questo è avvenuto – esplosione di
emittenti private in un contesto sregolato – costituisce quasi un
caso da manuale, esemplificazione tipica dell'evoluzione di un mercato televisivo dal modello tradizionale di monopolio pubblico a
un sistema competitivo misto, pubblico e privato insieme, in grado
di offrire ai telespettatori una maggiore varietà (almeno in superficie) di generi e di programmi.

Il boom della tv privata in Turchia è spesso paragonato a quello
di cui è stato protagonista in Italia Silvio Berlusconi. Ma in realtà,
la crescita della tv privata turca ha prodotto sul sistema televisivo
un effetto più radicale e dirompente, principalmente perché in Turchia il processo è stato compresso nell'arco di un paio d'anni. Inoltre, mentre in Italia l'espansione della seconda fase ha inflitto gravi
perdite agli investitori di "inizio partita", e ha dato a Berlusconi
l'opportunità di acquistare le emittenti in difficoltà e di consolidare
un eccezionale monopolio, in Turchia non si è prodotta, a tutt'oggi,
una tale concentrazione di proprietà. Le sei reti private turche appartengono a gruppi industriali distinti, e la concorrenza per l'audience fra questi canali è feroce.

L'emittente statale Trt ha goduto di un comodo monopolio dal
1968, anno di inizio delle trasmissioni, al 1990. A parte la rete am-

(*) Il capitolo è stato scritto da Jennifer Clark.

miraglia Trt-1, l'emittente gestisce (caso davvero unico al mondo) altri cinque canali: Trt-2 (programmi culturali), Trt-3 (spettacoli stranieri), Trt-4 (programmi educativi), Trt-5 (canale via satellite che trasmette attraverso l'Europa per i turchi all'estero) e Trt-6 (nuovo canale regionale per la Turchia meridionale). Ma, nonostante questo ampio ventaglio di canali, le emittenti private riescono con sorprendente facilità a sottrarre alla Trt fino al 75 per cento dell'audience.[1]

L'emittente di stato turca è afflitta dagli stessi problemi che attanagliano le istituzioni pubbliche di altri paesi (eccesso di personale e una lenta burocrazia), ma in più ha le mani legate da un livello di censura politica a danno dei notiziari che certo non si riscontra nelle vicine nazioni europee, nonché da severe regole di programmazione (che proibiscono ad esempio le scene di nudo e qualunque atto più audace di un bacio): la Turchia, infatti, è "tecnicamente" un paese laico, ma la Trt deve rispettare quelle che il governo definisce le tradizioni religiose degli spettatori islamici. Solo ora essa comincia a reagire con una più spregiudicata politica di programmazione, dopo tre anni durante i quali le rivali private sono state libere di trasmettere ogni genere di programma (da *Playboy Hour* e *Wheel of Fortune*, da discussi film turchi un tempo censurati a dibattiti televisivi su argomenti scottanti come l'Aids e l'indipendentismo curdo).

La prima rete privata, Magic Box (oggi Interstar), ha cominciato a trasmettere nell'autunno 1990: il segnale televisivo proviene via satellite dalla Germania ed è diffuso in Turchia attraverso ripetitori appartenenti al Ministero delle poste. Nel 1992 sono seguiti, in sequenza molto veloce, altri quattro canali: Teleon in gennaio, Show Tv in marzo, Kanal 6 in ottobre e Hbb in novembre. Ad essi si aggiungono una trentina di canali privati a diffusione locale. Tutte queste emittenti sono obbligate a inviare il loro segnale verso la Turchia da una stazione estera, in quanto la Costituzione turca riconosce alla sola Trt il diritto di svolgere attività di radiodiffusione sul territorio nazionale. Il parlamento turco ha acconsentito in linea di principio a una proposta di emendamento della Costituzione per l'assegnazione di frequenze utilizzabili dalle reti private, ma non ha ancora votato una legge completa sull'emittenza.

Sin dagli esordi, l'emittenza privata turca è stata il frutto di un connubio fra potere politico e alta finanza. I padroni di Magic Box erano Cem Uzan, industriale di spicco, e Ahmet Ozal, figlio del defunto presidente Turgut Ozal, che ha poi lasciato Magic Box per fondare Kanal 6 (ed è essenzialmente grazie al coinvolgimento di Ozal che la prima emittente privata è potuta andare in onda senza essere subito oscurata). Le altre reti appartengono a gruppi le cui attività spaziano dalla pubblicità all'imbottigliamento di bevande analcoliche, dal settore bancario alla fabbricazione di automobili. Non è chiaro per quanto tempo ancora il mercato pubblicitario sarà in grado di finanziare i diversi canali privati: le aziende proprietarie potrebbero decidere di mantenere le reti non redditizie per garantirsi potere politico e pubblicità gratuita, purché le perdite non siano eccessive. O spunterà invece un "Berlusconi in versione turca", che tenterà di assicurarsi il monopolio di tre reti private? È troppo presto per azzardare qualunque ipotesi.

Frattanto, a Istanbul, la televisione via cavo guadagna a poco a poco terreno. Il Ministero delle poste gestisce un proprio servizio via cavo, che alimenta captando i programmi delle reti commerciali via satellite ricevibili in Turchia e offre a circa cinquantamila abbonati dietro pagamento di un canone mensile. La Motion Picture Export Association of America definisce tale tipo di operazione un atto di "pirateria", giacché gli abbonati pagano per una programmazione sostanzialmente illegale.[2] Il Ministero turco intende espandere il servizio mediante la posa di nuovi cavi, anche se è certo che dovrà un giorno o l'altro risolvere il problema del pagamento dei diritti d'autore.

1.2. Per i telespettatori abituati ai programmi spesso seri e conservatori della Trt, le nuove reti private portano fra le mura domestiche un luminoso bazar di trasmissioni e prodotti. Molti di questi programmi – giochi, film erotici, soap americane – non rientrano assolutamente in quella categoria che la tradizione dell'emittenza pubblica definisce "televisione di qualità". È indubbio, tuttavia, che si sia innalzato il livello qualitativo della tv turca per quanto riguarda i telegiornali e i programmi d'attualità: è probabile che si trasmettano meno concerti e documentari da quando il vento turbinoso dell'emittenza privata ha travolto il sistema televisivo, ma è certamente maggiore la varietà delle fonti di informazione disponibili, grazie alla libertà dalla censura politica di cui godono i canali privati. E probabilmente migliorerà anche la qualità degli altri programmi delle reti private, avendo queste cominciato a fare minore affidamento su prodotti stranieri a basso costo, come le *telenovelas* e i *game-shows*, e a produrre in proprio sceneggiati e serial i cui contenuti sociali interessano più direttamente il pubblico turco. La stessa Trt ne risulta incentivata, come testimoniano alcune miniserie sulla realtà moderna (tra cui *Il matrimonio*, in cui due giovani amanti mandano a monte un matrimonio combinato dalle famiglie).

Anche su altri fronti la concorrenza dei privati risulta uno stimolo per la Trt. Per esempio, la rete privata Hbb ha trasmesso una miniserie in sei episodi sulla guerra di indipendenza turca dal titolo *Il guerriero stanco*, tratta da un libro discusso. La Trt aveva prodotto agli inizi degli anni Ottanta la stessa miniserie, che tuttavia non fu trasmessa a causa del clima di tensione politica succeduto al colpo di stato militare. Dopo la messa in onda su Hbb nel 1992, la Trt si è decisa a trasmettere la sua versione rimasta a lungo censurata. Questi *repechages* non si fermano ovviamente qui: film classici come *Lawrence d'Arabia* e *Fuga di mezzanotte*, che non erano mai stati trasmessi in Turchia poiché "colpevoli" di dipingere il paese a tinte fosche, sono stati proposti in prima assoluta sulle reti private nella stagione televisiva 1992-1993.[3]

In molti sono convinti che proprio dalla libertà di trasmettere qualsiasi programma nasca la vera rivoluzione dell'emittenza televisiva turca. Mentre altri paesi islamici muovono verso il fondamentalismo e un crescente controllo pubblico dei media, è quanto mai importante per la Turchia disporre di uno spazio in cui dibattere liberamente questioni sociali e politiche al fine di conservare la propria tradizione democratica. Come si è accennato, i talk-show delle reti private sono pieni di dibattiti su argomenti quali il divorzio, il pericolo dell'Aids e la questione curda, e talvolta affrontano anche discussioni di più ampio respiro sulla differenza fra i valori moderni e la tradizione islamica. *Magazines* d'informazione come *Arena* e *Il 32º giorno* figurano tra i programmi di maggiore ascolto. Anche la satira politica è una novità per la tv turca.

La guerra del Golfo ha fornito un esempio eclatante ed estremo di quanto sia presente la censura sulle reti Trt e di come le emittenti private riescano a superarla. Durante il conflitto, la Turchia si è trovata in una posizione alquanto delicata, essendo l'unico paese della Nato a popolazione prevalentemente musulmana. Nel corso di un telegiornale, un giornalista della Cnn comunicava che gli aerei americani destinati a bombardare l'Irak provenivano da una base Nato situata in Turchia: la Trt interrompeva immediatamente la trasmissione; il giorno dopo, una rete privata comunicava la notizia per intero.

2. Repubblica ceca: sistema equilibrato, ma povero

2.1. Tra tutte le ex repubbliche socialiste che costituivano il cosiddetto "blocco orientale", la Repubblica ceca ha abbracciato con fervore la politica di libero mercato, e lo ha fatto senza indugi: non a caso, è stata la prima ad annullare il monopolio statale della diffusione radiotelevisiva in favore della concorrenza privata.

Fino al 1992 esisteva, nell'allora Cecoslovacchia, un'unica emittente di stato con tre canali, la Cstv, in onda dal 1963. Nel gennaio 1992 si divideva in due emittenti, la tv ceca (Ctv) e la tv slovacca (Stv), ciascuna con un canale. Entrambe le istituzioni hanno perso le sovvenzioni pubbliche di cui godevano e attualmente sono finanziate dagli introiti pubblicitari e dal canone di abbonamento, come tutte le tv pubbliche europee. Le due emittenti hanno licenziato circa il 25 per cento del personale, si sono divise i dipendenti e producono programmi distinti, pur scambiandosi alcuni notiziari e servizi sportivi.[4]

La legge sull'emittenza televisiva approvata nel 1991 poneva le basi per la privatizzazione di uno dei tre canali pubblici (la rete federale F1) dell'allora Federazione della Cecoslovacchia. Dopo la scissione tra le due repubbliche ceca e slovacca, la concessione privata veniva effettivamente rilasciata dal Comitato radiotelevisivo ceco agli inizi del 1993, non senza polemiche e controversie: titolare della nuova rete privata è infatti un consorzio (Cet 21) finanziato da una *corporation* con sede a Berlino, che fa capo all'impero cosmetico Estée Lauder. Il canale, che ha preso il nome di Televisione indipendente ceca, ha un bacino potenziale di utenza pari a oltre l'80 per cento del territorio della Repubblica; deve trasmettere almeno il 40 per cento di programmi di produzione nazionale, e la quota massima della pubblicità non può superare il 13 per cento del tempo globale di trasmissione.

In attesa della privatizzazione anche del terzo canale della Repubblica ceca (che dovrà realizzarsi nel 1996), il parlamento ha accordato una concessione regionale, per la città di Praga e la Boemia centrale, all'emittente commerciale Premiera, che ha iniziato a trasmettere nel luglio 1993. La rete è il frutto di una *joint-venture* fra l'imprenditore italiano Mariano Volani, proprietario di aziende televisive regionali nel Nord Italia, e la Ftv Premiera, casa editrice ceca ad ampia partecipazione privata. L'emittente, che può raggiungere il 50 per cento circa dei telespettatori della repubblica, è diretta da un gruppo di intellettuali cechi, tra cui il regista Jiri Menzel, vincitore di un premio Oscar; la sua strategia è di dare tutta la produzione in subappalto a produttori indipendenti locali, per contenere i costi.[5]

Dopo tali riforme, vi sono dunque due reti private e due emittenti di stato in questa piccola repubblica di 10 milioni di abitanti, oltre ai canali internazionali via satellite captati dal 12 per cento degli utenti televisivi. Con l'inizio del servizio di rilevamento dei *ratings* da parte della Agb (che dal 1993 provvede a monitorare gli spettatori praghesi e offre agli inserzionisti dei dati d'ascolto affidabili) la Repubblica ceca è il primo stato ex socialista dotato di tutte le componenti essenziali per costituire un sistema televisivo degno di un'economia di libero mercato.

2.2. Chiedete a qualunque regista televisivo di Praga quale sia l'effetto, sulla comunità creativa, delle riforme economiche promosse dal primo ministro Vaclav Klaus; vi risponderà più o meno questo: "Siamo liberi di fare tutti i programmi che vogliamo, ma non abbiamo i soldi".

Prima della "rivoluzione di velluto" del 1989, la lunga mano della censura si insinuava in ogni aspetto della programmazione televisiva. Persino i dipartimenti per i programmi culturali e musicali dovevano attenersi a direttive specifiche riguardanti i compositori e i musicisti giudicati ammissibili (molti classici, pochi jazzisti). Il tono delle trasmissioni culturali era inevitabilmente serio e formale. Ed esistevano quote massime per i film stranieri da mandare in onda (nonché direttive su quali erano permessi). I telegiornali, ovviamente, erano "ufficiali" e "pilotati".

Notiziari, documentari e programmi di attualità sono i primi generi televisivi ad aver "sentito" il nuovo vento di libertà, tanto è vero che il telegiornale della sera è oggi il programma di maggiore ascolto.[6] Vi sono *magazines* di informazione, come *De Vota* per esempio, che pongono i politici a confronto diretto con gli spettatori, e spesso offrono argomenti per gli editoriali e i commenti che appariranno sulla stampa quotidiana nella settimana. I critici indicano nel documentario a episodi *Siberia, terra di speranza e disperazione*, l'esempio tipico di reportage critico vietato in passato: in esso il regista Milan Maryska mostra i campi di concentramento, le miniere d'oro, i villaggi isolati e le abitudini cui si riduceva la vita in quel paesaggio spesso ignorato.

I programmi culturali denotano anch'essi innovazione, a giudicare almeno dall'atteggiamento disinvolto e rilassato degli ospiti in studio e dalla tecnica televisiva di tipo più sperimentale. Un buon esempio di approccio creativo al genere culturale si ritrova, secondo la critica ceca, in *Kubelik dirige*, programma realizzato dalla Ctv in cui il famoso compositore, a lungo in esilio, ritorna a Praga per dirigere la Nona sinfonia di Dvorak: la telecamera inquadra il volto del maestro per tutta l'ora; i telespettatori non vedono l'orchestra, ma solo le espressioni di Kubelik mentre dirige, nell'intimità del processo creativo.

Se la qualità dei programmi dell'emittente pubblica ceca è indubbiamente migliorata da quando gli organi censori non dettano più legge in ordine al tono e al contenuto dei programmi, meno chiaro invece risulta il modo in cui la concorrenza fra la tv pubblica e le tv private potrà influenzare la qualità delle trasmissioni negli anni a venire. L'attuale programmazione della Ctv comprende un gran numero di cartoni animati per bambini, sceneggiati di produzione locale, buoni film americani ed europei, programmi di musica classica e così via: il suo *management* è determinato a mantenere questo alto livello di programmazione, nel rispetto dell'identità di servizio pubblico nazionale. Ma saprà e potrà resistere?

3.   Polonia: un mercato pronto alla "guerra dei *ratings*"

3.1. Prima che fosse approvata, alla fine del 1992, la legge che ammette la proprietà privata delle emittenti televisive, la Polonia sembrava sul punto di ripercorrere le orme dell'Italia, con una "giungla" di soggetti agenti in pieno regime di illegalità. Nei tre anni di dibattito e compromessi che hanno portato alla legge, infatti, si è sviluppato un prospero sistema di diffusione televisiva formato, oltre che dalle due reti pubbliche, da circa sessanta emittenti private "pirata". La nuova normativa ha istituito un Consiglio nazionale radiotelevisivo, principale autorità del settore, e ha stabilito le regole per far rientrare il sistema nella legalità attraverso il rilascio di regolari concessioni ai privati (anche se ciò non è ancora avvenuto a causa dell'instabilità politica emersa successivamente): quando la riforma sarà "a regime", è possibile che questo paese di 40 milioni di abitanti realizzi la prospettiva di diventare uno dei più vitali mercati europei della televisione.

Sotto il regime comunista, l'emittente di stato Tvp era diretta da un'istituzione governativa, il Comitato radiotelevisivo, di cui uno o più membri erano ministri di governo. La censura era la regola, e il presidente della Tvp "aveva più del dio che del dirigente televisivo", per usare le parole di un manager. Con l'approvazione della nuova legge, la Tvp è diventata una società per azioni facente capo al Ministero delle finanze, il che purifica l'emittente da ogni traccia residua del vecchio controllo statale. Gli introiti sono assicurati dal canone (circa il 70 per cento) e dalla pubblicità (30 per cento). Oltre alla rete ammiraglia Tvp-1, di intrattenimento generale, e alla rete culturale Tvp-2, l'emittente ha dal 1992 un servizio che si avvale del satellite Eutelsat, chiamato Tv Polonia e diretto ai polacchi residenti all'estero. La Tvp gestisce inoltre diversi canali regionali ai quali è stata accordata, nel 1993, piena autonomia di programmazione e libero accesso ai programmi della Tvp.

La legge del 1992 stabilisce dei criteri specifici, validi sia per le reti pubbliche sia per i nerwork privati, intesi a tutelare la qualità dei programmi. Uno dei criteri adottati dal Consiglio nell'assegnazione delle concessioni riguarda la capacità della rete candidata di produrre i propri programmi. Inoltre, ciascuna emittente deve destinare il 30 per cento del tempo effettivo di trasmissione ai programmi di produzione nazionale; e almeno il 10 per cento a quelli realizzati da produttori indipendenti. Per proteggere anche in senso più vasto la "nazionalità" del sistema, si è stabilito che le società a capitale misto, polacco e straniero, possono sì possedere un network televisivo, purché gli stranieri detengano una quota massima del 33 per cento e i consiglieri di amministrazione siano in maggioranza polacchi.[7]

Dal punto di vista della presenza pubblicitaria, la legge del 1992 impone che la quota massima di spot sulle reti private sia pari al 15 per cento della durata quotidiana delle trasmissioni, e pari al 12 per cento per ciascuna ora effettiva di trasmissione. Per quanto concerne l'emittente pubblica, i massimali vengono decisi in sede di Consiglio, che in linea di principio dovrebbe consentire spazi pubblicitari di durata molto inferiore rispetto alle reti private. Ciò potrà creare dei problemi finanziari non indifferenti alla Tvp, specie nel momento in cui l'emittenza privata, garantita dall'effettivo rilascio ufficiale delle concessioni, investirà massicciamente nell'acquisizione e nella produzione di programmi per vincere la prevedibile "guerra dei *ratings*".

Finora, le reti private si sono limitate a un "piccolo cabotaggio" televisivo, simile a quello che ha accompagnato la prima fase della commercializzazione in numerosi contesti europei. Alcune, addirittura, si limitano a trasmettere copie illegali di film americani e di altri programmi. Altre hanno già dato inizio a una strategia di offerta, ancorché limitata: è il caso di Polonia 1, network di dodici stazioni locali distribuite in altrettante città, che trasmettono legalmente film, telefilm, programmi d'attualità e culturali, la maggioranza dei quali è fornita dal comproprietario della stessa Polonia 1, l'editore italiano Nicola Grauso, alle cui spalle (attraverso Publipolska, *joint-venture* polacca di Publitalia) si muove il gruppo Fininvest di Berlusconi.[8]

3.2. Apparentemente, i dirigenti della Tvp aspettano sereni l'imminente scoppio della "guerra dei *ratings*". Si dichiarano determinati a preservare la "qualità" piuttosto che intraprendere la "via commerciale": giurano, ad esempio, che sarà mantenuta la fascia oraria del lunedì sera tradizionalmente dedicata al teatro, e che non diminuirà quel tipo di impegno che ha portato alla produzione di capolavori filmici come *Il Decalogo* di Krzysztof Kieslowski. A ulteriore conferma, citano uno dei serial più popolari della Tvp, *Un uomo di quarant'anni*, la cui prima edizione (sulla crisi di un uomo di mezza età) risale a vent'anni fa, e che viene ora ripresa e continuata con gli stessi attori, autori e registi, per ritrovare il personaggio, ormai sessantenne, nella Polonia del post-comunismo. Nelle ore notturne, inoltre, non mancano né mancheranno mai proiezioni dei video d'avanguardia firmati dal molto acclamato regista polacco Zbiegniew Rybczinzcki.

La censura politica, che penalizzava i programmi del passato, è ormai solo un brutto ricordo. Sono definitivamente scomparsi quei giorni degli anni Settanta in cui gag e *sketches* del varietà popolare *Gamma* dovevano dissimulare satira politica e riferimenti sociali sotto un'elaborata struttura allusiva. Tra i programmi Tvp più seguiti degli ultimi cinque anni, figura *Zoo polacco*, una vivacissima trasmissione satirica che si serve di animali per rappresentare le più note personalità politiche: in onda il sabato sera, si aggiudica fino al 75 per cento del pubblico televisivo.[9]

L'abolizione della censura, ovviamente, ha restituito vigore ai notiziari e ai programmi di attualità. Si sono innanzitutto moltiplicate le fonti di informazione: la Tvp trasmette nove telegiornali al giorno, cui si aggiungono i notiziari di alcune emittenti private, e coloro che possiedono un paraboloide (circa il 17 per cento della popolazione) possono captare anche l'americana Cnn e l'inglese Sky News. Quanto agli approfondimenti, anch'essi non mancano: su Ntw, stazione di Polonia 1 con base a Varsavia, va in onda ad esempio *Talking Heads* di Michal Komar, che tratta argomenti controversi come l'aborto o le ragioni per cui non sono stati ultimati i lavori di costruzione della metropolitana.

La pluralità delle fonti di informazione assume particolare importanza nel contesto sociale della Polonia degli anni Novanta, specie dopo la vittoria degli ex comunisti nelle elezioni del settembre 1993. Fino a quel momento, si temeva un troppo ampio dominio della Chiesa cattolica, la quale era riuscita a influenzare anche la legge sulla televisione del 1992 (in cui si stabilisce che tutte le emittenti debbono rispettare il sentimento religioso e in particolare i valori della fede cristiana). Ora il campo appare più equilibrato, e certamente questa sorta di "censura ecclesiastica" risulterà piuttosto stemperata. Nessuna modifica, invece, è prevista nel *trend* ormai consolidato di sviluppo dell'emittenza privata.

4.   Ungheria: una rivoluzione ancora da venire

4.1. A differenza della Polonia, della Repubblica ceca e della Repubblica slovacca, questo paese di dieci milioni d'abitanti non è ancora riuscito ad approvare una nuova legge sull'emittenza che consenta lo sviluppo di un sistema televisivo moderno e misto; e si prevede che tale legge (per cui è necessaria la maggioranza dei due terzi del parlamento) non possa essere approvata prima del 1994-95. Nonostante ciò (o forse proprio a causa di ciò) il sistema televisivo nazionale è ricco di nuovi soggetti e vanta: due canali via satellite in lingua ungherese; una *pay-tv*, sempre in lingua ungherese, ma appartenente al gigante americano del cavo Home Box Office (è il primo esperimento del genere fuori dagli Stati Uniti); e inoltre la solita quantità di canali via satellite come Sky News, Cnn, Rtl, Sat 1, Superchannel, Eurosport e Mtv Europa, disponibili attraverso Astra e Eutelsat come in altri paesi europei.

Nell'Ungheria del post-comunismo, al posto di una legge esiste solo una moratoria delle concessioni radiotelevisive, che dal 1989 ha congelato l'emittenza privata sospendendone le trasmissioni proprio nell'attesa della nuova normativa. Fino ad allora, l'unica responsabile del servizio televisivo resterà l'emittente di stato Magyar Televizio (Mtv). Solo nella primavera 1993 il governo ha deciso di togliere parte del divieto che colpisce l'emittenza privata, autorizzando le trasmissioni di stazioni televisive con un bacino di utenza pari a un massimo di centomila persone nelle campagne e di cinquecentomila a Budapest (la cui popolazione si aggira intorno ai due milioni di abitanti).

La moratoria delle frequenze non colpisce le emittenti via satellite, che infatti – come si è detto – si sono sviluppate in questo periodo di *impasse*: due canali hanno dato inizio alle trasmissioni. Il primo, Duna-Tv, che ha aperto i battenti nel 1992, fa capo alla Fondazione della televisione ungherese, ovvero è anch'esso sotto il controllo diretto del governo: trasmesso da Eutelsat, è ricevibile da due milioni di telespettatori; suo scopo è offrire programmi, film e notiziari di qualità, in lingua ungherese, alle minoranze nazionali della Slovacchia, dell'Ucraina, della Serbia e della Romania; circa il 30 per cento dei programmi trasmessi è prodotto all'estero. Il secondo canale via satellite, Mozaik, è ancora a uno stadio iniziale di sperimentazione: frutto di una *joint-venture* fra Eutelsat, Antenna Hungaria e la casa cinematografica ungherese Movi, nasce dall'intento di offrire trasmissioni sulla cultura e sull'arte mitteleuropee in più lingue e a un vasto numero di paesi continentali.[10]

4.2. Gli effetti del controllo politico sul sistema televisivo ungherese si manifestano in maniera evidente nella qualità dei programmi: sebbene siano cambiati i quadri, la Mtv resta un'emittente
pubblica di vecchio stampo. Il suo budget è direttamente controllato dal parlamento, che l'ha sottoposta a tagli di bilancio e finan-
che a un temporaneo congelamento dei fondi. I programmisti della
Mtv lamentano la mancanza di risorse per la produzione di sceneggiati di qualità, tanto da essere costretti a trasmettere serial stranieri
a basso costo (come *Dallas*, che va ancora per la maggiore in Ungheria) e a riempire gli orari d'ascolto con un gran numero di programmi d'attualità.

Ciò non significa che la Mtv abbia rinuciato del tutto alla produzione di sceneggiati. Molte delle sue *sit-coms* sono testimonianza dei
cambiamenti economici, sociali e politici in atto: *Family Inc.*, per
esempio, racconta di una famiglia di Budapest che gestisce un nego-
zio di articoli vari cimentandosi con i mille problemi dell'imprenditoria privata. Un altro esempio interessante è *Freddie il fantasma intra-
prendente*, in onda in prima serata su Mtv: in parte narrazione drammatica, in parte commedia, in parte programma educativo, racconta
le vicende di un uomo che si trasferisce dalla città in un piccolo centro di campagna, dove apre un panificio; sarà assistito nella gestione
da un fantasma di nome Freddie, che era stato uomo d'affari nell'Ungheria dell'epoca capitalistica alla fine del secolo. Si tratta di un programma di intrattenimento, al contempo in grado di trasmettere agli
spettatori l'abc della gestione degli affari.

La Mtv propone anche numerosi programmi di opera, musica
classica e teatro. Molte di queste trasmissioni culturali non si distin-
guono dai concerti e dai recital seriosi del passato. Ma vi sono delle
eccezioni: come *Muro del pianto*, esempio di un tentativo serio e
d'avanguardia di adattare le nuove tecniche di ripresa televisiva al
balletto; diretto dal regista di teatro ungherese Gabor Szabo, il programma ha il merito di creare un'atmosfera mutevole in cui si in-
trecciano, grazie a una tecnica magistrale di montaggio, scene di
balletto in studio e immagini di un uomo per le strade della Gerusa-
lemme antica.

Le carenze dei programmi di Mtv sono prontamente colmate dai
canali via cavo e via satellite. Tra questi, Hbo Hungary: i suoi programmi migliori (documentari sulla natura, sport e trasmissioni per
bambini) sono di gusto popolare, proprio per compensare l'assenza

di programmi analoghi su Mtv. Per quanto riguarda invece i telegiornali e l'attualità, uno dei programmi migliori va in onda su Nap-Tv, l'unica rete privata ungherese provvista di concessione (avendola ottenuta prima dell'entrata in vigore della moratoria del 1989) ma che trasmette al mattino sulla frequenza di Mtv (non essendole stata assegnata una propria): si tratta di un adattamento ungherese di *Crossfire* della Cnn, ma con una buona dose di originalità e qualità.

NOTE BIBLIOGRAFICHE

[1] Dati sull'ascolto televisivo forniti all'autrice dall'Agb Anadolu, Istanbul, giugno 1993.

[2] Intervista dell'autrice con Walid Nasser, vice-presidente area Medio Oriente/Mediterraneo della Motion Picture Export Association of America (Mpeaa), aprile 1993.

[3] Intervista dell'autrice con Adem Gürses, direttore generale dell'emittente Hbb, Istanbul, aprile 1993.

[4] Intervista dell'autrice con Ivo Mathè, direttore generale dell'emittenza pubblica ceca Česká Televize, Praga, giugno 1993.

[5] Documentazione interna e intervista con Jiří Mejstřík, direttore generale dell'emittente Premiera, Praga, giugno 1993.

[6] Dati sull'ascolto televisivo forniti all'autrice dall'Agb Cs, 1993.

[7] Documentazione sulla Legge per l'emittenza radiotelevisiva, fornita dalla Tvp.

[8] J. Clark, "Italians Give Push to Private Polish TV," *Variety*, 15 marzo 1993.

[9] S. Engelberg, "A Rare Breed, Satire Thrives in Polish Zoo," *The New York Times*, 16 febbraio 1992.

[10] Intervista dell'autrice con Attila Bokor, dirigente della Duna Tv, Varsavia, giugno 1993.

V.

IL GIAPPONE: UNA TECNOLOGIA FORTE
PER UN SISTEMA DIVARICATO

1. Un modello misto al servizio dell'*hardware*

1.1. Il sistema televisivo giapponese (diversamente da quello britannico, al quale viene spesso accostato) presenta due figure nettamente distinte, che convivono l'una accanto all'altra fin dagli anni Cinquanta, con obiettivi, funzioni, metodi e programmi completamente diversi e spesso opposti: come se in un unico "corpo" (il modello televisivo) fossero racchiuse due "personalità" del tutto estranee l'una all'altra. Il tutto, nel quadro di uno sviluppo tecnologico che, nel suo complesso (dalla ricezione in alta definizione agli esperimenti più avanzati di "città cablate") non ha eguali sul pianeta.

La figura più "rappresentativa" del sistema giapponese è costituita dall'ente radiotelevisivo di stato, la Nippon Hoso Kyokai (Nhk), plasmata a immagine e somiglianza della Bbc e considerata il maggiore *broadcaster* di servizio pubblico che esista al mondo. Le sue risorse finanziarie derivano quasi unicamente dal canone, che è pagato dalla stragrande maggioranza degli utenti (con evasione quasi nulla, benché non siano previste sanzioni), ma è piuttosto basso, e quindi non in grado di colmare il deficit costante dell'ente. Un'altra modesta fonte di introito è costituita dalla vendita all'estero dei programmi, che finora è stata fortemente penalizzata dalla lingua, nonché dalla "lontananza" culturale del Giappone rispetto al resto del mondo avanzato[1]. Nel rispetto dei suoi compiti istituzionali (regolati dalla Broadcast Law del 1950), la Nhk dispone di due canali televisivi "terrestri", uno generalista e l'altro rigorosamente *educational*. Inoltre essa gestisce anche due canali via satellite.

La seconda figura del modello giapponese è rappresentata dalle emittenti commerciali, le cui licenze di trasmissione vengono rilasciate dalle singole amministrazioni regionali e che si finanziano con gli introiti pubblicitari. La prima entrò in funzione nel 1953, ma il vero boom si ebbe nella seconda metà degli anni Cinquanta (6 tv commerciali nel 1957, 23 nel 1958, 39 nel 1959), e poi ancora alla fine degli anni Sessanta con l'avvento della tv a colori; oggi è stata ampiamente superata la barriera delle cento società commerciali, e oltre trecento sono le singole stazioni private distribuite nel territorio[2]. Ma, come negli Stati Uniti, il localismo formale delle emittenti è sovrastato dall'esistenza di potenti network nazionali (cinque, nel caso del Giappone) che si avvalgono proprio delle stazioni locali indipendenti per trasmettere i loro programmi in tutto il paese o in gran parte di esso.

A livello governativo, la tendenza è di promuovere al massimo la proliferazione di società commerciali autonome nelle varie regioni: infatti, quasi ogni anno ne nasce qualcuna nuova, mentre si rafforza il potere economico di quelle già da tempo esistenti (tra cui anche qualche dinamica "catena" di provincia). Ma, a livello distributivo, la forza dei cinque network sembra inattaccabile. Anche perché, nonostante l'esistenza di una legge anti-monopolio (rispettata attraverso partecipazioni societarie formalmente minoritarie) essi sono tutti collegati ai quotidiani di maggiore tiratura in Giappone, formando vere e proprie *conglomerates* multimediali in grado di sviluppare potenti sinergie operative: la Nippon Television (Ntv) è unita allo *Yomiuri Shimbun*, il Tokyo Broadcasting System (Tbs) al *Mainichi Shimbun*; la Fuji Television rientra nel Sankei Group, proprietario dell'omonimo giornale; la Asahi Television è sostenuta dall'*Asahi Shimbun*; mentre la Tv Tokyo deve la sua impostazione economico-finanziaria al fatto di essere legata al *Nihon Keizai Shimbun*, che è il più importante quotidiano economico del Giappone[3].

1.2. Dal punto di vista tecnologico, il sistema televisivo giapponese è – come già si è accennato – di gran lunga il più avanzato del mondo. Totale, innanzitutto, è ormai la penetrazione dei televisori (a colori) nelle case: secondo un recente studio, la percentuale "è incalcolabilmente prossima al 100 per cento", e spesso si hanno due o tre differenti modelli per famiglia o addirittura per utente singolo; almeno l'80 per cento delle case, inoltre, possiede un videoregistratore[4].

In un mercato così saturo, è naturale che la competizione si sposti "in avanti": verso l'alta definizione da un lato (come forma compiuta di ricezione del segnale televisivo) e verso i servizi "aggiuntivi" dall'altro (come metodo maturo di fruizione del mezzo televisivo), con interessanti incroci operativi tra le due tendenze. Dalla fine del 1991 la Nhk manda in onda otto ore di programmazione in alta definizione: l'utenza è per il momento limitata agli spazi pubblici (dato l'alto costo delle apparecchiature di ricezione, nonché la carenza di prodotti a disposizione), ma le applicazioni della *hi-vision* si estendono già ben oltre la tradizionale trasmissione di programmi televisivi, in altre aree della comunicazione: stampa, cinema, emissioni specialistiche a circuito chiuso (ad esempio in campo medico), applicazioni militari, *office* e *factory automation* ecc.

Il satellite è entrato ormai stabilmente a far parte del sistema giapponese: specie da quando, nel 1989, la Nhk ha lanciato il suo servizio informativo via satellite 24 ore su 24 (che si chiama Gnn, Global News Network) e da quando, nel 1991, anche le reti commerciali hanno avuto a disposizione il satellite per le loro competizioni. A sua volta, la tv via cavo sta progressivamente assumendo contorni sempre più marcati in direzione "specialistica" e il suo mercato (prima limitato alle zone topograficamente più penalizzate del paese) decolla nella nuova versione urbana destinata a target qualificati e "attivi". La combinazione di satellite e cavo rende più prossimo lo sviluppo dei *new media* e dei loro servizi interattivi anche al di là dei ristretti circoli di sperimentazione delle "città cablate". Tutto ciò fa del Giappone – pur con i già rilevati limiti della sua oggettiva "distanza" culturale dal resto del mondo avanzato – una "frontiera" da cui lo sviluppo della televisione matura e consapevole dovrà per forza passare.

2. Una cultura televisiva ai limiti dell'esasperazione (*)

2.1. Paghiamo subito il doveroso tributo di attenzione all'ente di stato giapponese Nhk, che della qualità della programmazione ha fatto il suo elemento distintivo, anche sul mercato internazionale. È

(*) I paragrafi 2.2 e 2.3 sono stati scritti da Daniela Bezzi e David D'Heilly e rielaborati dall'autore.

all'interno dei suoi palinsesti che si trovano gli unici esempi di televisione indiscutibilmente eccellente in Giappone. La stessa struttura della sua offerta si qualifica subito in senso "alto", con il canale "generalista" dedicato per il 50 per cento all'informazione, per il 30 per cento alla cultura e solo per il 20 per cento all'intrattenimento tradizionale.

Documentari, special, notiziari, sono i programmi che più di tutti contraddistinguono questa rete, la quale cura in maniera scrupolosa pure la qualità del suono e dell'immagine. Anche quando vengono realizzati programmi più leggeri, del genere *entertainment*, lo stile Nhk è sempre evidente: i giochi, a esempio, perseguono fini educativi, e i serial sono un pretesto per una rilettura della storia del Giappone secondo la morale ed il punto di vista più rigorosi. Inoltre, una delle quattro reti della Nhk che, come si è visto, sono due "terrestri" e due via satellite) è interamente dedicata al settore *educational*, e nel suo palinsesto si alternano programmi dedicati alle materie scolastiche ad altri che insegnano i più svariati sport e hobby.

Numerosi prodotti Nhk hanno vinto prestigiosi premi internazionali; alcuni suoi documentari e special fanno certamente parte del "magazzino ideale" di un ente televisivo di qualità. Fino a quando il sistema giapponese potrà sostenere un organismo svincolato dalla "tirannia" pubblicitaria, l'Nhk costituirà un modello organizzativo e produttivo tra i più elevati del mondo c'è da augurarsi (che, nel frattempo, questa tirannia possa diventare, grazie alle innovazioni tecnologiche e distributive oggi all'orizzonte, meno violenta e brutale).

2.2 All'interno dell'altra "anima" del sistema giapponese, quella della televisione commerciale, lo scenario muta radicalmente (e brutalmente). Guardando alle sole reti private, riesce difficile pensare a un altro paese che, come o più del Giappone, presenti uno scarto così evidente ed ampio, così marcato e singolare, fra *hardware* e *software*, fra le strutture produttive e di trasmissione da un lato e la sua programmazione dall'altro: all'alto grado raggiunto nella ricerca e nello sviluppo in campo tecnologico, infatti, fa riscontro una cultura televisiva perpetuamente in bilico tra la banalità e l'esasperazione. In termini mcluhaniani, possiamo dire che un medium di grande qualità è riempito di messaggi che il più delle volte sconfinano verso la "spazzatura".

I palinsesti di queste emittenti, sia regionali che nazionali, sono costruiti in modo simile l'uno all'altro, includendo poche e sicure tipologie di programmi: la grande concorrenza esistente fra i vari protagonisti è causa infatti di una continua rincorsa verso le formule che via via si rivelano di successo. La strategia complessiva più seguita è quella di dare vita a un flusso continuo di programmi che, alla disperata ricerca dell'ascolto, insegua e catturi i telespettatori, non importa se travolgendoli o prevaricandoli. Essi, del resto, rappresentano la vera carta strategica per la sopravvivenza di una rete: la quantità dell'ascolto è garanzia degli introiti pubblicitari, la cui importanza è resa esplicita dall'altissima frequenza delle interruzioni all'interno dei programmi.

2.3. Le grandi trasformazioni tecnologiche attualmente in corso, soprattutto grazie al satellite e al cavo, sono destinate però a incidere non poco su questa situazione, costringendo i principali protagonisti a rivedere in maniera radicale le loro strategie. Di fronte alla comunicazione mirata, capillare, rivolta a specifiche nicchie di mercato, che i nuovi strumenti rendono sempre più possibile, i network stanno correndo ai ripari imboccando anch'essi la via della specializzazione, attraverso il potenziamento e il miglioramento di alcuni generi. E, dato il rapporto proprietario che li collega ciascuno ad un grande quotidiano, a tutti è parso logico partire dalle *news*: l'alleanza con una rete d'oltre Oceano è stato il primo passo (Tbs-Cbs, Ntv-Nbc, Fuji-Abc, Asahi-Cnn), accompagnato da una vera e propria "esplosione" nei palinsesti dei programmi d'informazione.

Come si può immaginare, fortissima è la tentazione della spettacolarizzazione esasperata, fino a vere e proprie forme di *infotainment*, di informazione ed *entertainment* assieme. Gli effetti positivi, per i network, non si sono fatti attendere: ad esempio *News Station*, il programma più costoso di tutti i palinsesti giapponesi, ha raggiunto un ascolto pari a 15 milioni di spettatori ogni sera, e il suo conduttore Hiroshi Kume è diventato un punto di riferimento per tutto il paese. Un simile scontro ha comunque portato, anche, a una maggiore qualità dei programmi e alla ricerca di nuove formule: il principale antagonista di *News Station*, *World Business Satellite*, è stato affidato alla conduzione di una donna, fatto che ha costituito un vero e proprio "caso" per la cultura giapponese.

Questa ricerca di nuove formule è stata portata avanti anche all'interno di un genere di programmi che si colloca ugualmente a metà strada fra l'informazione e lo spettacolo, ma partendo dallo spettacolo anziché dall'informazione (è il cosiddetto *info-show*). Sono così stati realizzati programmi innovativi per quanto riguarda i modelli espressivi ed i meccanismi narrativi: *Ravel Level*, a esempio, ha adottato un formato che si rifaceva ai *videogames*, e un ampio utilizzo della computer grafica accompagnava i "passaggi" da una "stanza" all'altra, cioè da un problema all'altro.

In questa fase di trasformazione, è anche possibile cogliere il progressivo affacciarsi, nei palinsesti giapponesi, di un altro tipo di programmi, che si colloca a metà strada fra il genere *educational* e lo show. L'aspetto interessante è che la diffusione di questi programmi, che hanno avuto un notevole successo, è merito di una nuova struttura creativa costituita all'interno della Fuji Tv in seguito a una politica di ricambio generazionale. Questo nuovo gruppo, formato da programmatori giovanissimi e ormai conosciuto come "Il gruppo dei 10", si è messo in luce realizzando tre programmi-pilota che, potendo non tener conto dei vincoli e delle limitazioni abituali, sono risultati particolarmente efficaci nella ricerca di un nuovo linguaggio: *Einstein*, ad esempio, mutuando l'impianto grafico da un programma interattivo, riusciva ad "animare" (e spiegare chiaramente) i più complessi concetti scientifici; *L'umiliazione di Canossa*, fingendo di essere un programma didattico, forniva un retroterra accademico, dai risvolti parodistici, ai prodotti di largo consumo; *L'arroganza della filosofia* volgarizzava i grandi temi filosofici attraverso "sceneggiate" ipervisuali tipo *videogame*.

Si segnalano infine alcune formule originali di interattività. Questa si estrinseca nell'informazione sotto forma di invito a suggerire temi e problemi via fax e telefono: è il caso, ad esempio, di *Just Five Minutes – Objection!*, una striscia di "voce popolare" con cui ogni notte si conclude il programma *News 23*. Ma è nel campo della creatività artistico-spettacolare che l'interattività televisiva ha dato vita in Giappone a programmi del tutto peculiari che, fingendo di sfruttare la formula "dilettanti allo sbaraglio", sono riusciti a promuovere una reale rinascita creativa tra le nuove generazioni: è stato il caso di *Ikaten* per i talenti del rock, di *Ebiten* per quelli del *video-movie*; e successivamente di *Softwars*, programma della Asahi-TV aperto a tutte le nuove idee che la gente sa e vuole proporre in qualsiasi campo di attività.

NOTE BIBLIOGRAFICHE

[1] M. Doyle, *The Future of Television*, Lincolnwood, Illinois, Ntc Business Books, 1992, p. 72.

[2] G. Hennebelle, J. Euvrard e A. Vasudev, *Les Télévisions du monde*, Paris, Télérama-Cerf-Corlet, 1987; trad. it.: *Le televisioni del mondo*, Milano, Lupetti & Co., p. 392.

[3] C. Gagliardi, "L'impero dei supermedia: la tv commerciale in Giappone", *Comunicazione di massa*, anno VI, n. 2, gennaio-aprile 1985.

[4] Dati forniti dall'agenzia Dentsu, Tokyo, 1993, ed elaborati da David D'Heilly.

VI.
I MAGGIORI SISTEMI LATINO-AMERICANI:
L'INSOSTENIBILE PESO DEI MONOPOLI PRIVATI

1. Messico: il più vasto dominio televisivo privato (*)

1.1. La televisione messicana si è sviluppata, a partire dall'inizio degli anni Cinquanta, su un unico modello sostanziale, quello rappresentato dal monopolio commerciale del gruppo privato Televisa. Un monopolio che si è potuto costruire grazie al fatto che lo stato, per molti anni, non istituì alcuna emittente nazionale e attribuì invece a Televisa la concessione a trasmettere (oltre a un trattamento fiscale privilegiato), negando lo stesso diritto ad altri imprenditori. Un monopolio che è poi cresciuto in modo così devastante, da poter imporre esso stesso le regole di comportamento e da poter prontamente sopraffare qualsiasi iniziativa privata che avesse il "coraggio" di presentarsi all'orizzonte. "I telespettatori messicani non hanno così avuto alternative e hanno finito con l'abituarsi e perfino con l'identificarsi negli schemi imposti da questa enorme impresa privata"[1].

Televisa nacque nel 1950 con il nome di Telesistema Mexicano e fin dall'inizio poté possedere tre emittenti a Città del Messico, che ben presto si estesero a tutto il paese diventando a ogni effetto reti nazionali (sono i canali 2, 4 e 5); più recentemente le è stato attribuita addirittura una quarta emittente (il canale 9) destinata alla megalopoli di Città del Messico. Dall'alto di questo suo monopolio privato (certamente il più vasto che esista al mondo), Televisa può permettersi una diversificazione tra le sue reti: Canal 2 è il più importante e popolare, con il "piatto forte" delle *telenovelas* e un contorno di varietà e spazi informativi; Canal 4, per lungo tempo dedi-

(*) I paragrafi 1.3 e 1.4 sono stati scritti da Raúl Trejo Delarbre e rielaborati dall'autore.

cato quasi esclusivamente alla trasmissione di film messicani, irradia ora il segnale del sistema informativo Eco (iniziato nel 1989 con notizie 24 ore al giorno, sul modello della Cnn americana) oltre a destinare ampio spazio allo sport e in particolare al calcio; Canal 5 è la rete dei *serials* americani e, nel pomeriggio, dei programmi per ragazzi; Canal 9 è stato istituito per trasmettere programmi di produzione locale, che trattano argomenti di interesse cittadino, ma è anch'esso destinato a diventare una rete nazionale, forse per programmi informativi regionali. Nel complesso, queste risorse fanno di Televisa l'impresa privata messicana senza dubbio più importante, i cui profitti sono inferiori soltanto all'impresa statale Petroleos Mexicanos.

Soltanto nel 1972 il governo federale, dopo aver favorito in ogni modo l'espansione di Televisa, si decise ad attribuirsi una propria rete televisiva, Canal 13, al quale si aggiunse Canal 7 nel 1985: le due emittenti formarono il consorzio statale Imevision. Ma, nell'ambito della politica di "dimagrimento" dell'intervento statale intrapresa dal presidente Carlos Salinas de Gortari, i due canali sono stati messi in vendita (Canal 7 nel 1990 e Canal 13 nel 1992) e si è così sancita la (forse) definitiva rinuncia del governo messicano a possedere reti televisive. Del resto, giunti dopo anni di incontrastato dominio di Televisa, senza adeguate esperienze e risorse, i due canali statali avevano finito per essere – secondo i settori più avanzati dell'opinione pubblica messicana – nient'altro che "copie sbiadite" del modello privato.

L'unico, vero modello divergente nella storia della televisione messicana è stata la piccola emittente dell'Istituto Politecnico Nazionale, Canal 11, che dal 1959 (con sussidi anche del governo federale) trasmette programmi educativi e culturali: ma si tratta di una divergenza assai debole, perché Canal 11 è limitato all'area di Città del Messico ed è costantemente caratterizzato da un ascolto estremamente basso. Pur subordinata, in certi periodi della sua esistenza, a criteri di conduzione burocratica, questa emittente vanta nella propria storia alcuni esempi di indipendenza degni di nota: come il notiziario *Enlace*, che si segnalò per tale pregio alla fine degli anni Settanta. In genere i suoi programmi, pur di livelli molto disomogenei tra loro, sono ritenuti dotati di uno "spirito" ben diverso da quello che anima la tv commerciale[2].

1.2. Così statico da molti anni, e incapace di opporre una significativa concorrenza a Televisa, il panorama della televisione messicana ha sperimentato solo recentemente qualche cambiamento degno di nota. Oltre alla vendita delle due emittenti del governo federale (i cui potenziali effetti benefici saranno riscontrabili a medio-lungo periodo), si è assistito alla nascita di canali locali e regionali, alla diversificazione dei sistemi di televisione a pagamento e infine alla creazione di una più forte rete culturale, Canal 22. Vediamo con ordine.

Televisioni regionali (sovvenzionate cioè dai diversi stati in cui è suddivisa la federazione messicana) avevano fatto la loro apparizione già negli anni Settanta, ma il vero sviluppo si è avuto nella seconda parte degli anni Ottanta, caratterizzati da una produzione quantitativamente adeguata ma sempre rispettosa degli interessi delle comunità alle quali questi canali si rivolgono (sia nei programmi informativi sia nelle trasmissioni di svago e nella *fiction*). Resta, come elemento penalizzante, l'esiguità dei contributi dei governi locali (unica fonte di introito), nonché la loro aleatorietà, dovuta alle alternanze politiche (ad esempio, l'emittente dello stato di Michoacan è stata chiusa nel 1986, perché al nuovo governatore non interessava di finanziarla).

La diversificazione della tv a pagamento è un fenomeno ancor più recente di quello delle tv regionali, ed economicamente assai più significativo. Va detto che, nel paese, esistono già da molto tempo sistemi di televisione via cavo, che provvedono (a pagamento) a collegare zone che sarebbero penalizzate dalle montagne nella ricezione dei segnali via etere; ovviamente questi sistemi non si limitano a offrire i canali messicani irradiati dalla capitale, ma aggiungono un "menù" di programmazione commerciale americana.

Finora, anche in questo settore della tv cavo, la potenza egemone era Televisa, attraverso la sua società Cablevision che possiede 108 stazioni in tutto il paese; particolarmente appetibile per il messicano abbiente è la programmazione via cavo che Cablevision mette a disposizione a Città del Messico, con 18 canali diversi (dai network Abc, Cbs, Nbc al circuito di *pay-tv* Home Box Office con film sottotitolati, da un canale di *videoclips* a uno di sport ecc.). Nel 1989, però, questo "tranquillo" monopolio è stato sfidato da una nuova società, Multivision, che fa parte di un consorzio produttore di programmi per la tv e che trasmette sia via cavo sia attraverso un sistema a microonde (che necessita ovviamente di una antenna e un decodificatore): tra i suoi 10 canali figurano la rete informativa Cnn, quella sportiva Espn, i network Abc, Cbs, Nbc, nonché selezioni di programmi della rete pubblica americana Pbs e di televisioni sudamericane. È giudicato molto significativo il fatto che, in soli tre anni, Multivision abbia superato, a Città del Messico, il numero di abbonati di Cablevision, operativa da oltre vent'anni.

Infine, come si è detto, c'è da registrare la "rivoluzione illuminista" del Canal 22. All'inizio del 1991, circa 500 tra scrittori, artisti, giornalisti e produttori hanno invitato il governo a istituire un vero canale televisivo culturale (qualcosa di simile alla Sept francese); dopo l'assenso del presidente Salinas, sei mesi dopo era già pronta una proposta operativa, che prevede la messa in onda esclusivamente di programmi messicani e stranieri a carattere culturale, con una piccola percentuale di produzione propria sullo stile della Pbs statunitense e della Bbc britannica. Nel corso del 1992 è stata affrontata la fase più direttamente organizzativa, per passare quindi a quella operativa. Gli ambienti culturali messicani nutrono grandi speranze, anche se non si nascondono alcuni preoccupanti problemi: in primo luogo quello finanziario (cui peraltro provvede, almeno per i primi anni, un contributo statale) e inoltre quello diffusionale (dovuto al fatto che l'emittente trasmette in Uhf, banda non compresa nella maggior parte dei televisori oggi in uso in Messico).

1.3. Se si considera che per quasi tutta la sua storia il sistema televisivo messicano è stato dominato da un protagonista che ha avuto quale principale obiettivo il proprio tornaconto, e si aggiunge che questa società ha pressoché operato in regime di monopolio, senza l'incentivo di una vera concorrenza, è difficile pensare che in Messico si possano rintracciare esempi di televisione di qualità. Nonostante le enormi risorse a disposizione di Televisa, che le permetterebbero di realizzare qualsiasi tipo di programmazione, la costante prevalenza attribuita al vantaggio economico e pubblicitario, sempre anteposto all'interesse dei telespettatori o a una logica di servizio, ha favorito una produzione basata su formule semplici, a basso costo, estremamente ripetitive.

311

In questo senso, la stessa diversificazione dei palinsesti delle quattro reti di Televisa non corrisponde a un'esigenza di completezza, varietà e coerenza dell'offerta, ma è finalizzata unicamente alla ricerca di più ampie platee. D'altronde, sebbene le quattro reti trasmettano generi differenti, la logica e le linee editoriali e imprenditoriali perseguite sono sempre le stesse: il modello è unicamente quello commerciale.

L'unica deroga a questa linea sembrava a un certo punto rappresentata da Canale 9, la stazione di Televisa attiva nella zona di Città del Messico: pressoché priva di pubblicità, incentrata su documentari americani ed europei, film internazionali, cicli dedicati ai personaggi nazionali (tra cui lo scrittore Octavio Paz, autore anche di alcuni progetti di divulgazione televisiva patrocinati da Televisa), essa ha effettivamente rappresentato per qualche anno una eccezione all'interno dello scenario televisivo messicano; ma nel 1990 ha bruscamente cambiato indirizzo ed è tornata, come in origine, a una programmazione più in linea con la filosofia del gruppo. Del resto, era nata (nel 1980) per la necessità di convincere il governo a non ritirare le concessioni e a non nazionalizzare uno dei canali di Televisa, più che per la autonoma volontà di creare una rete con queste caratteristiche alternative...

All'interno di un panorama saturato da una produzione televisiva di così bassa qualità e originalità, i pochi esperimenti compiuti da Televisa per realizzare programmi con caratteristiche differenti non hanno ricevuto l'approvazione dei suoi telespettatori, da tempo abituati a canoni-standard e a modelli fissi. È il caso di *telenovelas* come *Los Caudillos*, *La Tormenta* e *Senta de gloria* (che rivisitavano con sensibilità alcuni momenti della storia messicana) o di altre produzioni affidate per la regia ai migliori nomi del nuovo cinema messicano.

1.4. La televisione pubblica, nel momento in cui ha deciso di "nascere", non è stata in grado di costituire una reale alternativa all'emittenza privata. Anzi, a programmi sostanzialmente identici e ad una uguale predominanza dell'aspetto commerciale, si è aggiunto il controllo esercitato direttamente dal Ministero degli Interni, che ha sortito un effetto paralizzante per quanto riguarda i contenuti dell'informazione, dei telegiornali. Dal momento che l'intervento pubblico non ha rappresentato un incentivo allo sviluppo del sistema, ma si è risolto con la duplicazione di un modello già molto presente, non è un caso che lo Stato nel 1992 abbia deciso di ritirarsi dalla scena.

Ciò non significa, peraltro, che il governo messicano abbia rinunciato all'appoggio proveniente da un uso mirato e condizionato della televisione. La sintonia, o meglio l'allineamento di Televisa con il punto di vista governativo, è infatti totale, e costituisce uno dei tratti che più conferiscono al sistema televisivo messicano la patente di arretratezza e di scarsa qualità. Una mancanza di indipendenza di vedute e di oggettività di giudizio rispetto al governo e ad altri centri di potere (che assume livelli macroscopici soprattutto in occasione delle elezioni), nonché molteplici forme di censura e di autocensura, contraddistinguono tutta la programmazione del colosso monopolista.

L'impronta dell'intervento statale nella programmazione televisiva resta legata ad alcuni documentari e special di tipo molto tradizionale, prodotti da Imevision negli anni della sua esistenza: come ad esempio *Este es Mexico* (Questo è il Messico), *Artesanos y Orfebres* (Artigiani e orefici), *Trova latinoamericana* (Stornelli latinoamericani), e così via. A questi si aggiungono (e sono ancora in distribuzione) un migliaio di programmi prodotti, per la maggior parte negli anni Settanta e Ottanta, per conto della Secreteria de educatión publica, anch'essi nella vecchia tradizione del documentario: *Los barrios* (I quartieri), *Diego Rivera vida e obra* (Diego Rivera vita e opera), *Monumentos y museos* (Monumenti e musei) ecc. Attualmente, il Consejo nacional de ciencia y tecnologia commissiona programmi di divulgazione soprattutto per adolescenti, come *Años luz* (Anni luce) e *La pandilla cientifica* (La comitiva scientifica). In chiave più innovativa si pongono invece serie di video realizzati in alcune università (tra cui in primo luogo l'Unam, Università autonoma metropolitana) dagli studenti e laureati dei corsi di cinema e televisione. Occasionalmente, tutti questi programmi trovano spazio nei palinsesti, in fasce d'ascolto notturne o mattutine; ma è successo sovente che siano stati cancellati, senza alcun preavviso per i telespettatori. Lo sviluppo del Canal 22 culturale potrebbe finalmente mutare in positivo il loro destino.

2. Brasile: una Rete Globo inattaccabile, o quasi (*)

2.1. Anche in Brasile, come in Messico, è un grande monopolista privato, Rede Globo, a dominare il mercato televisivo. A differenza di Televisa, irradia i suoi programmi su una sola rete (attraverso 51 emittenti locali), raggiungendo il 95 per cento dei 17 milioni di case dotate di televisore: case che le sono devotamente fedeli, se è vero che, nelle ore di massimo ascolto, su dieci apparecchi accesi ve ne sono in media otto sintonizzati su Rede Globo.

Prima di giungere a questo "blocco", il sistema televisivo brasiliano si è sviluppato secondo un modello tipico per il continente latino-americano, con una serie di tv commerciali ancorate alle grandi città. La prima (a San Paolo e subito dopo a Rio de Janeiro) fu la rete Tupi nel 1950, quando non c'era quasi nessun apparecchio a ricevere il segnale televisivo. Per molti anni seguenti la Tupi rimase l'unica rete tendenzialmente nazionale, ma la rudimentalità delle attrezzature tecniche non permetteva una vera e propria programmazione nazionale, per cui la rete aveva in ogni stato del Brasile un'identità diversa, confusa e spesso contraddittoria, pur facendo parte di un unico gruppo (Diarios Associados, proprietario anche di numerosi giornali e riviste).

In tutto quel periodo, l'audience televisiva era comunque molto limitata. La radio era il medium dominatore nelle case brasiliane, forte soprattutto dello straordinario successo popolare delle *radionovelas*. Soltanto dopo il 1960, con l'adozione della videoregistrazione da studio, fu possibile realizzare le prime *telenovelas*, che rappresentarono lo sprone decisivo per la diffusione della tv in Brasile. Con il giugno 1963 (data della messa in onda della *telenovela* inaugurale, lanciata dall'emittente Excelsior) aveva inizio la vera e propria storia della televisione in questo paese[3].

La data di nascita dell'emittente Globo (di proprietà della famiglia Marinho) è relativamente recente, il 1965. Ma già sette anni dopo, nel 1972, investendo massicciamente proprio nel genere *telenovela*, essa aveva acquisito una posizione di quasi monopolio, con una media di ascolto del 90 per cento che praticamente significava la distruzione di ogni possibile concorrenza. Difatti, molte piccole emittenti (Excelsior, Continental ecc.) accettarono di farsi assorbire

(*) Il paragrafo 2.2 è stato scritto da Wladimir Weltman e rialaborato dall'autore.

314

e divennero semplici ripetitori del segnale della Globo. Quest'ultima poté unificare la sua programmazione a livello nazionale nel 1975, inaugurando l'epoca dei network in Brasile.

2.2. Da allora a oggi la situazione del sistema televisivo brasiliano si è leggermente diversificata, pur nella persistenza del dominio della Rede Globo. Già nel 1967 si era inaugurata a San Paolo la Rede Bandeirantes; dieci anni dopo, nel 1977, è sorta a Rio de Janeiro la Tvs, e nel 1981 la Sbt dell'ex *showman* Silvio Santos (ora proprietario di Tvs) è diventata una rete nazionale. Infine, nel 1983, è stata inaugurata a Rio la Rede Manchete, che completa il quadro dei network brasiliani attuali (nell'elenco manca la rete pioniera Tupi, che alla metà degli anni Settanta è fallita e scomparsa). Grazie a queste presenze, il dominio della Rede Globo non è più così assoluto e inattaccabile come nel passato: gli altri network, infatti, cominciano a definire meglio le proprie strategie di offerta, arrivando in taluni casi a scalfire, e comunque a rendere meno vistoso, il primato della "capofila".

Un esempio di successo per quanto riguarda il riscontro di pubblico è rappresentato dalla rete di Silvio Santos, il quale ha direttamente trasferito all'interno dei suoi palinsesti la filosofia popolar-commerciale che aveva improntato la sua lunga, precedente esperienza di venditore ambulante. Sull'onda della parola d'ordine "il popolo alla tv", questo pittoresco personaggio ha addirittura attaccato la Globo alle ore 20 (l'inizio del *prime-time*, quando impera il seguitissimo *Jornal Nacional*, che lascia poi il campo alla *telenovela* principale) sul terreno – si potrebbe dire – della "mancanza di qualità": cioè con *Carrossel*, una *telenovela* di importazione messicana originariamente destinata al pubblico dei bambini, qualitativamente scadente e per giunta penalizzata da un pessimo doppiaggio, che nel 1991 ha sottratto oltre il 20 per cento dell'ascolto alla Globo (una percentuale enorme, per chi conosce la staticità dell'ascolto brasiliano).

È quella di Santos l'unica strada per ritagliarsi uno spazio televisivo in Brasile? L'esperienza di Rede Manchete costituisce di per sé una risposta piuttosto sconsolante. Questa rete si era infatti presentata con una strategia completamente differente che, come ben esemplificava il suo slogan "Una tv di prima classe", voleva evitare di porsi sul terreno della concorrenza diretta con Rede Globo. Durante i suoi primi anni di vita, essa aveva effettivamente presentato una programmazione sofisticata, incentrata su buoni spettacoli musicali, balletti, documentari e un telegiornale quotidiano attento all'approfondimento dei diversi argomenti. Forte del successo ottenuto (e nonostante il plauso della critica per tale impostazione di qualità) Rede Manchete ha però presto abbandonato questa sua specificità editoriale, uscendo dalla nicchia che si era ricavata e cercando di affrontare direttamente Rede Globo sul terreno prima delle mini-serie e poi delle *telenovelas*. L'attacco "frontale" (peraltro non alle 20 ma alle 21, comunque sempre nel *prime-time* serale) si è avuto nel 1990, con *Pantanal*, una mediocre *telenovela* eroticoecologica, debole nella storia ma assai "colorata" della natura lussureggiante e dall'uso spregiudicato della sensualità femminile, che ha inflitto alla Globo la prima, vera sconfitta.

Per quanto riguarda il prosieguo degli anni Novanta, è possibile cogliere alcuni elementi di novità? La televisione di bassa qualità è senz'altro dominante, e tuttora prosperano forme esasperate di programmi popolar-commerciali (il lancio fra il pubblico, da parte del conduttore di uno show, di aeroplanini fatti con banconote è una delle tante, recenti trovate di questo filone). Si profila peraltro lo sviluppo di reti che non cercano più il massimo ascolto a tutti i costi, ma sono in grado di dare vita a programmazioni selezionate o incentrate intorno a un numero ristretto di generi. Uno di questi soggetti innovatori è la Rete Bandeirantes, che si è specializzata nella copertura degli avvenimenti sportivi (quasi il 40 per cento del suo palinsesto è occupato da tale genere), e proprio con questa programmazione ha più volte superato negli ascolti Rede Globo. Il pubblico degli avvenimenti sportivi sarà forse meno esteso di quello della *telenovelas*, ma il fatto che sia estremamente fedele ed altamente omogeneo si è rivelato un aspetto molto remunerativo dal punto di vista degli sponsor e degli investimenti pubblicitari.

Anche due reti regionali, per quanto piccole, si sono inserite in questa nuova direzione giocando a tutto campo il ruolo di televisioni alternative: Tv-cultura e Tv-11 Gazeta si sono rivolte entrambe ad un pubblico qualificato e numericamente contenuto. Tv-cultura si è ispirata alla programmazione delle reti pubbliche europee trasmettendo tra l'altro programmi musicali di ottima qualità, grandi *reportages*, rassegne cinematografiche e proiezioni speciali, ed ha trovato un grosso seguito fra gli studenti e negli ambienti intellettuali. Tv-11 Gazeta, contraddistinta da uno spirito critico senza riguardi e timidezze, ha puntato soprattutto sull'attualità, sull'economia e sui dibattiti, cercando il suo pubblico fra i quadri dell'industria e della finanza e nei settori più attivi dell'opinione pubblica.

Sebbene periodicamente il Brasile sia soggetto ad una simile illusione, oggi più che mai sembra che si siano finalmente mossi i primi passi verso una nuova fase, contraddistinta dal ridimensionamento della supremazia di Rede Globo e dalla pluralizzazione degli ascolti. Anche la rete di Marinho (passata per quanto riguarda le *telenovelas* da un indice di ascolto del 70 per cento negli anni Settanta a circa il 40 per cento dei primi anni Novanta) sembra essersi accorta dell'avvio di questo processo di sgretolamento della sua posizione, ed è corsa ai ripari: cercando non tanto di recuperare l'ascolto perduto, quanto di mantenere inalterate le entrate pubblicitarie. Questa linea rischia di vanificare in gran parte il processo migliorativo del sistema brasiliano, perché lascia presupporre che nel futuro l'interlocutore commerciale andrà ancor più a prevalere sul target d'ascolto, con tutte le conseguenze (negative) che ciò può portare in termini di qualità della programmazione e di tutela degli interessi e delle aspettative dei telespettatori.

Non è un caso che, per descrivere la pur debole ma comunque innegabile mutazione del sistema brasiliano, si sia ricorsi non a temi istituzionali, normativi, sociopolitici, ma esclusivamente ad aspetti della programmazione televisiva. Il Brasile "è una nazione dallo sviluppo schizofrenico", ed è anche "terra di facili emozioni e rapidi mutamenti"[4], per cui "ogni volta che un'emittente lancia un programma di successo che minaccia la supremazia della Rede Globo, si ha la sensazione che il paese possa vivere la genesi di una nuova era televisiva"[5].

NOTE BIBLIOGRAFICHE

[1] R. Trejo Delarbre, conversazione con l'autore, Urbino, 1993.

[2] C. Sartori, relazione per la serie *Dieci anni che sconvolgono la tv*, Roma, Rai-Tre, 1986.

[3] C. Sartori, *L'occhio universale – Modelli di sviluppo, programmi e pubblico delle televisioni del mondo, Milano*, Rizzoli, 1981, pp. 62-67.

[4] Decio Pignatari, conversazione con l'autore, Rio de Janeiro, 1989.

[5] W. Weltman, conversazione con l'autore, Urbino, 1993.

IL LEGAME MANCANTE

1. Abbiamo così concluso il nostro "viaggio" dentro la qualità televisiva: un viaggio molto lungo, ma certamente incompleto. Sarebbe perciò velleitario voler "tirar le fila" di questo argomento, tanto più nella prospettiva internazionale che abbiamo voluto adottare. Accontentiamoci dunque di essere riusciti a muoverci in un contesto così vasto e complesso e a stabilire qualche linea di demarcazione, qualche "paletto" di confine, qualche caratteristica del territorio. Proviamo a sintetizzare.

Innanzitutto, abbiamo cercato di comprendere se un qualsiasi rapporto tra televisione e qualità fosse possibile, nell'attuale e futuro stato di evoluzione del mezzo: e abbiamo risposto in senso affermativo. "Il medium – si è detto – è qualcosa di più della 'landa desolata' di certe ipotesi catastrofiste; il messaggio può ambire a non essere semplicemente ricondotto alla metafora del 'chewing gum per gli occhi'; il canale (la tecnologia del mezzo, le sue caratteristiche distributive) sta raggiungendo una 'maturità' notevole, all'interno del nuovo universo telematico che è in via di costruzione; il pubblico infine non è il 'bersaglio immobile' di potenti apparati (anche se il rischio permane), e la sua scansione attraverso gli interessi e i bisogni delle società avanzate lo trasforma a poco a poco in un 'corpo mobile' di crescente consapevolezza nel consumo di audiovisivo, alla ricerca di quel 'rapporto di fiducia' con gli apparati emittenti che è certamente alla base di un qualsiasi concetto di qualità televisiva".

Quindi siamo passati a delineare alcuni elementi più precisi di questo potenziale rapporto tra televisione e qualità, seguendo uno schema per così dire "induttivo". Ci siamo infatti mossi dal campo più tradizionale e frequentato di valutazione della qualità, quello dei singoli programmi, per giungere alla conclusione che esso costituisce solo un aspetto del vasto e complesso "ecosistema della qualità" che le società avanzate e i moderni modelli televisivi impongono alla nostra attenzione. Si è detto a tal proposito che non esistono (o sono simulacri sempre più ingannevoli) qualità parziali, ma solo una "qualità globale" che è data dall'equilibrio di molti livelli oggettivi (il pluralismo delle fonti, la diversificazione delle strategie di offerta, la creatività interna dei programmi ecc.) e di molti livelli soggettivi (le capacità dei *professionals*, i giudizi dei critici, le esigenze e i desideri del pubblico, o meglio, di pubblici sempre più differenziati e partecipi). Solo all'interno di un quadro complessivo così concepito, noi possiamo ritornare a considerare tutti quei concetti che la tradizione "sana" del mondo della comunicazione ci ha trasmesso quali capisaldi contenutistici della qualità: e cioè il rispetto della dignità umana e dei suoi diritti fondamentali; l'offerta di una visione del mondo che ampli gli orizzonti e gli interessi della gente; l'oggettività, l'indipendenza e la comprensibilità dell'informazione; la libertà di espressione e la libera formazione delle opinioni, e così via.

Abbiamo successivamente "testato" questa concezione globale della qualità, identificando due suoi possibili percorsi nella realtà televisiva contemporanea. Augusto Preta ha così analizzato i "mercati della qualità" in quest'epoca di trasformazione dell'offerta, concentrando l'attenzione sia sulla classica televisione generalista o "di flusso", sia sulle più recenti modalità espressive e distributive legate all'avvento di una televisione mirata alle esigenze di pubblici specifici (e concretizzate nelle varie forme di "tv a pagamento"). Fausto Colombo, dal canto suo, ha messo in luce, all'interno del modello italiano, proprio le spiacevoli conseguenze che derivano dallo sbilanciamento delle diverse forze interagenti in un sistema televisivo.

L'ultima parte del volume è stata dedicata a una ricognizione della qualità nei principali contesti televisivi mondiali. L'analisi è stata compiuta tenendo ben presente il senso ampio che abbiamo attribuito a questo concetto: per cui non ci siamo limitati a citare ed esaminare prodotti che hanno in qualche modo (dalla critica, dai *professionals*, dal pubblico) ricevuto l'etichetta "di qualità", ma si sono osservate le condizioni strutturali di operatività dei sistemi, proprio allo scopo di controllare in che misura esse favoriscano od ostacolino lo sviluppo della "qualità globale" in ciascun paese.

2. La ricerca che ha dato vita al volume si è mossa prevalentemente su un piano che definirei "socioculturale". In sottofondo, peraltro, noi abbiamo visto comparire tutta una serie di problemi che qualificherei come "socioeconomici". Tra i due piani di analisi e di operatività manca un legame, perché tradizionalmente i due tipi di ricerca si sono (nelle ipotesi migliori) ignorati. Eppure questo *missing link* è, oggi più che mai, fondamentale e irrinunciabile: va cercato, scandagliato, reso esplicito e condiviso. Non si tratta semplicemente di applicare al campo televisivo principi derivati dalla filosofia manageriale della Total Quality: il "legame mancante" è molto più vasto e più complesso, spaziando ancora una volta tra molteplici livelli oggettivi e soggettivi (sistemi, strategie di offerta, domanda dei consumatori ecc.).

Si dirà che le regole e le procedure finanziarie e industriali non sono trasferibili *sic et simpliciter* dalla generica impresa manufatturiera alla televisione, così come non lo sono nei confronti degli altri media (il libro, il giornale, la radio, il cinema). Ciò è senz'altro vero, per motivi sia interni agli apparati degli stessi media (che sono sì produttori economici, ma anche prestatori di quel fondamentale servizio pubblico che è la comunicazione), sia esterni ad essi (trovandosi ad agire in un sistema con regole del tutto peculiari, per volontà sociale e/o politica). Ma noi non riteniamo che questa pur valida considerazione annulli la possibilità di affrontare l'analisi del mezzo televisivo anche sotto l'aspetto economico-imprenditoriale: sotto l'aspetto cioè di una qualità che potrà essere sì declinata secondo le esigenze del settore, ma che non potrà non essere in linea con i traguardi raggiunti dagli altri comparti del nostro mondo industriale.

Non dobbiamo, cioè, rassegnarci in partenza a non pretendere standard avanzati dalla televisione, solo perché non siamo stati ancora in grado di amalgamare le esigenze culturali (estetico-contenutistiche) del mezzo con i criteri strategico-organizzativi richiesti dall'industria contemporanea. E non dobbiamo abbandonare la televisione alle sue "vecchie regole", solo perché non siamo riusciti finora a estrapolare le peculiarità sociopolitiche del sistema televisivo e, interpretandole in modo appropriato, costruire contesti economici di riferimento sicuri e razionali, in cui possano agire enti ed imprese di qualità, con strategie e prodotti di qualità.

La costruzione e l'elaborazione di questo *missing link*, noi le con-

321

segniamo ai futuri approfondimenti sul tema della qualità. Che ci auguriamo di veder nascere e svilupparsi molto presto.

Roma, 30 ottobre 1993.

Finito di stampare
nel mese di ottobre 1993 presso il
Nuovo Istituto Italiano d'Arti Grafiche - Bergamo
Printed in Italy